Le Sang de Clovis

Cavanna

Le Sang
de Clovis

ROMAN

LE GRAND LIVRE DU MOIS

© Editions Albin Michel S.A., 2001
22, rue Huyghens, 75014 Paris

La Gaule à la mort de Caribert (567)

Prologue

Lorsque les hordes barbares se succédant comme les vagues de la mer eurent submergé l'Empire sous leurs multitudes hirsutes, lorsque l'ordre romain jeté à bas eut cédé la place à la cynique brutalité du plus fort, du plus fourbe, du plus rapace, lorsque l'Europe exsangue, écartelée entre les griffes sanglantes des conquérants rivaux, se demandait en tremblant si elle serait wisigothe ou burgonde, ostrogothe ou alamane, vandale, lombarde ou même mongole selon que serait le chef de bande qui l'emporterait sur les autres... Alors cette Europe-proie n'imaginait pas que son maître futur sortirait de la plus infime des cohues tudesques, de cette misérable nation des Francs accroupie dans ses marécages désolés des confins de la mer nordique où la harcelaient les Saxons mangeurs d'hommes.

C'est que là, dans les brumeuses solitudes d'entre Rhin et Somme, parmi ce peuple dépenaillé plus barbare que les plus barbares, s'était levé un chef doué d'une avidité dévorante, d'une ambition démesurée, ainsi que des moyens de les satisfaire. Clovis, fils de Childéric, était ce chef.

Par ruse et par traîtrise plus encore que par violence, il avait l'un après l'autre dépossédé puis massacré ses puissants voisins, dévorant méthodiquement la Gaule, se

Le Sang de Clovis

jetant tout d'abord en grande félonie sur le royaume du Romain Syagrius, son allié, puis soumettant les Alamans des marches de l'Est, étendant enfin le pouvoir des Francs jusqu'aux Pyrénées après avoir écrasé les arrogants Wisigoths. Désormais la Gaule était franque, sauf une enclave burgonde le long du fleuve Rhône que la mort trop prompte du conquérant ne lui avait pas laissé le loisir de dévorer.

Entre-temps, astuce suprême, Clovis avait renié la religion de ses pères pour devenir le seul roi chrétien de rite catholique romain, ralliant ainsi à lui les multitudes gauloises opprimées par les rois barbares voués à l'hérésie d'Arius.

Clovis avait ajouté les provinces aux provinces comme on entasse butin sur butin. Cela faisait un gros tas de butin. Cela ne faisait pas un empire. Le conquérant mort, ses fils se partageaient le butin. Ainsi le voulait la loi barbare. Autant de fils, autant de lambeaux.

Chacun des fils avait pour ambition première de rassembler à nouveau tout le butin en ce gros tas qu'avait su amasser le père. Pour y parvenir, un seul moyen : assassiner ses frères. Chacun d'eux s'y employa avec ardeur. En fin de parcours, la totalité du butin revenait au plus sanguinaire, ou au plus fourbe, ou au plus prompt.

Et puis celui-là, son heure venue, mourait. Il laissait bien entendu un certain nombre de fils, et tout recommençait[1].

Les fils de Clovis avaient été d'abominables brutes. Les petits-fils les surpassèrent.

---

1. Pour plus de détails sur ce qu'il advint de l'héritage de Clovis voir Annexes : « Les royaumes francs », p. 377.

Première partie

BRUNEHAUT

I

Au palais royal de Soissons, lequel fut jadis le Palais d'Argent conquis par le roi Clovis sur Syagrius lors de la ruée qui donna aux Francs tout le vaste pays entre Somme et Loire, c'est jour de liesse. La princesse Audovère, épouse, selon la loi franque, par le sou d'or et le denier d'argent, et aussi selon la loi du Christ car désormais les Francs sont chrétiens, de Chilpéric, fils du roi Clotaire et petit-fils de Clovis le Grand, a donné le jour à un enfant mâle.

Elle est bien contente, Audovère ! Un fils, c'est ça qui vous attache un homme ! De fait, Chilpéric rayonne. Entouré de ses leudes tintinnabulant de ferrailles guerrières et de quincailles précieuses, il boit à la santé du nouveau-né, puis, tout de même, à celle de l'heureuse maman. Tous ces gaillards parlent haut, rient plus haut encore, font tonner les triples « Hoch ! » qui ricochent sous la voûte. La sage-femme n'ose faire remarquer à Chilpéric, fils de roi et bientôt roi lui-même, qu'un peu de calme conviendrait mieux à l'accouchée de frais.

Un tumulte s'entend à la porte. Deux colosses en armes font irruption, se postent, jambes écartées, lance en bataille, de part et d'autre de l'ouverture, cependant que s'y encadre le roi Clotaire, venu voir la frimousse du dernier bourgeon de la lignée.

Le Sang de Clovis

Le roi Clotaire va sur ses soixante-douze ans, âge remarquable, surtout pour un roi de la souche de Clovis. Il a survécu à ses trois frères ainsi qu'à leurs fils, devenant de ce fait le seul bénéficiaire d'une cascade d'héritages et le rassembleur des lambeaux du patrimoine amassé par Clovis.

Ce fut long et implacable. Tue ton frère ou il te tuera, telle est la règle de la famille. Clotaire a tué, Clotaire a survécu. Il n'a désormais plus rien à craindre de personne, si ce n'est de ses propres fils. Il les a grassement pourvus en apanages lointains, dont le gouvernement leur procure assez d'agréments et de soucis pour les faire patienter jusqu'à la mort de leur père. Après, dame... La routine du partage laborieux puis du regroupement par voie d'assassinats entre frères reprendra. Mais Clotaire ne sera plus là pour voir ces choses.

Pour l'instant, le roi Clotaire est là, et bien là. Il ne rechigne pas à prendre sa part de la joie commune. Il se fait amener le nourrisson, le saisit entre ses vastes paumes, le lève haut dans la lumière, rit à pleine gueule, ce qui fait pleurer l'enfantelet, d'autant que lorsque le roi rit, tous rient, et le rire émanant de ces hures farouches est certes un formidable rire.

Le roi Clotaire fronce le sourcil.

— Il a les larmes bien promptes.

Il ajoute, rasséréné :

— Mais quels poumons ! Des poumons à rameuter une armée en débandade.

Il semble réfléchir.

— Nous l'appellerons Mérovée.

La jeune mère fait la moue. Chilpéric non plus n'a pas l'air d'apprécier :

— C'est un nom du temps jadis. Ça ne se donne plus, de nos jours.

Quand le roi Clotaire a décidé, pas question qu'il renonce. Il insiste :

Le Sang de Clovis

— C'est le nom du grand ancêtre, du père de la lignée, de celui qui fut conçu dans le ventre de notre aïeule par un monstre sorti du Rhin qui n'était autre que le dieu Wotan, le nom de celui sans qui les Romains n'auraient pu vaincre Attila et sa Horde. Ce nom ne doit pas se perdre. L'enfant s'appellera Mérovée.

Que répondre à cela ? Le maître a parlé.

Une naissance, fût-ce celle d'un mâle, n'est pas chose si rare qu'on en doive faire grand cas. Le roi Clotaire a daigné honorer celle-ci de sa brève présence, il estime en avoir fait assez. Après un dernier triple « Hoch ! » qui précipite l'enfant dans une crise de hurlements terrorisés, le roi tourne les talons, grommelant :

— Un louveteau de plus à la curée... S'il vit jusque-là !

Soudain il s'arrête, à mi-chemin de la porte, se penche vers le seigneur lourdement armé qui marche à son côté, demande :

— Qui donc est ce museau que je vois pointer là-derrière, parmi les femmes de ma bru ?

— Quel museau, seigneur roi ?

— Eh, on ne voit que lui ! Ou plutôt ces yeux. Quels yeux ! Et le reste de la fille n'est pas mal non plus.

— Ah, tu veux dire cette noiraude, seigneur roi ?

— Noiraude ? Cette toison comme un fleuve de nuit... Tu ne serais pas un peu pédé, toi ? Hé, laisse ton épée tranquille. Je suis le roi, je dis ce que je veux et je t'emmerde. Dis-moi plutôt. Cette fille ?

— C'est une des filles de ta bru.

— D'Audovère ? Elle a bon goût.

— Si je me souviens bien, avant elle était aux cuisines, à récurer les pots.

— Et Audovère est allée la chercher là ?

— C'est-à-dire... Le seigneur ton fils l'a remarquée, et bon, quoi, il en a fait cadeau à son épouse

Le Sang de Clovis

— Tu veux dire qu'il l'a mise dans son lit, et pour qu'elle sente moins mauvais il l'a fait monter en grade. Tu connais son nom ?

— Frédégonde, je crois.

II

Chilpéric, roi de Neustrie, part pour la guerre. Il s'en va joindre ses armées à celles de son frère Sigebert, roi d'Austrasie, puis tous deux partiront châtier une bonne fois ces Saxons arrogants dont les incursions de rapine et de massacre sont devenues intolérables.

La reine Audovère, entourée de ses femmes, est venue saluer le départ de son époux. Les nombreuses autres épouses du roi sont là aussi, un peu en retrait, les légitimes et les concubines, ces dernières encore un peu plus en retrait. Tout à fait en arrière, la foule des occasionnelles, de celles qu'on troussa une fois sur le bord d'un baquet sans qu'elles eussent même posé à terre les seaux qu'elles portaient et en sont depuis toutes fiérotes.

Audovère est la reine. Son ventre qui pousse loin en avant la robe aux riches broderies l'affirme bien haut. La grossesse est la preuve éclatante qu'une reine plaît encore, en dépit de la concurrence. Ventre plein s'affiche crânement. Si la reine n'est pas la seule, du moins est-elle la première.

Le roi caracole sur un cheval plein de feu. L'heure est venue. Il se penche, effleure de la paume les cheveux bien nattés d'Audovère, tapote la joue du bel enfant que lui tend à bout de bras une des femmes de la reine. Mérovée, le fils très précieux, espoir et fierté de son père, a maintenant six ans accomplis.

Le Sang de Clovis

Chilpéric tapotait la joue de l'enfant mais ses regards se perdaient dans les yeux de la porteuse. Deux lacs d'eau verte. Chevelure de nuit, abondante invraisemblablement. « La beauté du diable », pense Chilpéric. Non. La beauté, simplement. L'insoutenable évidence de la beauté. Qui ne se détaille pas, ne se décrit pas, ne se commente pas. La beauté. Souveraine. Arrogante. Elle en a le droit.

La fille n'a pas cillé, elle n'a pas souri. Il est à elle. Elle n'est pas à lui. Elle n'est à personne. Elle prend, ne donne pas. Prête son corps, oui. Qu'est-ce qu'un corps ? Ne triche pas. Ils acceptent. Il accepte.

Frédégonde.

C'est une fille. La reine Audovère est un peu déçue, pas trop, toutefois. Elle a déjà donné deux beaux garçons à son seigneur, elle peut se laisser aller au plaisir de sa jolie petite poupée.

Une question la tourmente. Elle s'en ouvre à la fidèle Frédégonde, à la très bonne, la toute dévouée, la seule d'entre ses femmes qui, jamais, n'a succombé aux assauts de son mari :

— Dis-moi, petite. Dieu seul sait quand le roi reviendra de la guerre. Je pensais attendre son retour pour faire donner le baptême à l'enfant. Mais voilà que je me dis que si le mal la prenait et qu'elle vienne soudain à mourir – ce qu'à Dieu ne plaise ! –, elle ne pourrait entrer en Paradis et errerait pour toujours dans les Limbes, qui sont, me suis-je laissé dire, un endroit tout gris et fort triste. Une si jolie petite fille ! Ne serait-ce pas pitié ? Alors, voilà : ne devrais-je pas la faire baptiser au plus vite ?

L'âme de la reine Audovère est une de ces âmes confiantes, une de ces âmes charmantes qu'irise un arc-en-ciel quand la

Le Sang de Clovis

bonté d'autrui les illumine. Elle dirige sur sa dévouée servante l'interrogation candide de ses yeux aux longs cils. Frédégonde prend son temps. C'est que le propos est d'importance. Et puis, elle entrevoit des choses, Frédégonde. Elle répond enfin, et sa voix n'est que dévouement et sagacité :

— Dame très aimée, qu'ajouter à cela ? Ton cœur de mère t'a inspiré ces pensées et t'a, en même temps, suggéré la réponse. Il n'est que trop vrai que les enfants au maillot meurent comme mouches en hiver. C'est le Seigneur Christ Jésus qui les rappelle à Lui, car leur doux babil réjouit Son cœur. Malheur à qui empêchera l'âme d'un de ces petits de rejoindre son Créateur qui l'attend, bras grands ouverts... Les Limbes ? Fi !

— Tu es donc d'avis que nous la baptisions sans plus attendre ?

— C'est assurément là ce que tu dois faire. À son retour, le seigneur roi sera heureux que tu aies pris de toi-même cette initiative. Songe à sa colère s'il venait à apprendre que sa fille est morte sans avoir reçu le saint baptême.

— C'est donc décidé. Mais, vois-tu, ceci doit se faire de façon honorable. Il y faut quelque pompe, un rien de solennité. Or ces choses me dépassent. Je n'y ai guère la main. Et puis, je suis si fatiguée... Cette petite fille m'a donné douleurs et tourments à foison pour sortir de moi. J'aimerais que quelqu'un se charge de tous ces arrangements.

La reine laisse retomber sur le coussin précieux sa tête que marquent encore les agonies de l'enfantement. Frédégonde lui tend un gobelet d'or où pétille l'hydromel, boisson des dieux et des rois.

— Bois, dame. Il te faut prendre des forces.

Audovère trempe ses lèvres dans le liquide reconstituant. Frédégonde lui essuie doucement la bouche d'un linge de soie brodé de fils d'or, tout en disant :

Le Sang de Clovis

— Dame très chère, ne t'inquiète pas de cela. Tout sera à point, je le prends sur moi.

Audovère a un sourire de petite fille comblée.

— Frédégonde, ma chère et précieuse Frédégonde, je ne puis t'aimer davantage que je ne fais. Que deviendrais-je, sans toi ?

D'attendrissement, les larmes lui viennent.

Une fille de roi ne se laisse pas baptiser par un curé de village. Il y faut pour le moins un évêque. Frédégonde a cela dans ses relations. Il y faut aussi un brin de décorum. Frédégonde, parlant au nom du roi, fait orner splendidement le baptistère attenant à l'église cathédrale. Tout est prêt en un rien de temps.

Le jour assigné pour la cérémonie, l'évêque est là, mitré, crossé, chamarré en ses plus somptueux vêtements sacerdotaux. La maman aussi, rayonnante d'orgueil, croulant sous l'abondance des bijoux, cadeaux de son époux qui clament sa haute faveur et sa suprématie. La nourrice chantonne « La... la... » et berce dans ses bras l'enfant royal qui braille à pleine voix, lançant à tous échos on ne sait quelle détresse intime. Les leudes et autres seigneurs aux riches atours, qui, convaincus par la persuasive Frédégonde, ont daigné se déplacer bien que ce ne soit qu'une fille qu'on voue au Seigneur, se tiennent à l'écart, tassés en un groupe maussade. Les épouses de seconde main et les concubines plus ou moins notoires forment un autre groupe, jacassant, celui-là, et carrément malveillant en dépit des sourires de commande.

Il ne manque à cette prestigieuse assemblée que le parrain et la marraine. C'est-à-dire l'indispensable.

L'attente se prolonge. L'évêque, bien droit dans sa belle chasuble, ne sait trop quelle contenance prendre. L'enfant

Le Sang de Clovis

de chœur qui porte la patère d'eau bénite danse d'un pied sur l'autre pour chasser les crampes. L'autre enfant de chœur, celui qui porte le sel, explore de sa main libre les profondeurs fascinantes de ses narines. Du groupe des seigneurs se fait entendre un sourd grondement. De celui des femmes une ébauche de ricanement.

La reine s'inquiète. Frédégonde la rassure. Elle est bien belle, Frédégonde, dans sa modeste vêture... Enfin, le martèlement d'un galop, un cavalier qui saute à bas de sa monture, s'incline devant la reine : le parrain.

C'est un jeune seigneur des environs qui n'a pas suivi le roi son maître à la guerre, Chilpéric l'ayant, on ne sait trop pourquoi, pris en grippe, et qui compte bien rentrer en grâce par le moyen de ce service rendu à la famille royale. C'est ce que la suivante de la reine, une certaine Frédégonde, lui a laissé entrevoir.

Voilà donc le parrain. Mais où est la marraine ? Il s'en explique. Il ne l'a pas trouvée. C'est une noble dame franque, une veuve, son logis est tout proche, personne ne peut dire ce qu'elle est devenue. Ses gens ne savent rien. Elle n'est pas là, c'est tout.

Audovère, en plein désarroi, soupçonne quelque vilenie. La seule pensée qu'on puisse être méchant envers elle la bouleverse. Ses lèvres tremblent, elle va pleurer. Frédégonde s'en aperçoit. Elle met un genou à terre, prend dans les siennes les mains de la reine. Elle lève vers elle son visage où sourit le réconfort. Elle dit tendrement :

— Dame, ce n'est qu'un contretemps.

Audovère hoquette :

— Mais c'est épouvantable ! Tu ne te rends donc pas compte ? Je suis déshonorée, je déshonore le roi. Oh, quelle honte !

Frédégonde serre plus fort les mains glacées. Avec patience, avec conviction, elle affirme :

Le Sang de Clovis

— Rien du tout ! Ce baptême se fera, et sur-le-champ. Écoute.

La voix d'apaisement opère. La reine se calme, renifle un petit coup, se fait attentive.

— Quelle femme, en ce royaume, peut se dire plus haute que toi ?

Voilà comment il faut parler aux reines. Audovère ne peut que constater :

— Aucune. Je suis la reine.

— Donc, aucune n'est plus digne que toi de tenir cette enfant sur les fonts baptismaux. Sois la marraine, c'est tout simple. Ainsi, tout sera sauvé. Le roi t'en sera reconnaissant.

La gratitude inonde Audovère.

— Comme tu es habile ! Aussi avisée que belle ! Mais bien sûr, voilà ce qu'il faut faire ! Relève-toi, petite. Reste près de moi.

Animée d'une ardeur toute neuve, la reine prend le bébé des bras de la nourrice, se place au côté du parrain et ordonne :

— Allons, évêque, il est grand temps. Conduis-nous au baptistère et fais ce qui doit être fait.

Le seigneur évêque s'exécute d'autant mieux que tout se déroule selon le plan prévu. Mais cela, Audovère ne le sait pas.

L'expédition fut fort satisfaisante. Une promenade militaire. Les deux rois frères ont durement puni les Saxons païens, les ont rejetés dans leurs marécages et rentrent dans leurs foyers, suivis de chariots débordants de butin ainsi que de cohortes d'esclaves enchaînés.

L'armée de Neustrie, Chilpéric en tête, atteint les faubourgs de Soissons, sa capitale. La nouvelle en parvient au palais, criée par des galopins. Les gardes et la domesticité abandonnent leur poste pour courir à la rencontre du héros victorieux. Les suivantes de la reine, essaim en folie, entourent Audovère, pépiant :

— Dame, ô dame, permets-nous d'aller accueillir le roi notre seigneur ! Joins-toi à nous, nous te ferons escorte, ainsi seras-tu la première à lui rendre hommage.

Audovère bat des mains.

— Quelle bonne idée ! Je viens, petites. Le temps de passer une robe d'apparat, d'enfiler quelques bijoux... Aide-moi, Frédégonde.

Mais la très belle ne semble pas gagnée par l'enthousiasme général. Posément, elle fait remarquer à la reine :

— Dame très chère, il ne sied pas à une femme de ton rang de montrer un empressement bon pour une fille de cuisine. Procède tranquillement à ta toilette, fais-toi bien belle et prépare-toi à accueillir le seigneur roi en épouse soumise, mais d'une telle splendeur qu'il en soit ébloui.

Audovère n'y aurait pas pensé. Elle convient, charmée :

— Mais c'est que tu as raison, sais-tu bien ? Comme toujours. Eh bien, aide-moi à me faire belle, tu as le goût si sûr !

— Dame reine, il vaut mieux que j'aille, moi, au-devant du roi, en tant que ta messagère. C'est ainsi qu'il est procédé dans les royaumes des Wisigoths et des autres peuples pénétrés de civilité romaine.

— Cette fois encore, tu parles d'or. Eh bien, soit. Va, ma Frédégonde. Prépare le roi à une affolante vision. Et dis-lui combien est grand mon amour, chose que je n'oserai jamais lui dire moi-même.

Les suivantes de la reine, têtes légères, yeux brillants, entourent le cheval du roi, s'accrochent à la bride, baisent les bottes du cavalier. Bien droit sur sa selle, lance au poing, Chilpéric se prête bien volontiers à l'adulation. Ses yeux, de

Le Sang de Clovis

là-haut, errent parmi les blondes nattes, semblant chercher. Ils trouvent. Un reflet de nuit fait tache parmi tout cet or. Chilpéric s'épanouit. Il interpelle :

— Te voilà donc !

— Frédégonde, pour te servir, seigneur roi.

— Je te vois bien sérieuse. C'est jour de liesse, par le Christ ! Ne boude pas ma victoire.

— Seigneur roi, ce que j'ai à t'apprendre demande le sérieux.

— Holà ! Cela peut attendre. Laisse-moi d'abord m'emplir de joie bien à mon aise.

— Cela ne peut attendre, seigneur roi. Tu dois être au courant avant que d'entrer au palais.

Chilpéric se rembrunit.

— Oh, bien, bien... Puisqu'il le faut... Mais te voilà loin de mon oreille. Saute en croupe, nous parlerons plus à l'aise.

Il tend la main. Elle s'en saisit, saute, d'un bond, non en croupe, mais sur l'encolure, se reçoit serrée contre le ventre du roi. Alentour, les mines se font dépitées.

— Eh bien ? Nous y voici. Parle.

— Seigneur roi, Dieu t'a donné la victoire. Qu'il en soit loué.

— J'y suis bien aussi pour quelque chose.

— Par cette victoire, tu t'es fait grand comme Clovis, grand comme César.

— Bon. Ça, tu pouvais me le dire sans tant de hâte. Au fait.

— Seigneur roi, tout vainqueur que tu sois, ce soir tu coucheras seul.

— Ah bah ? Explique-moi ça.

— Une fille t'est née.

— On me l'a dit.

— Elle a reçu le baptême.

Le Sang de Clovis

— Ça ne peut pas lui faire de mal. Mais en quoi cela concerne-t-il ma nuitée à venir ?

— En ceci que celle avec qui tu devrais dormir...

— Ma femme ?

— La reine ton épouse, oui.

— Eh bien ? Aurait-elle attrapé la lèpre ?

— Bien pis, seigneur roi.

— Bien pis ?

— Elle a tenu sa fille sur les fonts baptismaux.

— Tu veux dire qu'elle est la marraine de son propre enfant ?

— C'est cela.

— Bon. Où est le mal ?

— D'abord, la mère ne peut se substituer à la marraine, puisque la marraine est là pour se substituer à la mère au cas où celle-ci mourrait.

— Pas de quoi fouetter un chat.

— Attends. Coucher avec la reine serait désormais coucher avec la marraine de ta fille.

— J'entends bien.

— Or, coucher avec la marraine d'un de tes enfants est péché gravissime, péché d'inceste.

— D'inceste ? Bigre !

— D'inceste au premier degré [1].

— Au premier degré ? Aïe !

— Non seulement tu pécherais mortellement, mais tu courrais grand risque d'être excommunié par le seigneur pape.

---

1. Le droit canon étendait fort loin la notion d'union incestueuse, notamment dans la parenté dite « spirituelle », liant par exemple une filleule à son parrain, un père à la marraine de son fils (sa « commère »), une mère au parrain de son enfant...

25

Le Sang de Clovis

— Ce qui arrangerait bien les affaires de mes vautours de frères.

— À toi de voir, seigneur roi. Moi, je t'aurai prévenu.

— Bonne petite âme ! Et, dis-moi, avec qui fêterai-je ma victoire si ce n'est dans les bras de ma bonne Audovère ?

D'un geste large, elle enveloppe la foule des femmes qui font fête aux combattants.

— Ce ne sont pas les bras qui manquent pour t'accueillir, grand roi.

Il a le rire qu'elle attendait, un rire qui se casse en quelque chose d'un peu trop rauque pour un rire.

— Ce sera donc entre les tiens.

— Tu es le roi, seigneur.

Ils chevauchent, collés l'un à l'autre, déjà unis par le trouble évoqué. Chilpéric prend conscience de cette blanche nuque que frôlent ses lèvres, de ces oreilles adorables blotties sous la masse ténébreuse, de ce fumet de brune qui l'étourdit. Elle, cependant, se garde bien du moindre mouvement qui pourrait passer pour une connivence, se tient bien droite, ne sourit pas. Elle laisse agir le charme. Point n'est besoin d'aider.

Chilpéric n'est pas ému au point d'oublier certains détails. Il questionne :

— Quel imbécile d'évêque a pu être assez fou pour se prêter à cette comédie ?

— Je ne saurais dire, seigneur. Ce n'est pas celui d'ici.

— Je flaire là-dessous quelque trahison. Audovère est trop stupide... Je tirerai cela au jour. En tout cas, si tu ne m'avais prévenu, je tombais dans le panneau.

Frédégonde ne répond pas.

La reine Audovère a vêtu ses plus somptueuses parures. Une de ses femmes, une esclave grecque experte en l'art de

26

Le Sang de Clovis

peindre les visages afin de rehausser par l'éclat des fards les grâces trop discrètes du naturel, a fait d'elle une idole bien propre à susciter l'adoration des foules et le désir des rois.

Elle se tient sous le péristyle, en haut des degrés de bois, paumes tendues, statue vivante de l'épouse fidèle accueillant le héros victorieux. À sa droite se tient la nourrice, portant sur les bras l'enfant emmaillotée. À sa gauche le petit Mérovée ouvre bien grands les yeux afin qu'y entre tout entière la gloire de son papa.

Un joyeux vacarme de foule en liesse annonce le roi. Le voici, haut perché sur son destrier puissant. Il fait halte au bas de l'escalier mais, chose étrange, ne semble pas vouloir mettre pied à terre pour gravir quatre à quatre les degrés et accoler la reine, qui l'attend là-haut, bras ouverts, paumes offertes. Son visage n'est pas celui d'un époux pressé de plonger corps et âme dans les joies des retrouvailles et dans les intimes délices consécutives.

La reine pressent que quelque chose ne va pas comme ça devrait. Elle s'interroge, ne trouve rien à se reprocher. Elle ne comprend pas. La foule non plus. Un lourd silence tombe soudain, cassant net la bruyante allégresse. Le roi parle enfin :

— Femme, devant quiconque peut entendre je l'affirme ici : tu n'es plus mon épouse. Tu n'es plus la reine. En mon absence, tu as commis un acte abominable. Tu as profané notre union à la face du Seigneur Christ Jésus. Tu t'es volontairement et malicieusement éloignée de moi. Tu m'as rejeté avec ignominie car, puisque tu t'es instituée la marraine de ta propre fille, qui est aussi la mienne, je ne saurais m'unir charnellement à toi sans commettre l'horrible crime d'inceste (il se signe), qui est péché épouvantable, indigne de pardon. Devant tous ceux qui m'écoutent, je te renie pour épouse et t'interdis désormais de m'approcher.

Le Sang de Clovis

Ce n'est pas là ce à quoi Audovère s'était préparée. Pétrifiée, elle reste là, bras tendus, trop assommée pour chercher même à comprendre en quoi elle a déchu. Le roi, après réflexion, ajoute :

— Qui sait même si l'inceste ne s'étend pas aux intimités que nous eûmes précédemment ? En ce cas, nos enfants pourraient bien n'être que les fruits de l'abomination, pires même que des bâtards. Ô honte ! Ô calamité[1] !

Dans tout cela, Audovère, peu à peu, entrevoit une certitude : elle est rejetée, elle n'est plus rien. Le choc est rude. S'il plaît au roi, elle va mourir, étranglée dans son lit, c'est l'usage dans cette famille... Elle s'évanouit. Aucun bras ne retient sa chute. Ses femmes, déjà, se sont écartées. La disgrâce est contagieuse.

Le petit Mérovée voit sa mère à terre. Il s'abat sur la poitrine inerte, la couvre de pleurs et de baisers. Un bras le relève doucement, une voix caressante lui glisse à l'oreille :

— Pauvre petit ! Je serai ta maman.

Frédégonde l'enlève dans ses beaux bras ronds, et puis l'emporte. Nul n'aperçoit la larme qui glisse sur sa joue.

---

1. Les enfants nés d'amours réputées incestueuses n'avaient pas d'existence reconnue. C'étaient des monstruosités, des aberrations de la nature. Ils portaient le poids du péché de leurs géniteurs, ne recevaient pas de nom, étaient abandonnés à la charité publique. S'ils survivaient, ils étaient esclaves.

A propos de la conception du roman historique, voir Annexes, p. 375.

III

L'an 561 de la naissance du Seigneur Christ Jésus, le roi Clotaire, seul souverain de la totalité des Gaules et d'un bon morceau de la Germanie, abondamment pourvu de richesses, de puissance, de femmes et, hélas pour eux, d'enfants dont quatre mâles, rend à Dieu son âme chargée du sang de ses frères et de ses neveux mais nimbée de la pure lumière des dons et avantages qu'il fit pleuvoir en ses dernières années sur les évêques et les monastères.

Aussitôt, suivant la loi franque de partage équitable des biens du défunt entre ses fils, l'immense héritage est divisé ou, pour mieux dire, dépecé, après de violentes discussions où, plus d'une fois, la *spatha,* la lourde épée franque, jaillit hors du fourreau. Les quatre parts ne sont pas égales en superficie, cette différence étant compensée tant bien que mal par l'attribution de villes importantes – places fortes, ports, lieux de commerce –, si bien que les quatre royaumes s'interpénètrent et sont sillonnés de voies d'accès à statut spécial, le tout formant un écheveau compliqué à souhait, prometteur de conflits armés pour l'avenir.

À Gontramn est échu l'ancien royaume des Burgondes, augmenté des pays de la Loire jusqu'à Orléans, de celui des Allobroges[1] et du littoral de l'antique Provence romaine, à

---

1. Soit la Savoie et les Alpes.

Le Sang de Clovis

Caribert les pays sis entre Somme et Loire, ainsi que l'Aquitaine conquise par Clovis sur les Wisigoths,

à Chilpéric le territoire sacré d'où s'élancèrent les Francs, le plat pays entre Somme et Rhin, rebaptisé « Neustrie », ce qui veut dire « pays de l'Ouest »,

à Sigebert, enfin, les sauvages forêts de la Germanie profonde, jusqu'au Rhin et bien au-delà, les incertains confins de son royaume se perdant parmi les misérables peuplades slaves errant dans les solitudes. À ces immensités est donné le nom d'« Austrasie », c'est-à-dire « pays de l'Est ».

Gontramn, Caribert et Chilpéric sont des brutes couronnées. Dans leurs respectifs royaumes, ils mènent enfin sans entraves la vie qui, avec des moyens plus réduits, fut toujours la leur, à savoir : traquer à grand équipage l'ours, le loup et le sanglier, se jeter pour des expéditions de rapine sur les terres de leurs voisins, bâfrer et boire en de colossales agapes jusqu'à rouler à terre, et surtout chercher sans cesse à s'allier à deux de ses frères afin d'assassiner le quatrième ainsi que sa descendance. Pour leur délassement, ils copulent à tour de reins, couchant sur l'herbe, sur la paille ou sur la soie toute femelle passant à portée. Et somment leurs évêques de les absoudre pour les purger de tout ça. Quelle santé ! C'est de famille.

Sigebert, roi d'Austrasie, le plus jeune des quatre, est d'une nature différente. Alors que ses frères vont entourés d'une demi-douzaine d'épouses légitimes et suivis d'une cohorte impudique de concubines à l'arrogant maintien, sans compter les épouses et concubines des dignitaires, des leudes, des évêques mitrés, des abbés cossus et de tout ce qui compose la suite d'un grand roi, lui, Sigebert, observant pieusement l'enseignement du Seigneur Christ Jésus, rêve de n'avoir qu'une seule épouse, qu'il aimerait de toute sa jeune ardeur et qui serait digne de lui comme il serait digne d'elle. Ses

Le Sang de Clovis

frères, sous l'emprise du rut, élèvent des souillons au rang de reines. Lui veut une reine qui l'élève jusqu'à elle.

En attendant, il se garde chaste.

À vrai dire, la fiancée idéale a un visage. Et un nom. Elle s'appelle Brunehaut[1]. Elle est la fille cadette du puissant roi Athanaghild, qui règne à Tolède sur les Wisigoths d'Espagne. Sa lumineuse beauté rayonne par tous les royaumes barbares, mais aussi sa réputation d'intelligence et de savoir, choses bien rares chez une femme, et même plutôt suspectes. C'est que les Wisigoths sont, parmi tous les peuples germaniques, le plus civilisé, le plus raffiné, celui qui sut très tôt comprendre et assimiler les façons et la culture des Romains, ce qui d'ailleurs lui vaut le mépris des Francs rugueux, restés, eux, aussi sauvages qu'au temps des grandes ruées et s'en faisant gloire.

Sigebert s'est pris à rêver à la princesse lointaine. S'il n'est à elle, il ne sera à nulle autre. Plutôt se faire moine qu'épouser une de ces passives génisses franques aux vastes mamelles, bonnes tout juste à pondre et à se taire !

Encore fallait-il convaincre la jeune merveille, et surtout son père. Les négociations furent laborieuses, Athanaghild n'étant guère empressé à livrer sa fille chérie, cette perle, au rejeton d'une lignée d'assassins à la sinistre renommée. N'ayant d'autre part rien à gagner, sur le plan politique, à l'alliance d'un roitelet dont les frontières sont séparées des siennes par toute l'étendue des Gaules, le Wisigoth renâcle. Il cède quand une ambassade chargée de cadeaux somptueux vient l'assurer que le roi Sigebert est un Franc d'exception, sachant lire, chaste, de mœurs douces et de grande piété, et

---

1. En fait, Brünhild, francisé en Brunehaut. C'est par ce dernier nom, perpétué par la tradition, qu'elle sera désignée ici.

Le Sang de Clovis

quand Brunehaut elle-même, séduite par ce portrait, insiste pour qu'il accepte.

Et donc Brunehaut, ayant entrepris l'interminable voyage de Tolède à Metz, fut épousée solennellement et en grande liesse, d'abord selon le rite chrétien, après avoir abjuré l'hérésie d'Arius que professent les Wisigoths et reconnu hautement la seule légitimité du dogme catholique romain, puis épousée de nouveau selon le rite franc par le sou d'or, le denier d'argent et le *Morgengabe*[1] du réveil.

— Dame vénérée, le seigneur roi, ton époux, désire te faire visite.

C'est un tout jeune guerrier. Il se tient dans l'embrasure, affichant une hautaine déférence. Un Franc ne plie pas le genou devant une femme, fût-elle la reine, fût-elle la plus adorable des reines. Celui-ci se borne à incliner brièvement la tête. Quand il la relève, ses yeux illuminent, pleins de la merveilleuse vision. Qui pourrait regarder Brunehaut sans aussitôt l'aimer d'amour ardent ?

Elle sourit :

— Je suis à la disposition de mon seigneur. Va le lui dire.

— Il me suit.

Le messager s'efface. Le roi Sigebert paraît. Il est jeune, il est fort, il est beau. Il est le roi. La lourde toison d'or fauve, insigne de sa royauté, croule sur ses épaules, encadrant un mâle visage où les rudes traits nordiques s'adoucissent quelque peu. Il rayonne. Il court à Brunehaut comme un adolescent à un premier rendez-vous. Il la saisirait à pleins bras, la serrerait à l'étouffer, la plus que belle, l'incroyable, la très

_____

1. *Morgengabe :* le « don du matin ». Sorte de douaire versé par l'époux après que l'épouse a été confirmée vierge et satisfaisante à tout point de vue.

Le Sang de Clovis

chérie, si la présence du jeune gars et des deux femmes d'atour ne le retenait.

Sur un geste de la reine, les importuns disparaissent. Sigebert alors s'abandonne. Il n'est plus que tendresse éblouie, ivresse, extase. Il tient Brunehaut à bout de bras, se repaît de sa vue, jamais rassasié, puis la rapproche, l'étreint, plonge dans la chevelure-océan, se noie dans l'indigo vertigineux des yeux. Éperdu, n'osant y croire, il ne sait ce qu'il désire davantage : la contempler, la sentir contre lui, tout au long, humer sa subtile fragrance [1]...

N'importe lequel des frères de Sigebert n'y mettrait pas tant de façons. L'amour, chez eux, se concentre en un point précis de l'anatomie, se satisfait par un acte non moins précis. L'objet du désir se voit sur-le-champ troussé cottes par-dessus tête et pénétré par là où ça se pénètre jusqu'à obtention du résultat souhaité. Ils en agissent de même avec les reines, leurs épouses. Les sublimes plaisirs que goûte leur frère leur seraient objet de scandale et de mépris.

Dans les bras de Sigebert, Brunehaut la très chaste découvre l'amour. L'éblouissement est partagé. L'amour, c'est Sigebert, rien que Sigebert, tout Sigebert. Et c'est très beau. Beau comme le bonheur.

Voilà justement ce qu'elle se dit, Brunehaut : « Beau comme le bonheur. » Elle se promet de le savourer bien à fond, ce bonheur, de n'en rien laisser perdre, chaque instant, chaque sourire, de ne jamais le vivre machinalement, d'être heureuse et de se voir l'être. Ce bonheur, elle le serre dans son petit poing, fort fort, comme, fillette, elle serrait un bonbon. Personne ne le lui prendra.

---

1. Le baiser sur la bouche est encore à découvrir. Telles que vont les choses, le roi Sigebert pourrait bien en être l'inventeur.

Le Sang de Clovis

Le roi Sigebert parle. Il est songeur. Brunehaut se fait attentive :

— Dame très aimée, mon frère Chilpéric me donne souci. Mon mariage avec toi lui porte ombrage.

Il marque un temps. La reine lui prend la main.

— Ombrage, dis-tu ? Et en quoi donc ? Tu t'es toujours conduit envers lui en frère attentionné. Il ne peut pas en dire autant.

— Vois-tu, tu es fille de haute lignée. Le prestige du roi Athanaghild, ton père, rejaillit sur moi. Par toi, je suis le seul roi franc apparenté aux puissants Wisigoths. Cela me donne du poids auprès des autres rois de la germanité, auprès du seigneur pape, auprès même de l'empereur de Constantinople. Aucun des rejetons de la lignée de Clovis n'eût osé prétendre à une union aussi flatteuse.

Coquette, elle fait la moue :

— Seulement flatteuse, l'union ?

Sigebert rit aux anges, l'enlace. S'ensuit un tendre intermède. Pour autant, Brunehaut ne perd pas le fil.

— En quoi ton mariage avec moi peut-il porter ombrage à ton frère ?

— En ceci qu'étant mon aîné il ne peut admettre d'avoir pour épouse une femme d'un rang inférieur à celui de la mienne.

Elle rit :

— C'est qu'aussi il n'y a pas au monde deux Brunehaut !

— À qui le dis-tu ! Cependant, il existe au moins une fille à marier aussi haut placée que toi sur l'échelle du prestige social et de l'utilité politique.

La reine a un sursaut. Elle s'écarte, sa voix se fait âpre :

— Tu veux dire Galeswinthe, ma petite sœur ?

Sigebert en convient, piteux :

— Précisément. Chilpéric s'est mis en tête d'épouser Galeswinthe.

Elle bondit :

— Jamais ! Entends-tu ? Jamais ! Ma petite Galeswinthe, ma si douce, ma si frêle, livrée à ce boucher, à ce porc, à cette canaille sanglante ? Mais voyons, mon père ne permettra pas cela ! Il le connaît, ton Chilpéric ! Qui ne le connaît ? Le plus brutal, le plus fourbe, le plus cynique, le plus crasseux de cette famille de brutes crasseuses ! Jamais ! Jamais !

Sigebert hoche la tête.

— Ce que Chilpéric veut, il l'obtient.

Pour le coup, elle s'emporte :

— Mais c'est que tu t'es déjà fait à cette idée ! Tu te résignes, tu acceptes ! Comme si c'était fait... Ma petite sœur, si pieuse, jetée dans ce lupanar où grouillent, pêle-mêle, épouses, concubines et putains, subissant le rut de cet ivrogne et de ses comparses ? Car, je le sais, il croit s'égaler aux empereurs de Rome par l'orgie, c'est la seule façon à sa portée.

— Il a pris contact avec ton père. Ses émissaires sont arrivés à Tolède, chargés de cadeaux et de projets d'alliance.

— Et alors ? Mon père les a fait jeter dehors ?

— Ton père s'en serait bien gardé. Il n'a nul besoin d'une guerre contre une coalition de Francs. Il a fait patienter les émissaires...

— C'est bien de lui ! Toujours atermoyer...

— Sans dire non au mariage, il y a mis des conditions inacceptables, et même injurieuses.

— Ils sont donc repartis la queue basse ?

— Non. Ils ont tout accepté. Chilpéric devra jurer sur l'Évangile de vivre désormais selon la loi de Dieu, de se séparer de toutes ses autres femmes, épousées ou non...

— Billevesées ! Chilpéric jure et se parjure plus souvent qu'il ne change de chemise ! Que lui coûte un serment ? Mon père ne s'y est pas laissé prendre, j'espère ?

— Il ne s'est certes pas laissé prendre à ces mômeries.

— Ah !

Le Sang de Clovis

— Mais il s'est produit quelque chose.

— Je tremble. Dis vite.

— Tu sais que mon frère Caribert, qui régnait sur l'Aquitaine, est mort.

— Je sais surtout qu'à cette occasion ton frère Gontramn s'est conduit en bandit de grand chemin, c'est-à-dire en digne petit-fils de Clovis. Il a promis le mariage à la veuve, sa belle-sœur donc, ce qui déjà est crime d'inceste, et puis, quand cette gourde est accourue se donner à lui avec tous les trésors de feu son mari, il a pris les trésors et mis la veuve au couvent.

Le roi Sigebert se signe.

— Il en rendra compte à Dieu.

— J'espère bien. Je ne vois toujours pas en quoi ceci concerne les visées de Chilpéric sur Galeswinthe.

— Je t'explique. Caribert n'avait pas d'enfant mâle. Ses possessions ont été partagées entre ses frères.

— Je sais. Tu y as gagné quelques villes éparpillées aux quatre coins des Gaules.

— Chilpéric, lui, a hérité un gros morceau d'Aquitaine.

— Oh, oh...

— Comme tu dis.

— De cette Aquitaine qui fut terre wisigothe et sur laquelle mon père pleure encore.

— Du coup, voici Chilpéric voisin direct du roi Athanaghild et de ses Wisigoths. Aux dernières nouvelles, il serait prêt à faire don à ton père de plusieurs grosses villes d'Aquitaine s'il lui accorde la main de Galeswinthe.

— Alors, tout est perdu... Ma pauvre Galeswinthe !

— Nous serons voisins. L'Austrasie et la Neustrie se touchent. Tu pourras veiller sur elle.

— Tu as vite fait d'arranger les choses, toi !

IV

Le sort d'Audovère n'aura pas été aussi sanglant qu'on eût pu le craindre. La répudiée bénéficia de la bienveillante humeur où baignait Chilpéric depuis qu'il avait découvert entre les cuisses de Frédégonde une source de félicités insoupçonnées. Trop content de se débarrasser d'une épouse dont il était désormais à même de mesurer l'inertie des sens et le peu de coopération à l'œuvre de chair, il se contenta de la cloîtrer dans un monastère près de la ville du Mans, au fin fond de ce lambeau de territoire qui lui échut après la mort de son frère Caribert.

Avant de partir pour son lointain exil, la reine déchue a longuement ressassé, dans les bras de la fidèle Frédégonde, venue mêler ses larmes aux siennes, son incompréhension du malheur qui la frappait. Frédégonde a beaucoup pleuré. Elle a continué dans la solitude de sa chambre. Frédégonde se déteste quand il lui faut étrangler un agneau sans défense. Pourquoi aussi faut-il qu'il y ait sans cesse des agneaux à étrangler ? La vie est dure aux étrangleurs.

Ce point réglé, Chilpéric épouse discrètement Frédégonde l'incomparable.

Et, de ce jour, il néglige ses autres femmes, tant est grand et sans cesse renouvelé le bonheur qu'il trouve en sa nouvelle

37

Le Sang de Clovis

épouse. Bonheur partagé, bonheur avidement savouré par ladite épouse, Frédégonde n'étant pas de celles qui boudent leur plaisir, ce plaisir qu'elle découvre en le faisant découvrir. Car elle a l'intelligence des sens autant que celle de l'esprit. C'est une novice, mais une novice douée.

Ce n'est pas elle qui se serait laissé cantonner aux travaux d'aiguille et autres ouvrages de dames. Elle n'est pas une femelle d'entre les femelles, une épouse de parade et de polochon. Elle a eu vite fait de s'imposer aux affaires, et si elle s'efface derrière le roi son époux, c'est elle qui inspire sa politique. Heureusement !

Chilpéric, béat, la laisse faire, l'admire, la besogne furieusement là où ça le prend, avec une fougue améliorée par les tendres initiatives de la très ardente. L'admiration, chez cet être fruste, se porte directement au bas-ventre.

Frédégonde s'est prise d'affection pour le petit Mérovée, l'héritier, sur qui son père fonde de grands espoirs. Elle a le cœur tendre, Frédégonde. Ce n'est certes pas un cadeau quand on est ambitieuse. Et ambitieuse, elle l'est !

Quoi qu'il en soit, elle est attirée par cet enfant, c'est ainsi. Elle l'entoure d'une tendre vigilance. Elle veille à son éducation, exige pour lui les meilleurs maîtres car, inculte, elle sait apprécier le savoir... Qu'en sera-t-il de cet attendrissement quand, de son propre ventre, sera issu un petit mâle ? Elle avisera. Frédégonde vit l'instant.

Le garçon grandit dans cette aura de féminité, prend ce qu'on lui donne, ne parle jamais de sa mère. Il s'est juré d'aller la délivrer et de lui rendre un royaume dès qu'il sera en âge de chevaucher et de porter les armes. En attendant, il se tait, se montre assidu aux exercices virils comme à l'ânonnement des abécédaires. Un futur chef, pense son père.

Le Sang de Clovis

Chilpéric s'est ouvert à Frédégonde, avec grandes précautions, de son intention d'épouser Galeswinthe. Ils en discutent. Frédégonde fait taire la sale envie de tuer qui la mord furieusement là où ça fait si mal. Elle présente au roi un visage serein où seul se décèle le calcul.

— Seigneur, je pèse le pour et le contre. Certes, une union avec la fille d'Athanaghild t'apportera gloire, prestige et, surtout, l'alliance des Wisigoths, donc du poids dans la discussion des traités. Autre chose, je le conçois, qu'un honteux mariage avec une souillon de cuisine.

Chilpéric se rassérène. L'amère ironie lui passe par-dessus la tête.

— J'aime quand tu es raisonnable.

— Je n'ai pas fini. Il te faudra, pour épouser ta fleur des princesses, rejeter la souillon à sa cuisine, autrement dit me répudier, moi, ta femme devant Dieu.

— Simple formalité. Je ne te rejetterai pas à la cuisine, mon ange noir. Comment pourrais-je vivre sans t'avoir auprès de moi ?

— Cette formalité, tu ne l'accompliras pas. Prétends que nous ne sommes pas mariés chrétiennement mais seulement à la mode franque, par le sou et le denier. Ainsi serons-nous toujours époux.

— Mais je serai bigame !

— Comme si ça te gênait ! En tout cas, seul le premier mariage compte. Ça peut se révéler utile dans l'avenir. Tu devras aussi te débarrasser de toutes les femelles béantes qui traînent leurs mamelles dans tous les coins de tes palais.

Chilpéric baisse le nez.

— Oh, je ne les vois même plus. C'est comme si elles n'existaient pas.

— Elles existent pourtant.

Le Sang de Clovis

— Plus pour moi, tu le sais bien. Seulement, les seigneurs mes leudes et les seigneurs abbés qui me font visite seraient bien fâchés de ne les plus trouver, ces femelles béantes.

— Tu devras jurer sur l'Évangile et sur les saintes reliques de ne plus te parjurer.

— Et alors ? Je jurerai.

— Mais ce serment même sera déjà un parjure.

Le roi hausse les épaules.

— Il faut ce qu'il faut.

— Tu coucheras avec ta Galeswinthe.

— C'est la moindre des choses.

— Voici mon tarif : une heure avec elle, toute la nuit avec moi.

— C'est équitable.

À Tolède, ville capitale du royaume wisigoth d'Espagne, les seigneurs francs envoyés par le roi Chilpéric sont, après d'interminables discussions, parvenus à un accord avec le roi Athanaghild. Chilpéric abandonne en douaire à la jeune épousée les villes de Limoges, Cahors, Bordeaux, Béarn et Bigorre, ainsi que les territoires attenants. C'est bien cher payé, mais Chilpéric est à ce point enragé de respectabilité qu'il consent à tout.

Jusqu'au bout, la douce Galeswinthe a voulu espérer que les négociations échoueraient. Elle ne peut plus se leurrer. Le sort en est jeté. Devant l'irrévocable, l'épouvante la saisit, elle se voit sans recours livrée à ces Francs sales et violents, et au pire d'entre eux, à ce Chilpéric couvert de crimes, perdu de débauches, à ce ruffian sans pitié, sans foi et sans honneur, qui ne la convoite que pour satisfaire un imbécile désir de gloriole.

Galeswinthe sait qu'elle court à son malheur. Elle pressent le pire. Les adieux sont atroces. Elle s'accroche à sa mère, ne

Le Sang de Clovis

la lâche plus. Toutes deux sanglotent et se désespèrent. La reine accompagne sa fille aussi loin que son escorte accepte de la suivre. Il faut pourtant se séparer. Les Wisigoths font demi-tour, remmenant la reine. Les Francs emportent la petite fiancée de l'ogre, folle de terreur, persuadée qu'elle va à quelque chose de pire que la mort.

Les noces furent d'un luxe inouï. Il s'agissait pour Chilpéric d'égaler et même de dépasser l'éclat des noces de son frère Sigebert avec Brunehaut.

Chilpéric avait enfin une épouse digne de lui.

Il l'exhiba, se pavana, donna des fêtes qu'il voulait raffinées, à la mode des anciens Romains, prenant pour cela conseil des seigneurs et des dames wisigoths qui avaient suivi la jeune épousée dans son royal exil. Mais les Francs firent bientôt basculer ces mondanités un peu guindées dans les orgies crapuleuses qu'ils aimaient tant.

La douce Galeswinthe, faisant violence à sa peur et à sa répulsion, s'était chrétiennement soumise au bon vouloir de son époux devant Dieu. Et certes il y fallait une solide dose de résignation chrétienne, Chilpéric étant sur ce point aussi exigeant que peu soucieux des sentiments de sa frêle compagne. Galeswinthe subissait, souriait, et puis pleurait entre les bras de sa vieille nourrice.

Frédégonde ne se montrait pas. Où elle se cachait – ce n'était certes pas « aux cuisines » –, nul n'était en mesure de le dire. Ayant arraché au roi cette répartition « une heure-une nuit », elle n'avait pas cherché à la mettre en pratique. Son intuition lui disait qu'il était avisé de disparaître, de laisser Chilpéric en tête à tête avec sa prestigieuse mais fade pucelle, et de laisser faire le temps.

Le temps ne manque jamais d'agir au profit de qui sait attendre. Une Galeswinthe soumise, une Galeswinthe subis-

Le Sang de Clovis

sante, une Galeswinthe qui, Chilpéric le soupçonnait, priait Dieu et la Vierge en attendant que ça se passe, voilà qui ne saurait longtemps convenir à qui avait connu les envoûtements d'une Frédégonde.

Et c'est à l'instant précis où Chilpéric prenait pleinement conscience de son insatisfaction et sentait qu'il ne résisterait plus longtemps à l'appel des sirènes, fussent-elles de second choix, qui guettaient le mâle dans l'ombre du moindre recoin, que Frédégonde reparut devant ses yeux. Oh, très furtivement, et vraiment par hasard. Elle allait, modeste, yeux baissés, par un corridor, apportant on ne sait quoi à on ne sait qui, alors que Chilpéric passait justement par là.

Rien ne fut dit. Tout se noua.

Dès cet instant, il ne restait qu'à laisser les choses suivre leur cours, ce cours menant tout droit à l'inévitable conjonction Frédégonde-Chilpéric.

La situation n'était plus tout à fait la même. Pendant son effacement volontaire, Frédégonde avait pleinement pris conscience de sa puissance, puissance qui l'étonnait toute la première et l'amusait. Elle avait décidé d'en jouer à son profit, stupéfaite que cette touffe humide qui se cachait entre ses jeunes cuisses et lui était source de plaisirs bien vifs pût fasciner un homme – et quel homme : le roi ! –, jusqu'à le mettre à sa merci.

On marchanda. C'est-à-dire qu'elle dicta ses conditions.

— Seigneur, j'ai beaucoup souffert. Je t'ai été fidèle, car nul autre ne compte. Je ne puis être qu'à un seul : toi, seigneur. Mais c'est tout entier que je te veux. Tu partageras ma couche. Que Galeswinthe reste ton épouse aux yeux du monde. Cesse de la visiter la nuit. Sois bon pour elle. Honore-la aux yeux du monde.

Ainsi fut-il fait. Mais Chilpéric est bien incapable d'honorer une femme qu'il dédaigne. Il fut hautain, brutal, insultant. La faveur de Frédégonde ne resta pas longtemps secrète. Elle

Le Sang de Clovis

jouissait bien à plein de son statut de favorite, c'était pour elle un jeu nouveau. Les grossiers seigneurs francs, à l'instar de leur roi, méprisèrent Galeswinthe, lui firent mille affronts.

La petite reine, désespérée, perdue parmi ces trognes à demi sauvages, pleura, souhaita mourir, puis supplia Chilpéric de vouloir bien la répudier et la renvoyer chez son père. Elle abandonnait les villes de son douaire ainsi que tous les trésors apportés par elle pour qu'on la laissât partir.

Frédégonde était d'accord.

— Pourquoi la retenir ?

— La renvoyer serait faire affront à son père. Je n'ai en ce moment nul besoin d'une guerre avec les Wisigoths.

— Alors, sois moins dur. Elle est malheureuse. Je ne le supporte pas.

Ce qui montre bien que Frédégonde n'est pas vraiment méchante, quand elle n'y a pas intérêt.

Chilpéric fut donc moins dur. Enfin, il essaya. Il fut même presque empressé. Galeswinthe se rassura. Son tendre cou tenait dans une seule main, la large main de son mari. Chilpéric n'eut guère à serrer. Elle se débattit à peine et mourut à la seconde même où la frappait l'horreur de tant de fourberie.

V

Longtemps pleure la reine Brunehaut. Elle chérissait sa sœur, aussi fragile qu'elle-même est forte. Elle l'aimait pour sa fragilité même. Au temps de la douleur succède le temps de la vengeance. Brunehaut est faite pour aimer. Oh, qu'elle sait donc aimer ! Elle découvre aujourd'hui qu'elle sait aussi haïr, et la sauvage violence de cette haine toute neuve qui hurle en elle l'épouvante.

La haine veut du sang. Le sang de l'agneau égorgé appelle le sang du loup. Mais la vengeance est affaire d'hommes. La vengeance contre un roi assassin est affaire de rois. Sigebert, roi d'Austrasie, porte solennellement contre son frère Chilpéric, roi de Neustrie, l'accusation d'avoir étranglé de ses mains ou fait étrangler sur son ordre son épouse, la reine Galeswinthe. Cette accusation, il la porte en son nom et en celui de sa propre épouse, la reine Brunehaut, sœur de la victime.

Gontramn, roi de Burgondie, frère des deux autres rois, convoque les principaux leudes des trois royaumes en un vaste lieu situé en terrain neutre. L'assemblée devra déterminer en toute équité, selon les modalités de la loi salique, s'il y eut crime et si Chilpéric est le criminel.

La preuve du crime se fait par le serment que prête l'accusé sur son épée. Plusieurs seigneurs doivent à leur tour venir jurer qu'il dit vrai et qu'il est innocent de ce dont on

44

Le Sang de Clovis

l'accuse. Cela suffit. Le serment sur l'épée est chose terrible, qui lie dans le ciel comme sur la terre.

À l'injonction trois fois criée par le héraut d'armes d'avoir à se présenter afin de soumettre son cas à l'assemblée, Chilpéric s'avance seul. Aucun de ses leudes n'a voulu courir le risque du parjure. Tête basse, il ne se disculpe pas. C'est s'avouer coupable.

Le crime est reconnu. Le coupable est réduit à merci. L'assemblée des nobles hommes frappe, en signe de mépris, ses boucliers du bois de ses lances selon un rythme funèbre. Chilpéric, debout au centre du cercle, ne bronche pas.

Reste à prononcer la sentence. Or la loi salique a pour souci premier d'éviter la vengeance par le sang, jadis prétexte à d'inextinguibles vendettas qui décimaient les familles nobles. Substituant le prix du sang au « sang pour le sang », elle évalue la vie d'un homme à son importance sociale. Le meurtre est, en quelque sorte, tarifé. Fort bien, seulement la vie d'un roi ou d'une reine échappe au tarif. La loi salique ne prévoit pas le cas. Voilà l'assemblée bien empêchée. Chilpéric n'ignorait certainement pas ce détail, ce qui explique son humble soumission au verdict.

On discute longtemps. On finit par se mettre d'accord sur ce « châtiment » : le roi Chilpéric abandonne en toute propriété à « très excellente dame Brunehaut », sœur de défunte dame Galeswinthe, les villes et places qui furent à celle-ci attribuées par le roi Chilpéric lors de son mariage. « Qu'ainsi la paix et l'amitié soient rétablies entre les très glorieux rois Sigebert et Chilpéric. »

Il n'y a certes pas là de quoi calmer la soif de vengeance de Brunehaut. D'autant qu'elle connaît le fourbe. Elle s'en ouvre à son époux :

Le Sang de Clovis

— Seigneur, ce jugement sera cause de grands malheurs. Ces villes sont situées bien loin de l'Austrasie. Tu ne peux y entretenir des garnisons permanentes assez fortes, tu ne peux d'autre part y courir assez vite pour les défendre. Ton frère ne se résignera jamais à les avoir perdues.

— L'assemblée a jugé. Je ne pouvais que me soumettre.

— Ma petite Galeswinthe est morte assassinée après avoir vécu un épouvantable calvaire. Son assassin se vautre dans le lit de cette putain qu'il a retrouvée le lendemain même... Qu'ai-je à faire de quelques villes indéfendables ? Cela me rendra-t-il ma sœur très chérie ? Cela punira-t-il le tueur ?

Un sanglot la secoue. Elle darde sur Sigebert ses yeux magnifiques qu'avivent les larmes et que brûle la rage de n'être qu'une femme dans ce monde de mâles.

— Tu es satisfait du jugement ? Moi, je ne le serai jamais. Jamais !

— Tu ne veux quand même pas que je fasse la guerre à mon frère ? Ce ne serait pas son sang qui coulerait, mais celui de beaucoup de braves guerriers et de pauvres gens.

Elle a un rire sans joie.

— La guerre ? C'est lui qui te l'apportera, et plus tôt que tu ne penses !

Sigebert, âme loyale, place sa confiance dans le respect de la foi jurée. Brunehaut, non moins élevée de caractère, n'a cependant pas un semblable aveuglement. Elle sait, par expérience chèrement acquise, déceler chez autrui les intentions cachées. Elle a pu sonder la totale amoralité de Chilpéric, sa cruauté, son acharnement à satisfaire sa cupidité aussi bien que ses caprices, y employant tantôt la ruse patiente du sauvage, tantôt laissant se déchaîner une violence à grand'peine contenue.

46

Le Sang de Clovis

Quand Chilpéric, faisant le bon apôtre, propose généreusement à son frère d'échanger les médiocres villes de Béarn et de Bigorre, qui font partie de celles que le jugement l'a condamné à restituer, contre Tours et Poitiers, opulentes cités commodément situées sur la Loire ou à proximité et, par conséquent, beaucoup moins éloignées des frontières d'Austrasie, Brunehaut soupçonne là-dessous on ne sait quelle manœuvre. Cette manœuvre devient évidente quand des émissaires secrets lui rapportent que, dans le même moment, Chilpéric masse discrètement des troupes tout autour d'Angers, place forte proche des deux cités qu'il substitue avec une trop ostensible magnanimité aux lointaines bourgades de Béarn et de Bigorre.

Elle met en garde son époux, dont la droiture ne peut croire à tant de duplicité.

— Dame très aimée, le chagrin te fait voir mon frère pire encore qu'il n'est. En l'occurrence, je conçois fort bien que Béarn et Bigorre, villes clés des passages des Pyrénées, lui sont utiles pour veiller à ses confins qui touchent à ceux des Wisigoths. Le roi Athanaghild, ton père, n'a pas pris part à l'assemblée du jugement. Il ne s'est donc pas porté accusateur, puisque j'ai assumé ce rôle en ton nom et au sien. Il estime, je le sais, que je me suis trop complaisamment accommodé du verdict. Selon lui, le crime n'est pas effacé, le sang de sa fille crie vengeance et veut du sang. Chilpéric a donc de sérieuses raisons de se garder de ce côté. Béarn et Bigorre sont de médiocre rapport, mais constituent de solides places fortes qu'il peut, lui, congrûment fournir en garnisons. Je comprends son calcul et, pour ma part, je gagne au change. Point n'est besoin de lui prêter de tortueux projets ni d'intentions scélérates.

Tant de tranquille candeur exaspère Brunehaut.

— Tu ne vois donc pas qu'il ne t'abandonne Tours et Poitiers que pour mieux te les reprendre ? Ces deux villes sont

Le Sang de Clovis

certes moins éloignées de Metz, où nous sommes et où se trouve le gros de l'armée, que Béarn et Bigorre, mais en quoi cela t'avance-t-il ? C'est quand même encore beaucoup trop loin. Partant d'Angers, l'armée de Chilpéric tombera dessus comme la foudre, et alors il sera bien temps !

— Dieu n'a pas pu faire l'âme de mon frère aussi noire. De toute façon, en fin de compte toutes choses sont entre Ses mains. Prions.

Brunehaut doit se contenter de cela.

Quelques mois plus tard, l'armée de Chilpéric, commandée par son fils Chlodeswig[1], se met en branle sans prévenir et, partant d'Angers, s'empare de Tours, qui n'oppose nulle résistance, puis, sur son élan, de Poitiers, qui s'ouvre toute grande et accueille l'envahisseur avec des couronnes de fleurs. C'est la guerre.

Le roi Sigebert se montre douloureusement surpris. La reine Brunehaut s'abstient de proclamer : « Je l'avais bien dit ! »

Cette guerre, qui se présente dès l'abord comme une promenade militaire, se révélera la plus enragée, la plus furieuse de toutes celles qui ravagèrent la Gaule depuis les grandes ruées germaniques, pire même que la sanglante chevauchée d'Attila.

Pendant douze années, les armées de Chilpéric, toujours repoussées après d'éphémères victoires, reviennent à la charge, tantôt avec le soutien de celles de Gontramn, tantôt contre elles, au gré des alliances et des trahisons. Les évêques

---

1. A propos des enfants de Chilpéric, voir Annexes : « Abrégé de généalogie », p. 379.

Le Sang de Clovis

des Gaules, réunis en synode, enjoignent à Chilpéric d'avoir à se soumettre. Il n'en est que plus ardent à la curée, réunit une nouvelle armée et ravage les pays de la Loire. Sigebert, alors, dont le royaume se prolonge au-delà du Rhin jusqu'au cœur de la vieille Germanie toujours barbare, rassemble une formidable armée, une horde, plutôt, dans laquelle accourent s'enrôler les peuples qui n'ont pas participé aux invasions premières et qui veulent enfin prendre leur part des trésors de ces terres promises. Ces ravageurs avancent irrésistiblement, tuent tout, brûlent, pillent. Le pieux Sigebert, faisant violence à sa répulsion, promet à ces sauvages riche butin et terres fertiles. Chilpéric, acculé dans Tournai avec la reine Frédégonde et leurs enfants, implore la paix, promet tout ce qu'on veut. Sigebert se laisserait attendrir. Pas Brunehaut.

Brunehaut désormais veut la victoire totale, c'est-à-dire la mort de l'assassin. Elle n'a que faire de villes conquises et de gains de territoires. Elle veut se venger, certes, mais aussi elle sait que, Chilpéric vivant, c'est la mort perpétuellement suspendue au-dessus de sa tête, de celle du roi, de celles de leurs enfants. Chilpéric veut toute la Gaule pour lui seul, tous les moyens lui sont bons, c'est une passion qui le brûle, qu'il ne peut pas ne pas assouvir.

Brunehaut redoute la faiblesse du roi Sigebert qui, quoi qu'il en ait, voit toujours en Chilpéric son frère. Elle fait jeter hors les émissaires de paix, connaissant trop bien le pouvoir des mots sortant de la bouche du fourbe.

Qu'en est-il de la douce, de la bienveillante Brunehaut, si belle que l'Europe entière en était amoureuse ? Belle, elle l'est plus que jamais, d'une beauté exaltée qui est peut-être sa vraie beauté, révélée à elle-même par la violence des passions.

Élevée dans les raffinements de la cour wisigothe, elle était destinée à partager la couche et la gloire d'un roi lui-même pétri de civilisation. Elle croyait, en épousant le roi Sigebert,

Le Sang de Clovis

celui des petits-fils de Clovis que Grégoire, l'érudit abbé de Saint-Martin de Tours, a surnommé « le Sage », œuvrer à amener les peuplades arriérées de la sauvage Austrasie dans la foi du Seigneur Christ, le respect de la loi écrite et, dans une certaine mesure, l'amour du prochain.

Elle n'imaginait pas que s'unir à un mâle de la race de Clovis c'était s'offrir au meurtre, à la peur, à l'horreur, que c'était plonger dans un bain de sang. Que son Sigebert fût par exception doux de manières et loyal de cœur ne la plaçait pas moins à portée des Chilpéric et des Gontramn, deux fauves, l'un violent, l'autre cauteleux, pour qui un frère n'était rien d'autre qu'un accapareur d'héritage à supprimer par n'importe quel moyen.

Cependant, le roi Sigebert, poursuivant son avance foudroyante, passe la Seine, entre dans Paris, bravant l'interdit qui ne permet à aucun des trois frères de séjourner en cette ville déclarée neutre, puis pousse jusqu'à la Normandie, s'empare de tous le territoire de la Neustrie et projette de s'en faire proclamer roi.

Brunehaut chevauche à son côté, accompagnée de ses deux filles et de son fils âgé seulement de quatre ans. Elle est à ce point certaine de la victoire qu'elle a quitté Metz en emportant toutes ses richesses, ses bijoux, ses vêtements de parade. L'entrée dans Paris d'une reine aussi belle, aussi majestueuse, avait soulevé l'enthousiasme du petit peuple.

Brunehaut sourit. Elle hume le parfum grisant de la ferveur populaire. Mais elle n'a cure de ces succès de vanité. Elle revient bien vite à l'essentiel. Elle est venue pour réveiller le trop confiant Sigebert, qui perd son temps à cueillir une ville après l'autre et à préparer l'esprit des leudes de Chilpéric à l'élire, lui, Sigebert, seul roi de Neustrie. Fariboles ! Bru-

Le Sang de Clovis

nehaut n'a qu'un but : en finir avec les tueries, les trahisons, l'angoisse permanente et, surtout, faire taire la voix qui, au plus profond d'elle, hurle et veut du sang. Elle n'aura de cesse qu'on n'ait écrasé la bête. Chilpéric l'immonde se morfond, enfermé dans Tournai ? C'est là qu'il faut aller, et sans tarder.

On se met en route. C'est une longue caravane de chariots lourdement chargés qui, précédée de l'armée quelque peu hétéroclite à qui l'on doit la victoire, prend la route du Nord, la route de Tournai. Chemin faisant, l'escorte grossit des troupes amenées par les seigneurs fraîchement ralliés qui accourent faire allégeance au nouveau maître et comptent bien participer aux réjouissances du sacre[1].

Peu avant Tournai se trouve la modeste cité de Vitry, où Sigebert a décidé que se déroulerait la cérémonie. Et là le roi est hissé sur le bouclier que quatre solides gaillards promènent tout autour du cercle des guerriers, trois fois de suite, puis sont poussés trois « Hoch ! » formidables et Sigebert est ramené à son fauteuil de fer où il reçoit l'hommage et le serment de fidélité de ses féaux.

Et voilà. Sigebert est désormais roi de Neustrie et d'Austrasie.

---

1. Je dis « sacre », bien que le rituel du sacre proprement dit, institué par l'évêque Remi pour Clovis, avec l'onction du saint-chrême et tout le cérémonial, soit tombé en désuétude dès lors que le domaine franc ne constituait plus un royaume unique. L'investiture de Sigebert se fit à la mode franque, par présentation sur le bouclier.

51

Le Sang de Clovis

Il y eut un festin ample et magnifique. Le pays autour de Vitry fut dépouillé sur des lieues à la ronde. Pas de festin sans orgie, pas d'orgie sans femmes. Quelques couvents furent mis à sac et leurs nonnes copieusement forcées à même les futailles de vin de messe dont on leur avait fait entonner le contenu afin qu'elles prennent la chose du bon côté. Furent aussi de la fête les paysannes, matrones ou pucelles, qui ne s'étaient pas sauvées assez vite ou assez loin. Il s'en fit belle moisson. Certaines avaient enfant au sein et, cependant qu'on les besognait par toutes les ingénieuses trouvailles de la copulation militaire, elles allaitaient le cher trésor afin que ses cris n'importunent point les soudards en leurs ébats.

On massacra force bœufs, force porcs et force moutons, on dévasta maint cellier et maint grenier pour nourrir ces panses valeureuses. La fête dura trois jours pleins et les trois nuits allant avec. Elle eût duré bien davantage si Brunehaut n'avait pris les choses en main, secoué Sigebert et fait sonner les trompes du boute-selle.

À Tournai !

Dans Tournai assiégée, Chilpéric, résigné au pire, réjouit ses yeux d'un dernier plaisir, le plus haut plaisir qu'ils connaissent, plaisir sans cesse renouvelé dont ils ne se lassent jamais : contempler Frédégonde.

Elle n'y met pourtant guère du sien, la plus que belle. La rage impuissante éclate dans ses pas saccadés, dans les regards excédés qu'elle laisse tomber sur son mari, dans sa frénésie à étreindre à pleines griffes ses bras splendides. Sa chevelure de ténèbres vole en désordre, auréole funeste de quelque déesse de la fureur et du désespoir.

Du désespoir ? Qui parle de désespoir à propos de Frédégonde ? Ah, mais non ! Frédégonde est une bête sauvage, de

Le Sang de Clovis

celles qui se coupent une patte avec les dents pour échapper au piège. Elle connaît la peur, elle connaît l'angoisse, et l'infinie patience... Elle ne connaît ni espoir, ni désespoir. Elle cherche, elle trouve, elle agit.

Chilpéric, lui, n'est qu'un homme. Un pauvre homme plein de ruse et de violence, que la défaite abat. En ce moment, il voudrait bien pouvoir se désespérer tout à son aise, plonger corps et biens dans le gouffre noir. Cette femelle indomptable ne lui en laisse pas le loisir. Elle arpente, virevolte, cogne du poing, remue beaucoup d'air. Elle marmonne on ne sait quoi, lèvres serrées. Et voilà maintenant qu'elle parle haut, et c'est à lui, Chilpéric, qu'elle s'adresse. Elle s'est plantée debout devant lui, jambes écartées, poings aux hanches.

Oh, mais... Elle ne se laissera pas faire, la petite Frédégonde ! Elle ne tendra pas la gorge au couteau. Elle le dit :

— Je ne me laisserai pas faire, ça non !

Elle constate, sans rancœur mais avec un rien de mépris :

— Si je pouvais faire sans toi, seigneur, je le ferais. Mais j'ai besoin de toi. Tu es le roi. Sans toi, je ne suis rien.

Chilpéric hoche la tête :

— Rien. Je suis le roi.

Il ajoute :

— Plus pour longtemps.

Elle frappe du pied. Il insiste, il veut l'entraîner dans son marasme :

— Tu ne peux rien sans moi, et rien de plus avec moi.

Elle hausse les épaules. Pour un peu, elle la giflerait, cette grosse larve. Elle laisse tomber :

— Surtout si nous n'essayons rien.

— Essayer ? Quoi ? Avec quoi ? Sigebert va donner l'assaut d'un moment à l'autre. Les quelques leudes qui me restent sont tout prêts à lui ouvrir les portes et à lui rendre hommage en lui faisant présent de ma tête tranchée de frais, ou au

53

Le Sang de Clovis

moins de ma personne chargée de chaînes. Je sens rôder la trahison, je devine les poignards prêts à jaillir.

Elle n'écoute pas. Front plissé, menton dans la main – ce menton charmant dans cette blanche main... –, elle suit une idée. Voilà qu'elle redresse la tête. Un sourire s'esquisse sur ses lèvres, une soudaine résolution brille dans ses yeux. Elle sait quelle patte elle doit se trancher.

Elle sort, laissant Chilpéric mariner dans son délabrement.

Ils sont deux. Deux amis, deux inséparables. Ils sont jeunes, presque encore des adolescents. L'un est Théobald, fils de Bertramn, l'autre Thibert, fils de Bogga. Ils sont nés dans les brumes du pays de Thérouanne, ce séjour aimé du roi Childéric, père du grand Clovis. Ils sont venus ensemble chercher fortune dans les armées de Chilpéric, en soldats d'aventure.

Frédégonde les a remarqués. Bien des fois elle a senti sur elle leurs brûlants regards d'adoration. Quel mâle n'aurait pour Frédégonde de tels regards ? Ces deux-là sont si jeunes, si neufs ! À l'adoration ne se mêle aucune concupiscence... Pas encore.

Ils se sont assis, la reine le leur a ordonné. Elle leur fait face, drapée dans une longue dalmatique de lin blanc taillée d'une pièce, sans couture. Aucun bijou, aucune parure. Elle, rien d'autre. Ses yeux. Ils en tremblent.

Sur le marbre d'un gracieux guéridon romain, une aiguière d'argent, deux gobelets. Elle tend le bras, emplit les gobelets. Oui, elle-même, la reine, de sa main ! L'entrevue est secrète, les serviteurs en sont bannis.

— Buvez. Je m'abstiendrai. Il ne sied pas à une femme de boire avec les guerriers.

Ils lèvent leurs gobelets en hommage, les vident d'un coup, à la mode franque. Elle les emplit de nouveau. Ils les vident

Le Sang de Clovis

aussitôt. Laisser stagner du liquide dans son gobelet serait offensant pour l'hôte. Ils reconnaissent la saveur miellée de l'hydromel, avec un petit quelque chose en plus, pas désagréable, ma foi. Leurs yeux brillent. Frédégonde note cela.

Les yeux de la reine brillent aussi, mais de l'éclat humide des larmes prêtes à jaillir. Frédégonde sait faire monter les larmes, les laisser inonder ses joues, et aussi les retenir au bord des cils. Les larmes retenues avec courage sont d'un effet plus touchant que celles que l'on répand à flots.

Elle les regarde tour à tour. Chacun, sous ce regard, se dit qu'il vit le plus intense moment de sa jeune vie et que rien, jamais, ne pourra effacer cet instant. Frédégonde lit dans leurs yeux cet abandon total qui met les hommes à sa merci, l'effet de ce charme plus fort que la beauté même dont elle ne comprend d'ailleurs pas à quoi il tient et que son âme fruste n'est pas loin d'attribuer à une espèce de magie inconnue qui résiderait en quelque repli profond de son corps.

Elle découvrit cet étrange pouvoir émanant d'elle le jour où un valet d'écurie du roi Chilpéric, qui venait de la dépuceler sur le carrelage de la cuisine qu'elle était en train de laver à grande eau, eut sur-le-champ la tripaille mise à l'air par un écuyer dudit roi qui, interprétant certaines œillades appuyées de la fillette, s'était cru invité à procéder à cette initiation amoureuse. Les deux galants moururent ensemble, le valet d'écurie ayant eu le temps de plonger un homicide coutelas dans la tendre gorge de l'écuyer. Tous deux expirèrent en la regardant, et leurs yeux reflétaient une telle extase que Frédégonde, ahurie, dut bien convenir que leurs derniers instants avaient été les meilleurs de leur vie.

Ayant ainsi pris conscience de cet inexplicable pouvoir, Frédegonde décida de s'en servir à bon escient. D'autant qu'il soumettait les mâles de l'espèce à ses désirs et fantaisies, or elle avait découvert du même coup qu'elle aimait beau-

Le Sang de Clovis

coup tout ce qu'on peut faire avec les mâles de l'espèce, sans parler de l'ascension sociale, bien entendu.

C'est ainsi que, ayant appris à contrôler son pouvoir et à le doser suivant besoin, la petite Frédégonde s'éleva du rang de souillon de cuisine à celui de reine de Neustrie.

Prudente, cependant, elle ne se fie qu'à moitié à l'incompréhensible charme. Soucieuse de n'être pas prise au dépourvu, elle se tient prête à faire face à une possible défaillance. C'est pourquoi, cette fois, elle a jugé préférable d'aider cette magie naturelle par une autre, plus grossièrement terre à terre. D'où le petit arrière-goût de l'hydromel.

Le silence se prolongeant, Thibert, fils de Bogga, prend sur lui de le rompre. D'une voix qu'altèrent le respect et quelque chose d'autre aussi, il risque :

— Dame notre reine, tu nous as fait mander...

Elle lève la main.

— Je serai brève. Vous connaissez notre situation. Elle est sans espoir.

Elle marque un temps. Elle rectifie :

— Presque sans espoir.

Ils s'empressent.

— Dame notre reine, s'il subsiste l'ombre d'un espoir...

— L'ombre d'un espoir, c'est bien cela.

— Et si cet espoir dépend de nous...

— Il dépend de vous.

D'une seule voix :

— Nous sommes à toi, dame. Use de nous.

Une exaltation joyeuse rayonne d'eux. Frédégonde constate une fois de plus, avec un craintif étonnement, l'effet de ce sacré charme. Elle se dit : « C'est incroyable ! Ces deux beaux jeunes gars sont prêts à mourir. Que dis-je ? Ils désirent mourir. Pour me faire plaisir... » À la réflexion, elle fait la part de l'hydromel amélioré. « N'empêche, c'est beau, l'amour ! » Elle veut les entendre le dire.

Le Sang de Clovis

— La mission dont je vous charge est de celles dont on ne revient pas.

Elle appuie :

— Dont on ne doit pas revenir.

Elle attend. Théobald se vexe :

— Eh bien ?

— Vous serez tués.

Ils ignorent l'insistance. Très service-service :

— Que devrons-nous faire ?

— Tuer. Mourir.

Thibert rit :

— Dans cet ordre, je suppose ?

Elle rirait bien aussi, mais ce n'est pas son rôle. Elle dit, solennelle :

— Pour votre roi.

Ils inclinent brièvement la tête.

— Pour moi.

Ils tombent à genoux. Lèvent vers elle des regards pâmés. Frédégonde sent de vraies larmes lui piquer les yeux. Elle leur tend ses mains. Chacun en saisit une, y pose un baiser. Frédégonde est émue. Elle ne s'y fera jamais. Elle constate : « Ça marche ! À tous les coups. Pauvres petits. Ils mourront parce que je leur donne l'ordre de mourir... Non ! Parce que je leur permets de mourir... Pour moi. Pour la petite Frédé au cul sale. Mais qu'est-ce qu'ils ont, tous ? » Elle se sent toute chose, Frédégonde. C'est chaque fois pareil. Cet émoi qu'elle éveille chez les mâles, il se déclenche aussi en elle. Oh, pas jusqu'à vouloir la mort, non ! Juste une grande dévorante envie de tendresse, de caresses, et de tout ce qui s'ensuit...

Elle pose ses mains sur les deux têtes blondes, une bouclée, une soyeuse, plonge ses doigts dans les douces toisons. Ils se laissent faire, n'osant bouger. « Ma parole, ils ronronnent ! » Elle aimerait qu'ils prennent l'initiative des alanguissements. Mais ils n'imaginent même pas que la reine... Elle soupire,

57

Le Sang de Clovis

les relève, les prend chacun par la main, les dirige vers l'amas de coussins, s'y laisse choir, les fait s'agenouiller, un à sa droite, l'autre à sa gauche. Ils semblent pétrifiés, confits dans le bonheur, la dévorent des yeux, s'emplissent de son image, une béatitude aux lèvres. « Encore un peu, ils bavent ! »

Tant de sublime ne fait pas l'affaire de Frédégonde, dont l'élan de tendresse se fait de plus en plus impérieux. Elle se dit que ces jouvenceaux de bonne famille n'ont peut-être pas les habitudes sans façon des valets d'écurie et des écuyers de ses adolescences et que, pour ces natures raffinées, l'amour, sans doute, veut le secret et l'exclusivité. Il lui faut donc choisir. Thibert ou Théobald ? Droite ou gauche ? Du bout de la langue, elle compte ses dents du haut. Pair, pour Thibert. Impair, pour Théobald. Seize ! C'est pair, il me semble ? Va pour Thibert. Elle se tourne vers Théobald :

— Retire-toi. J'ai des instructions spéciales à donner à ton ami.

Quand, en un geste qui, chez toute autre femme, serait grotesque mais qu'elle rend royal, elle a fait passer la robe de lin candide par-dessus sa tête et apparaît dans sa nudité splendide[1], le jeune homme, médusé, a un élan vers elle, puis, se maîtrisant, il détourne les yeux. Il a ces seuls mots :

— Reine, je ne veux pour salaire de ma mort que ma mort même.

C'est beau comme l'antique, mais l'affamée en est pour ses frais. Elle ne juge pas utile de recommencer l'expérience avec Théobald. Ayant recouvré sa robe et sa majesté, elle explique aux deux gars ce qu'ils auront à faire. Cela tient en peu de mots. Ils iront à la mort, une chanson au cœur.

---

1. Et pourtant, Frédégonde a accouché trois semaines auparavant... C'est une nature !

Le Sang de Clovis

Restée seule, Frédégonde fait le bilan. La première partie du plan est accomplie avec plein succès. Le plus dur reste à venir. Mais Frédégonde a confiance.

En attendant, elle rôde, louve inassouvie. Un palefrenier fera l'affaire.

VI

Tout est prêt pour le départ et pour l'assaut final. L'armée est sur le pied de guerre, les armes fourbies, les chevaux pansés, les chariots chargés à ras les ridelles de butin et d'ex-femmes honnêtes devenues viande à soldats par la force des choses. L'évêque a béni tout cela et demandé à Dieu d'accorder la victoire du Bien sur le Mal. Tout est donc paré, les estomacs repus, les âmes fortifiées.

Le bagage de la reine, à lui seul, emplit douze chariots bâchés attelés de bœufs. C'est qu'elle veut paraître en souveraine à Tournai, sa nouvelle capitale, l'altière Brunehaut. Le misérable Chilpéric enfin châtié, sa gourgandine jetée à la rue ainsi que ses bâtards et bâtardeaux, Sigebert régnera en monarque juste et bon. Elle sera l'épouse souriante d'un roi bien-aimé... Mais que fait donc Sigebert ? L'armée piétine, l'évêque penche de la mitre, les chevaux gorgés d'avoine frappent du sabot... La reine envoie aux nouvelles.

C'est son bon cœur qui retarde Sigebert. Comme il s'apprêtait à partir, une discussion assez vive a fait tapage à sa porte même. Il a envoyé un page voir ce qu'il en était. L'enfant a aussitôt repassé la porte à reculons, poussé par le vieux Wilbert, l'écuyer fidèle, lui-même à reculons et s'efforçant en vain de barrer la route à deux jeunes gaillards décidés. Sigebert s'enquiert :

Le Sang de Clovis

— Qu'est-ce donc ?

Wilbert tente d'expliquer :

— Seigneur roi, ces deux jeunes seigneurs sont venus faire allégeance à ta personne. Ils sont heureux de se battre pour toi et tiennent absolument à te le dire en face.

Il ajoute, cherchant son équilibre :

— Entre nous, je crois qu'ils ont fêté d'avance la victoire, et peut-être un peu trop joyeusement.

Sigebert ouvre grands les bras.

— Laisse cela, Wilbert ! Écarte-toi. Qu'ils viennent à moi, ces braves cœurs ! Allons, mes enfants, donnons-nous une franche accolade !

Wilbert s'écarte. Les deux jeunes gens, rayonnants de joie et de fierté, s'élancent d'un même mouvement vers le roi, qui les enlace aux épaules, les serre contre lui, s'écriant :

— Voilà qui est de bon augure ! La jeunesse de ce pays est avec moi ! Dieu soit l...

L'action de grâces s'achève en hurlement. Dans chacun des flancs du roi, une lame acérée s'est enfoncée, jusqu'à la garde.

Pour plus de sûreté, avant que le roi ne s'écroule, les assassins plongent à nouveau leurs scramasaxes dans le corps déjà sans vie, encore et encore. Une furie de sang les possède. La précaution est bien inutile, les lames sont empoisonnées. Elle pense à tout, la petite Frédégonde.

Du corps du roi le sang gicle haut et dru. Wilbert, épouvanté, crie à la garde. Les deux furieux se jettent sur lui, le percent, le hachent. Le sang ruisselle, ce n'est partout qu'écarlate flamboyant. Des soldats enfin accourent, l'arme haute, mais il leur faudra perdre deux hommes avant de venir à bout de la défense enragée des assassins.

C'est un massacre, c'est un abattoir. Enfin les deux amis sont tombés, ils gisent par le travers du corps de leur victime, mêlant leur sang au sien. Thibert n'est pas tout à fait mort,

61

Le Sang de Clovis

pas encore. Sentant le néant le saisir, il trouve la force de tourner son visage vers Théobald. Ses lèvres bougent, à peine, juste de quoi esquisser ces mots : « Pour elle. »

Sighila, le Goth venu d'Espagne à la suite de Brunehaut, dit, tout en contenant avec peine le sang qui gicle de son bras entamé :

— Ces deux-là sont morts heureux. En tout cas, ils en ont l'air.

Le roi mort, tout est perdu. Ainsi en va-t-il chez les Francs, comme chez tous les peuples de la Germanie barbare. En un rien de temps, le palais se vide. C'est en voyant refluer et se débander son armée que Brunehaut apprend son malheur.

Frédégonde, elle, apprend l'heureuse issue de son plan lorsque, scrutant avidement la plaine depuis les remparts de Tournai, elle voit soudain accourir une grande cohue de gens armés portant étendards de Neustrie et braillant en grande allégresse le nom de Chilpéric.

Comme chaque fois, elle n'en revient pas que « ça fonctionne ». Elle bat des mains, petite fille que ravit son merveilleux joujou. L'ampleur de sa victoire lui est confirmée par un dignitaire hors de souffle et gris de poussière venu se jeter à ses pieds et haletant :

— L'usurpateur Sigebert n'est plus ! Vive Chilpéric, notre roi devant Dieu !

Cet homme avait été parmi les tout premiers ralliés à Sigebert. C'est à de telles choses que se mesure le triomphe. Frédégonde en respire le parfum à pleins poumons. Elle a eu tellement peur !

Elle considère l'homme écrasé à ses pieds. Il ne s'y est pas trompé. Il a couru droit à elle, négligeant le roi. Il a ployé le

Le Sang de Clovis

genou devant elle, une femme... N'est-ce pas grisant ? Qu'en fera-t-elle, de ce traître, de ce félon ? Châtiera-t-elle ? Ordonnera-t-elle que roule sur les dalles cette tête inconstante ? C'est bien tentant... Oh, et puis, s'il fallait couper toutes les têtes coupables... Mieux vaut pardonner, ignorer la trahison. Et les tenir à l'œil, les lascars, et qu'ils le sachent !

Au fait, Chilpéric ? Il faut aller le prévenir, Chilpéric, l'arracher à ses noirs pensers, lui annoncer qu'il ne meurt plus, qu'il règne de nouveau, qu'il a une armée toute neuve – celle-là même qui venait pour le trucider –, qu'il hérite du royaume de son frère défunt en plus du sien qu'il récupère... Jamais situation plus désespérée ne se changea en plus éblouissante apothéose.

Si la défaite et la mort certaine avaient trouvé Chilpéric accablé mais résigné, le subit retournement de la situation ne le surprend pas. Il est comme ça, Chilpéric. Il fait le dos rond dans le malheur, saute sur ses pieds dès que cela va mieux, redevient en un clin d'œil le rapace plein de feu et d'appétit. À peine délivré, il chausse les bottes et l'arrogance du vainqueur et avise au plus pressé : faire sentir le poids de sa poigne à ces provinces qui se sont si facilement données à Sigebert, faire main basse sur les trésors dudit Sigebert et détruire bien minutieusement toute sa descendance mâle. Frédégonde ajoute à la liste une touche personnelle : tirer vengeance, et vengeance éclatante, de cette pimbêche de Brunehaut. Non, mais, pour qui elle se prend, celle-là ?

Passé la terrible violence du premier choc, Brunehaut, soudain précipitée du triomphe à la plus horrible détresse, s'est bien vite reprise. Laissant au vainqueur le soin des funérailles

63

Le Sang de Clovis

dues à un époux tendrement chéri, elle a en toute hâte rassemblé ses trois petits enfants et, la route de Metz et de l'Austrasie lui étant coupée par les armées neustriennes retournées à Chilpéric et renforcées des contingents austrasiens qui, comme de coutume, se sont donnés au plus fort, elle s'est jetée sur la route de Paris et s'est retranchée dans l'antique palais impérial. Ses bagages et les considérables trésors constituant sa dot ont pu l'y rejoindre, échappant aux bandes de Chilpéric, trop lentes à se lancer à leur poursuite.

VII

C'est un coin perdu d'Armorique à la terre ingrate. La mer n'est pas loin, on l'entend, quand le vent porte, hurler en jetant contre le roc ses rouleaux écumants. Cependant, rien ici ne semble voué à la mer. Ces murs, entassements de blocs de granit jointoyés à la terre jaune et couverts en chaume de blé noir, sont ceux d'une ferme tout entière vouée aux travaux des champs. La famille qui vit ici n'a pas vocation de piraterie. Or, par les temps qui courent, qui peut armer une barque se fait pirate ou sera la proie d'un pirate.

La famille est réunie pour la soupe du soir, qu'on partage, assis en rond à même le sol de terre recouvert de paille pour l'agrément et le confort des postérieurs, car, ici, le dur granit affleure partout. Le cercle des affamés entoure les trois grosses pierres d'un foyer sans façon dont la fumée monte, droite, et s'échappe vers les étoiles par le trou ménagé au milieu du toit.

Au premier regard, l'œil est frappé par deux faits qui distinguent cette famille des familles des paysans gallo-romains voués aux rugueux travaux de la glèbe par les nouveaux maîtres du sol, ces envahisseurs au parler celtique échappés de l'île de Bretagne[1] d'où les ont chassés les envahisseurs saxons.

---

1. L'actuelle Grande-Bretagne.

Le Sang de Clovis

Tout d'abord, ces gens présentent en une curieuse bigarrure un surprenant mélange de toutes les variétés humaines. Sur un même visage, les larges pommettes mongoles soulignent deux yeux à l'azur purement nordique, ou bien d'épaisses lèvres négroïdes sourient sur une face aux yeux bridés d'Asiate. Ici une chevelure de Viking encadre des joues d'un noir intense, là la fusion des trois continents s'est faite dans une gradation plus harmonieuse... Toutes les nuances du métissage, toutes les possibilités, toutes les surprises sourient en rond. Car ils sourient. C'est une famille joviale.

Deuxième étonnement, ils ne parlent pas le latin abâtardi qui, depuis six siècles, est la langue exclusive des Gaules, ni le dialecte celtique réintroduit par les fuyards de la grande île, mais bien le francique le plus pur, qui est le dialecte germanique que parlent les Francs. Or les Francs sont inconnus en Armorique, ils n'ont jamais pu s'y implanter durablement, alors que le reste des Gaules ainsi que la vieille Germanie et presque toute l'Europe sont leur domaine depuis que Clovis et ses descendants ont asservi tout cela par le fer et par le feu.

À la place d'honneur – pour autant qu'il y ait une place d'honneur dans un cercle, où tous les points se valent, mais l'honneur d'une place rayonne de qui l'occupe –, se tiennent deux vieillards. Non, le terme est ici impropre. Disons deux hommes vigoureusement sculptés par les années. Ils sont vieux comme sont vieux les chênes sur la lande battue des vents : tout à nœuds et à gerçures, à nerfs et à tendons, tordus, crochus, bourrus mais debout dans l'ouragan. L'un, autour de ses yeux lumineux, arbore chevelure de neige et moustaches de même. Sur le crâne poli de l'autre la lumière fuligineuse de la torche se reflète et devient soleil. Les yeux de myosotis du premier cité se plissent à la mongole au-dessus des hautes pommettes... Mais oui, c'est bien lui, Loup, fils de Bouzil, le Hun blond dont l'âge a fait un Hun blanc ! Le

Le Sang de Clovis

second, bien sûr, n'est autre qu'Otto, fils de Sunno, pur produit teutonique, l'échalas aux coudes pointus, l'inséparable.

Leur âge ? Il se perd dans la nuit des guerres oubliées. Voilà bien longtemps qu'ils ne comptent plus les années, pour autant qu'ils les aient jamais comptées. Depuis le jour déjà lointain où ils ont renoncé aux incertitudes de l'errance comme aux violences du métier des armes, la ronde des saisons rythme leur vie. Grallon, alors roi d'Armorique, en récompense de bons et loyaux services, leur fit cadeau de ce lopin dont ils sont tout à la fois seigneurs et tenanciers. Tel ce fameux général romain dont Loup, l'érudit, a oublié le nom, ils ont lâché l'épée pour la charrue, ou plutôt pour la pioche, car cultiver, ici, c'est se colleter avec le roc et les vieilles souches aux serres de fer.

La famille est devenue tribu. L'origine des uns et des autres se fond et s'oublie dans le tronc commun. Trois générations se sont succédé depuis que Sassa la toute noire, la petite esclave raflée au fond de l'Afrique, a mêlé les enfants qu'elle conçut du Hun blond à ceux de Gunther et de Waldrude et aussi à ceux que Gwendoline l'insaisissable, entre deux disparitions, confiait aux bras de qui voulait s'en charger, sans compter ceux que Matiline, la onze millième des vierges compagnes d'Ursule, miraculée par ses propres soins et devenue cantinière de la très fameuse cavalerie armoricaine en épousant Yannick à la tête ronde, dépose régulièrement sur le seuil afin qu'ils respirent le bon air de la campagne et tètent le lait bourru pas plus baptisé qu'eux-mêmes.

Certains affirment que les deux trompe-la-mort auraient dépassé le siècle, et de loin, même. D'autres vont jusqu'à les réputer immortels. Cela fait beaucoup de bizarreries dans cette famille déjà bizarre. Centenaires ? Pensez donc ! En ces temps de ravages et de famines où atteindre la trentaine est un rare cadeau du ciel... C'est défier le sens commun, or le sens commun n'aime pas à être défié. D'autant que nul n'a

Le Sang de Clovis

jamais vu l'un ou l'autre des deux lascars assister à la sainte messe. On chuchote le vilain mot de sorcellerie. Pis : de paganisme. Pis encore : d'hérésie arienne. Mais, ces chuchotis, il vaut mieux qu'ils n'arrivent pas à l'oreille du seigneur roi Judual, lequel tient les deux amis en haute estime et, de par un vœu renouvelé de père en fils, étend sur eux et leur famille sa toute-puissante protection.

Les exploits du Hun blond et de son compère, s'ils sont aujourd'hui quelque peu oubliés de la foule vulgaire, n'en sont pas moins bien vivants dans les chants que scandent les bardes aux assemblées ainsi qu'à la cour des puissants seigneurs, sur cette terre d'Armor que tant convoitent les petits-fils de Clovis et où jamais un Franc en armes ne put se maintenir. Ces chants épiques n'oublient pas, eux, que, sans la valeureuse cavalerie d'Armorique, formée et menée par Loup et Otto au combat, Clovis n'aurait pu remporter sur les Wisigoths l'éclatante victoire de Vouillé en Poitou qui lui ouvrit toutes grandes les portes de l'Aquitaine et le convainquit de renoncer à ses visées sur une Armorique aussi farouchement défendue.

Autour du foyer rustique, toutes les générations depuis le Hun blond sont représentées. Avec des trous, hélas. La mort a fait son marché. Waldrude et Gunther sont partis les premiers, main dans la main, Waldrude était à l'agonie, Gunther ne concevait pas la vie sans elle. Émeric, fils de Loup et de Sassa, fut éventré par un sanglier. Sassa la très belle le suivit bientôt. Quant à Gwendoline, l'insaisissable, l'imprévisible, la plus que fidèle, le feu follet qui surgissait, croquant une pomme verte ou un navet, et puis disparaissait sans prévenir, elle s'est contentée de ne plus reparaître. Loup avait dit à Otto :

Le Sang de Clovis

— Nous ne la verrons plus.

Otto avait hoché la tête :

— J'ai cru voir comme l'ombre d'une ride au coin de son œil.

À quoi Loup avait répondu :

— C'est bien ce que je disais.

Dans quel incendie, sous quelle avalanche, au fond de quel océan est-elle allée enfouir cette première ride et toutes celles qui devaient suivre ? Personne n'est venu le leur dire. Et à quoi bon ? Gwendoline ne pouvait être que la morveuse au cul nu qui s'en allait, droit devant, talonnant un ânon de ses petits pieds sales. Les deux vieux, la gorge serrée, lui en voulaient d'avoir réussi cela, alors qu'eux... Une Gwendoline tassée au coin du feu, petite vieille ligotée dans la toile d'araignée de ses rides ? Inconcevable.

Avant que l'homicide sanglier – qu'il ne chassait même pas, navrante erreur ! – ne l'ait couché sur la mousse parmi son sang et sa tripaille, Émeric, le fils tendrement chéri de Loup et de Sassa, avait eu le temps de procréer. Un seul enfant, un fils, l'envie de coopérer à la reproduction de l'espèce ne lui étant venue que sur le tard. Ce fils, moins foncé de peau que son père mais tout aussi asiate de traits que son grand-père, reçut pour nom Sigurd. Sigurd en son âge viril connut Minna la brune et engendra d'elle Loup, ainsi nommé en hommage à l'aïeul fondateur. Ce Loup devint bien vite Petit Loup afin d'éviter les erreurs et quiproquos, ledit aïeul étant encore en vie, et bien en vie, ainsi que nous venons de le constater.

Petit Loup totalise dix-sept printemps. L'appétit, à cet âge, n'est pas chose qui se laisse négliger. Pour l'instant, de Petit Loup ne se peuvent voir que de juvéniles épaules mal couver-

Le Sang de Clovis

tes par un méchant lambeau de tunique de chanvre brut. Le visage est tout entier enfoui dans l'écuelle de terre cuite vaste comme un baquet à nourrir les cochons qu'il se plaque à deux mains sur la face afin d'en faire descendre le contenu dans son estomac suivant les voies les plus rapides. Sa pomme d'Adam tressaute joyeusement au passage de chaque goulée. Enfin il émerge du récipient soigneusement vidé, le repose d'un geste viril sur le sol, cligne de l'œil, rote en gars qui n'a rien à se reprocher, pousse un « Ha ! » prolongé qui, plus que n'importe quoi au monde, exprime la félicité absolue, et puis, ayant fait, écoute ce qui se dit alentour. À peine s'il prête attention au manège de Julius Caesar, chien noir outrageusement bâtard qui, posant ses pattes de devant sur les épaules de Petit Loup, se met en devoir, à coups de langue larges et précis, de débarrasser le tour de la bouche ainsi que les joues du garçon d'un surplus de soupe figée qu'il serait vraiment dommage de laisser perdre.

Ces coureurs d'aventures devenus culs-terreux, perdus dans ce bout du monde qu'est l'Armorique profonde, n'ont cependant pas perdu toute notion de ce qui se passe sur l'autre rive du Couesnon, qui est la chétive rivière au-delà de laquelle commence l'empire tumultueux des rois francs. Nostalgie de l'ancienne vie ? Il y a de cela. Mais il y a surtout l'insatiable curiosité de Loup, l'ancien, pour tout ce qui peut être objet d'intérêt, depuis l'obscur travail des germinations au sein de l'humus jusqu'aux révolutions des astres dans le ciel et aux vicissitudes des peuples soumis aux folles ambitions de leurs tyrans.

En une discussion passionnée, la famille commente la cascade d'événements violents déclenchés dans les Gaules par l'assassinat de Galeswinthe. La crapuleuse mainmise de Frédégonde sur Chilpéric, le roi félon, la terrible guerre entre les deux frères, l'assassinat de Sigebert, la fuite de la reine Brunehaut poursuivie par la haine de Frédégonde et par

Le Sang de Clovis

l'acharnement de Chilpéric à détruire tous les enfants de son frère...

Que d'étonnements, que d'indignations, que d'apitoiements, que de « De notre temps... » ! Les sourcils se froncent, les moustaches frémissent, les poings frappent les paumes. Les femmes pleurent sur Brunehaut. En cet instant, toutes les femmes de Gaule pleurent sur Brunehaut. Et celles d'Espagne, donc !

Petit Loup a écouté sans rien dire. Il a mis toutes ces choses dans sa tête ronde. Chacun a donné son avis. Lui seul n'a pas parlé, alors on se tourne vers lui. Il se rend bien compte qu'on attend quelque chose de lui. Le rouge lui monte aux joues. Il n'a pas facilité de parole, Petit Loup. Ce qu'il a à dire, il faut qu'il le prépare bien bien, et puis qu'il le lâche d'un trait.

Il a préparé, bien bien. Maintenant, il lâche, d'un trait :

— La reine Brunehaut, c'est à Paris qu'elle est ?

Il s'est tourné vers l'autre Loup, l'ancêtre. C'est de celui-ci que vient la réponse :

— À Paris, oui. Dans le palais qui fut celui de l'empereur Julien, puis du roi Clovis.

— Seule ?

— Elle a pu s'y enfermer avec son fils Childebert et ses deux fillettes, Ingonde et Chlodeswinde.

— Personne pour la défendre ?

— On m'a assuré qu'une garnison de leudes fidèles jusqu'à la mort a pu s'enfermer avec elle.

— Elle est donc prisonnière ?

— Ou tout comme. Assiégée, en tout cas. L'armée de Chilpéric campe tout autour, les ponts sur la Seine sont coupés.

L'ancêtre réfléchit :

— On se demande bien pourquoi Chilpéric n'a pas encore donné l'ordre de forcer les portes. D'autant que la reine Frédégonde, me suis-je laissé dire, l'excite à en finir au plus vite.

Le Sang de Clovis

Cette femme est bien placée pour savoir combien une situation de force peut brutalement se retourner du tout au tout. Elle a soif du sang de Brunehaut, plus encore par peur que par haine. Car elle sait que Brunehaut a soif du sien. Entre elles gît le cadavre de la douce Galeswinthe.

— Alors, pourquoi Chilpéric ne hâte-t-il pas les choses ?

— Je ne saurais te dire. Je ne comprends pas moi-même. Tant que vivra le petit Childebert, le fils de Sigebert et de Brunehaut, la royauté de Chilpéric sur l'Austrasie pourra être contestée. D'habitude, il n'y met pas tant de façons. Les héritiers, il les supprime, jusque dans le ventre des mères s'il le faut.

— Tu as bien une idée ?

— Eh bien, il est en tout cas certain que si Chilpéric se conduit ainsi, c'est que là-dessous gît quelque intérêt... Un calcul.

— Quel calcul ?

— Oh, par exemple, celui de mettre la main sur les trésors de Sigebert et de Brunehaut, qui font un total fabuleux. La guerre à outrance que Chilpéric mène depuis tant d'années l'a ruiné. La Neustrie est exsangue. On peut imaginer qu'il n'ait pas réussi à dénicher l'endroit où Brunehaut a caché toutes ces richesses avant de s'enfermer dans Paris. On peut aussi imaginer qu'il espère arracher à Brunehaut l'indication de ce lieu mirifique contre la promesse de la vie sauve pour elle et pour ses enfants... Quitte à n'en faire qu'à sa tête une fois le trésor entre ses griffes.

— Mais... La reine Frédégonde ?

— Frédégonde, eh ? Oh, Chilpéric est certes fort amoureux, et Frédégonde fort apte à inspirer l'amour et à le donner, mais l'avarice et la cupidité ont sur Chilpéric un pouvoir qui laisse loin en arrière sa concupiscence.

— Et donc... ?

Le Sang de Clovis

— Et donc Frédégonde attendra son heure. Laquelle ne manquera pas de venir, tôt ou tard.

— Tu les connais bien, ces deux-là !

— Ils sont faciles à connaître. Tous taillés sur le même modèle. Rapaces insatiables, assassins par goût du sang autant que par ambition, brutes sournoises, chrétiens pour ménager les évêques, rois sans parole, soldats sans honneur... La descendance pourrie de Clovis le fourbe et de Clotilde l'implacable.

— Pourtant, le roi Sigebert...

— Sigebert, oui. Le seul. Eh bien, vois-tu, ils l'ont tué.

S'ensuit un silence. Tous remuent des pensées amères. Petit Loup, sans lever le nez, murmure :

— Et la reine Brunehaut.

L'ancêtre approuve :

— La reine Brunehaut, c'est vrai. Noble femme. Fille superbe.

Ses yeux se perdent dans les nostalgies. Ezarine, dite Zaza, produit lointain d'une visite de Gwendoline, ou de Matiline, peut-être, Zaza qui a quinze ans, le nez pointu et des taches de rousseur, feint de se scandaliser :

— Eh bien, grand-père...

Ce n'est pas pour l'arrêter. Il persiste, l'œil fixé sur une vision :

— Je l'ai vue, moi. À Tolède, chez le roi son père. Elle était toute jeunette. Moi, depuis déjà longtemps j'étais une relique. Je montais à cheval, quand même. J'avais accompagné notre roi d'avant celui-ci, je ne me rappelle plus son nom... Je n'ai jamais rien vu d'aussi joli que cette petite fille...

Il salue l'assistance.

— Les personnes présentes exceptées, comme de juste.

Par un murmure appuyé, les personnes présentes témoignent qu'elles sont sensibles à la galanterie. L'orateur poursuit :

Le Sang de Clovis

— Elle est née wisigothe. Ce sont gens qui aiment vivre et ne s'arrachent pas les provinces par égorgement, strangulation ou empoisonnement...

Petit Loup interrompt :

— La reine Brunehaut est un ange.

Et puis, tout honteux de son éclat, il rougit et ne sait où se cacher. Tous le regardent, étonnés ou amusés. Et attendent la suite. Il y aura une suite, forcément. La voici, tout d'un jet :

— Cet ange va être massacré par ces deux monstres. Ses enfants aussi. Et je resterais là, à regarder pousser le blé noir ?

Il se tait, se ferme. Loup demande, très doucement :

— Que comptes-tu donc faire, petit ?

— Aller là-bas. Dans Paris. Là où elle est. Lui dire : « Dame, je suis à toi. Ordonne. »

Nul ne se gausse ni ne se récrie. On prend tout très au sérieux, dans cette famille, surtout l'incongru. Loup, qui fut le Hun blond, dit ce qu'il est de son devoir de dire :

— Tu n'es pas homme de guerre. Tu ne sais manier que la fourche et la houe.

— La hache, aussi. Ma bonne hache. C'est une arme.

— Tu veux donc nous quitter.

— Je l'aurais fait tôt ou tard. Il le faut. La vie ici me pèse. Tu nous narres à longueur de veillées les chevauchées de ta jeunesse. Tu les regrettes, tes yeux le disent. Alors, voilà, je veux courir le monde, et advienne ce qu'il en adviendra.

— Tu ne nous as jamais dit cela.

— Je vous aime, tous. J'aime être parmi vous.

— Eh, oui. Pour partir, il faut nous quitter.

— Voilà.

— Vient un moment où le besoin de partir se fait plus fort que tout. Ce moment est donc venu ?

— Oui.

— Ce sont les malheurs de Brunehaut qui t'ont décidé ?

Le Sang de Clovis

— Oui.

Celui qui fut le Hun blond considère le petit, gravement.

— Et tu ne l'as jamais vue ! Quelle femme est-ce donc pour faire naître de pareils dévouements ?

— Un ange.

Loup fronce le sourcil.

— C'est la deuxième fois que tu emploies ce mot. Tu as grandi, comme tous, ici, à l'abri des singeries des sectateurs du dieu cloué aussi bien que de celles de toute autre religion. D'où tiens-tu cela ? Sais-tu seulement ce que c'est qu'un ange ?

Petit Loup réfléchit.

— Je ne me le suis jamais demandé. J'ai dû entendre ce mot au village. Les croquants disent « un ange » pour désigner quelqu'un de tellement plus beau, plus aimable... Cela sonne si doux à l'oreille ! Pas besoin de comprendre, on devine, on voit dans sa tête. Quand je dis : « La reine Brunehaut est un ange », je sens en moi comme un grand bonheur, une espèce de lumière, si tu vois...

Un murmure charmé s'élève du cercle, tout autour. On sait goûter les belles choses, dans la famille. Des yeux se mouillent, des manches de tuniques essuient furtivement des larmes d'émotion douce.

— On s'y croirait, dit Zaza la futée.

— Encore ! implore Ghilberte la mince.

— Tu es un barde, constate, avec un respect craintif, Mathilde la très blanche.

Tous battent des mains. Ils viennent d'inventer ça, spontanément, ça leur est venu tout seul : exprimer son admiration en frappant dans ses mains tous bien ensemble[1].

Otto, qui n'a rien dit jusque-là, tient à montrer qu'il existe autrement qu'en qualité de figure décorative. Il questionne :

---

1. Avant cela, on applaudissait par cris et par sifflets.

Le Sang de Clovis

— Tu es donc décidé ? Quoi qu'on t'objecte, quoi qu'il t'en coûte, tu partiras ?

Le garçon hésite, et puis il relève la tête.

— Il m'en coûtera. Terriblement. Mais, oui, je partirai.

Otto regarde Loup. Les deux anciens se concertent muettement. Loup hausse les épaules.

Otto dit :

— Tu partiras donc. Nous te pleurerons, ta mère plus fort que nous. Il te faut un cheval.

— Chacun de nos chevaux est trop utile ici. Je partirai à pied.

— Tu partiras à cheval. Prends Griffon.

Le lendemain, aux aurores, Petit Loup prend la route de Paris, Adèle, sa bonne hache, cramponnée à son dos, monté sur le bon Griffon dont les vastes flancs de cheval de labour lui écartèlent les jambes presque à l'horizontale.

VIII

Dans un angle de l'immense salle ornée à profusion de délicates céramiques par les derniers empereurs qui tant aimèrent Lutèce, la reine Brunehaut prend conseil de Gondobald, le leude resté fidèle dans le malheur.

Il fait froid sous les hautes voûtes. Les troupes de Chilpéric laissent entrer, assez chichement, un minimum de vivres, mais pas une bûche de bois de chauffage. Chilpéric espère-t-il réduire l'obstination de la reine par l'inconfort ? Brunehaut grelotte dans ses fourrures. C'est Gondobald qui parle :

— Dame reine, tôt ou tard Chilpéric forcera les portes. Je m'étonne qu'il ne l'ait pas déjà fait. Il veut tes trésors. Il en a besoin, désespérément. Il doit maintenant avoir compris que tu ne les lui abandonneras pas de bon gré. Il va forcément en venir à l'idée de t'en arracher le secret par la torture.

Elle frissonne.

— Je parlerai. Je lui donnerai tout.

— Cela fait, il te tuera. S'il avait tendance à s'attendrir, car tu es bien belle, en vérité, sa Frédégonde y veillerait.

— La sœur après la sœur, l'épouse après le mari... Quelle soif de sang ! Eh bien, soit. J'irai rejoindre mon Sigebert dans le sein du Seigneur Christ Jésus en Son Paradis.

— Dame reine, tu oublies tes enfants. Frédégonde veut ton sang, mais Chilpéric veut celui de ton fils et de tous ceux de ta race.

Le Sang de Clovis

— Sauve mes enfants, Gondobald !

— Je m'y emploie. Je veux vous faire sortir d'ici et vous conduire au grand galop à Metz, ta ville capitale, où la présence du roi ton fils, que nous ferons hisser sur le pavois, redonnera confiance au peuple et te ralliera les seigneurs que la mort brutale du roi Sigebert a réduits à se soumettre à Chilpéric.

— As-tu un plan ?

— Pas encore. Le palais est étroitement surveillé par des antrustions de la garde personnelle de Chilpéric, des brutes qui ne connaissent qu'une consigne : tuer. D'autre part, les Austrasiens qui se sont laissé enfermer ici avec toi ne sont plus sûrs. Frédégonde les a achetés avec de l'or, avec des promesses, avec de tendres garces qu'elle a dressées à cet usage. Il nous faut agir avec beaucoup de prudence.

— Sauve au moins mes enfants, Gondobald.

— Dame, je les sauverai. Et je te sauverai. Oh, oui, je te sauverai !

Il tombe à genoux, et c'est beaucoup plus que du dévouement que la reine lit dans les yeux extasiés qu'il lève vers elle.

Nez au vent, Petit Loup hume la senteur toute neuve de l'aventure. Il aurait aimé voler au secours de la Dame de merveille au galop fougueux d'un fier destrier. Mais Griffon, bête massive, est cheval de labour. Il n'aime pas forcer son pas placide. Petit Loup doit s'en contenter.

Il traverse sans encombre la Neustrie d'occident[1] à peu près intacte, ce n'est pas là que la guerre fratricide fit rage, mais plus à l'orient, vers les marches d'Austrasie.

---

1. La Normandie, récemment jointe à la Neustrie de Chilpéric après la mort de Caribert, en 567.

Le Sang de Clovis

Et voilà Paris, accroupie au fond de sa cuvette, gros canard qui se prélasse au fil de l'eau.

Au lent balancement de la croupe de Griffon, Petit Loup se laisse descendre par les coteaux herbus de Nanterre, notant au passage les murs blancs du monastère que fonda cette Geneviève dont il fut tant parlé dans les récits du Hun blond et de son compère. Longeant le fleuve, il arrive à la grève d'où s'élance le pont de bois qui enjambe l'eau et mène droit à l'île, cœur de la cité. Ce pont n'a pas été détruit, ainsi qu'il le craignait, mais une escouade de gardes saxons, lances en arrêt, en barre l'accès. Nautes et débardeurs à bonnet de laine s'affairent à décharger les chalands.

Petit Loup, observant du haut de Griffon l'activité de ces lieux, remarque un chariot à roues pleines, épais assemblage de poutres à peine équarries fait à la maison que tire un chétif clampin cramponné aux brancards tandis qu'un compère tout aussi étique pousse à l'arrière, ces efforts conjugués ayant pour but de faire gravir au massif engin la courte pente qui mène à l'entrée du pont. Les deux avortons avancent à grand'peine d'un pas, reculent de deux, manquent à tout instant d'être écrasés par le lourd véhicule, s'obstinent comme fourmis, finissent par s'affaler. Les gardes saxons rient à pleine gueule. Les mariniers font cercle, se frappent les cuisses, appellent les copains, les invitent à venir prendre leur part de la rigolade.

Loup met posément pied à terre, prend Griffon par la bride, l'amène à reculons entre les brancards, bricole un attelage de fortune. Il claque de la langue, flatte la vaste croupe d'une tape amicale. D'un léger coup de reins, le cheval arrache le chariot, et puis gravit sans effort la déclivité.

La foule crie : « Vivat ! » Aucun n'aurait songé à donner le plus léger coup de main. Ça n'empêche pas d'applaudir l'artiste. Un des gardes saxons interpelle les piteux charretiers :

— Qu'est-ce qu'il y a, là-dedans ?

Le Sang de Clovis

Le sauvage accent saxon n'est pas tendre à l'oreille. Ils comprennent suffisamment pour pouvoir répondre :

— Des choux, des raves, des oignons... Des denrées pour la soupe, quoi.

Le garde pointe sa lance sur le lit de paillons qui recouvre le tout :

— Fais voir.

Les deux gars s'activent, soulèvent les paillons. Le garde farfouille là-dedans du bout du fer de sa lance, hoche la tête :

— C'est bon. Passez.

Loup demande :

— Moi aussi ? C'est mon cheval, tu comprends.

Le Saxon hausse les épaules, fait signe de passer. Les deux convoyeurs de légumes ne s'étonnent pas, ne remercient pas, pauvres bestiaux abrutis de misère et d'avanies que rien ne peut étonner. Et donc, tirée sans vaine hâte par l'imperturbable Griffon, la carriole pénètre dans la cour du palais.

La reine Brunehaut tend au duc[1] Gondobald sa main afin de l'aider à se relever. Le duc, saisi d'une inspiration soudaine, glisse sa main sous cette main et, toujours un genou en terre, y pose ses lèvres. D'où lui est venue cette impulsion saugrenue ? Jamais, jusqu'à cet instant, main de femme ne fut baisée, pas plus chez les patriciens romains pourtant si raffinés que chez les barbares peu portés à ces délicatesses ! Pourtant, c'est ainsi : Gondobald, poussé par on ne sait quel instinct, a frôlé le dos de cette main de ses lèvres tremblantes. Il en ressent un plaisir ineffable. La reine, tout aussi surprise

---

1. Pour les Romains, « duc » était un grade précis correspondant à un commandement militaire en pays lointain. Les Francs, soucieux de « latinité », au moins apparente, donnèrent le titre à tout chef de guerre un peu important.

Le Sang de Clovis

que lui, n'a pas retiré sa main. Pourquoi l'aurait-elle fait ? Y aurait-il donc inconvenance ? Comment le savoir d'une chose qui jamais encore ne fut faite ? Et donc cette main reste blottie au creux de cette autre, et l'immatériel frôlement de ces lèvres émeut la reine d'un étrange émoi... Ces deux-là viennent d'inventer quelque chose.

Lorsque Gondobald enfin se relève, Brunehaut constate qu'il a pâli. Lui-même constate que la reine a rougi. Tous deux constatent ensemble que leur cœur bat plus vite qu'il ne devrait... C'est alors qu'un fracas venu du dehors les fait sursauter. Gondobald, l'épée au poing, court à la porte, l'ouvre en grand. L'origine du vacarme est là : un grossier chariot de paysans a versé au beau milieu de la cour. Une de ses deux roues sans rayons ni moyeu, taillée à la diable dans un bloc de bois, s'est rompue. Le chariot a versé. Raves, oignons, choux et poireaux jonchent le pavé. Parmi l'hécatombe potagère, deux croquants en haillons, dont un sur le cul et l'autre debout, bras ballants, semblent pétrifiés par la catastrophe. Un cheval massif, apparemment mieux nourri que les deux tristes hères, contemple les dégâts d'un regard où se lit la compassion, peut-être aussi un rien de malice. Un jeune gars, non moins resplendissant de santé que le cheval, une hache de bûcheron arrimée par le travers du dos, s'active à dégager la brave bête d'entre les brancards.

Le duc Gondobald en a assez vu. Il referme le vantail, résume en deux mots l'affaire à l'intention de la reine :

— Un petit incident domestique. Pas de quoi t'inquiéter, dame reine.

Elle sourit, confiante, non sans un brin de coquetterie :

— Je ne m'inquiète pas. N'es-tu pas là, duc ? Allons, va.

Il va.

Fait deux pas. S'arrête. Revient. Ne se frappe pas le front, mais le cœur y est, sinon le geste.

— Dame !

Le Sang de Clovis

La reine s'étonne :

— Eh bien ?

— Cette charrette.

— Oui ?

— Voilà le moyen.

— Le moyen, dis-tu ? Le moyen de quoi faire ?

— Le moyen de vous faire sortir d'ici, toi et tes enfants.

— Tu veux dire : dans la carriole ? Mais ils fouillent tout. Surtout ce qui sort.

— Ce chariot est très haut. On peut y arranger une cachette sous un double fond que recouvrira une fort épaisse couche d'épluchures, de litière, de paille usée... Enfin de tout ce qu'il est habituel de faire sortir d'une maison si l'on ne veut pas que la puanteur et les rats n'y prennent pension.

— En parler courant : de l'ordure et du fumier.

— Euh...

— Tu veux que je m'aplatisse sous un tas d'immondices ?

— Pour sauver ta vie et celle de tes enfants. Pour sauver le royaume du roi Sigebert.

— Je ne comprends pas qu'une telle idée ait pu seulement t'effleurer.

Gondobald tombe à genoux. Il y tombe assez souvent, ces derniers temps.

— Dame très vénérée, préfères-tu donc périr de la main d'un Chilpéric ou d'une Frédégonde, ainsi que le roi ton fils et tes filles tant chéries ?

Elle hésite.

— Sauve mon fils, sauve les enfants. Moi, je reste ici. J'attendrai Chilpéric, ses tueurs et sa putain, debout, ici même, face à cette porte. S'il me tue, il devra le faire devant ses leudes et devant le seigneur évêque qui m'a fidèlement suivie.

La reine se tait. Elle ajoute, dans sa tête : « On verra bien s'il ose. Je sais que s'il a épousé ma sœur Galeswinthe, c'est

82

Le Sang de Clovis

par dépit de ne m'avoir pas eue. Je sais que sa passion pour Frédégonde n'est que pis-aller. Et Frédégonde aussi le sait. Pour me faire assassiner, elle devrait agir en cachette de Chilpéric, au moins pour l'immédiat. Cela me laisse un peu de temps... »

Petit Loup se glisse sous le chariot versé, d'une poussée des épaules le redresse, le maintient en position au moyen d'un étai de bois qui traînait par là, empoigne la roue, la présente face à l'essieu, l'enfonce en deux coups du talon d'Adèle, sa bonne hache, et voilà, le chariot est prêt à resservir. Petit Loup hèle les deux paysans, lesquels tout au long l'ont regardé faire, bouche bée et bras ballants :

— Hé, vous deux ! Faudrait peut-être aussi que j'y charge les légumes, dans votre guimbarde ?

Ils plongent aussitôt, ramassent les denrées en toute hâte, les jettent dans le chariot. Un flâneur, mains au dos, semble ne rien perdre de la scène et bien s'amuser. C'est un Franc, un guerrier, un seigneur. Nonchalant, il s'approche de Petit Loup qui, d'une poignée de paille, bouchonne Griffon :

— Ce cheval est à toi ?

Le garçon tourne à demi la tête vers ce malpoli qui questionne sans dire bonjour.

— Le salut sur toi, homme. Il est à moi, oui.

— Le chariot ?

— À ces deux-là, à ce qu'il semble.

— Je veux l'acheter.

— Fais affaire avec eux.

— Le cheval aussi.

— Là, c'est à moi que tu dois t'adresser.

— Eh bien, je m'adresse à toi. Vends-le-moi.

— Très bien. Je te réponds. Il n'est pas à vendre.

Le Sang de Clovis

Le Franc vient tout près, sa bouche contre l'oreille de Petit Loup. Il souffle :

— Service de la reine.

Petit Loup cesse de frotter. Il dévisage l'inconnu.

— De la reine Brunehaut ?

— Y en aurait-il une autre ?

— Pour moi, elle est la seule au monde. Mais...

— Elle est la seule au monde. Tiens-t'en à cela.

— Pourquoi parles-tu si bas ? Nous sommes chez elle, ici. Quel mal y a-t-il à parler ?

— La reine est en grand péril, ne le sais-tu pas ? Elle est ici chez elle, oui, mais la trahison rôde partout.

— Je comprends. Dans ce cas, qui me dit que tu n'es pas un traître, toi qui parles bas ? Ce sont les traîtres qui parlent bas.

Le seigneur franc frémit de la moustache, signe d'impatience.

— Tu dois me faire confiance comme je te fais confiance, sans quoi il n'y a plus moyen. Enfin, quoi...

Il se redresse, bombe le torse, un rien solennel :

— Je suis Gondobald, le duc Gondobald, chef des armées du roi Childebert, fils de feu le roi Sigebert occis par félonie (il se signe) et de la reine Brunehaut, ma dame et souveraine devant Dieu.

Petit Loup saisit l'important de la confidence. Il esquisse la moue de celui qui est impressionné, il n'est pas contrariant. Puis il tend la main :

— Tope là, seigneur duc. Moi, c'est Petit Loup, fils d'Émeric, fils de Loup, dit le Hun blond, fils de Bouzil, fils de... Ah, non, après Bouzil, j'ai un trou... Maintenant, dis-moi, seigneur duc, que veux-tu faire de cet excellent cheval qui est mien et de ce méchant chariot qui ne l'est pas ?

— J'ai besoin de tout cela. Et aussi de ta personne. Tes épaules sont larges, ton museau dégourdi, tu as l'air franc du collier et, mon instinct me le dit, tu es tout dévoué à notre vrai roi et à la reine sa mère.

— Surtout à la reine !

Cela a jailli tout seul. Petit Loup y a mis une telle ferveur que Gondobald fronce le sourcil. Il considère le jeune gars, presque un enfant encore. Il soupire :

— Tous les mâles des Gaules, des Espagnes et de plus loin encore sont devant la reine comme ils ne devraient être que devant la Très Sainte Mère du Seigneur Christ Jésus.

Petit Loup ne peut qu'approuver :

— C'est un ange.

Il ne sait toujours pas ce que c'est qu'un ange, mais le mot lui paraît toujours aussi beau. Gondobald, qui sait de quoi il s'agit, lui, trouve la comparaison tout à fait charmante. Il n'y aurait pas pensé tout seul, mais, l'ayant entendue, il a la conviction de l'avoir toujours eue en tête, et même au cœur. Il dit, rêveur :

— Un ange... Comme c'est vrai !

Il ajoute, pour lui-même : « Je le lui resservirai. Fortunatus[1] pourra m'enchâsser cela dans un poème. » Tout haut :

— Emmène ton cheval aux écuries. Attends-moi là-bas. Il faut que nous parlions. Pour l'instant, je dois voir ces deux croquants.

Il se dirige vers le chariot branlant que ses deux desservants finissent d'emplir. Petit Loup emmène Griffon, à qui l'odeur d'avoine inspire un joyeux hennissement.

La nuit est fort noire. Nuit de rêve pour une évasion. C'est bien ce que se dit Rotokind, fils de Schuppo, qui a le

---

1. Fortunatus. Évêque de Poitiers et poète latin. Maria Sigebert et Brunehaut. Composa en vers une *Vie de saint Martin*. Fut canonisé (saint Fortunat).

commandement du détachement saxon chargé par le roi Chilpéric de monter la garde autour du palais où se languit Brunehaut. « Ouvre l'œil, et le bon ! » lui fut-il recommandé. C'est ce qu'il fait. Mais son œil, son bon, n'est que la somme des yeux de ses subordonnés. Lui, il commande, eux ouvrent les yeux, les bons.

Il faut reconnaître que la surveillance est plutôt aisée. Le palais n'a pas été conçu comme une forteresse. On l'édifia pour l'agrément de ses habitants, pas pour soutenir un siège ni pour servir de prison. De hauts murs l'entourent, trop abrupts et trop exposés pour pouvoir être escaladés sans s'offrir en spectacle à toutes les sentinelles. Les points faibles sont les accès, mais ils se réduisent à trois, dont le principal, vaste porche à double vantail, ouvre sur la chaussée qui traverse l'île de part en part. Les deux autres, plus modestes, sur les côtés nord et sud, servent aux nécessités des livraisons et au va-et-vient des gens de labeur.

Un poste de garde bien fourni en garnison veille à l'entrée principale, des couples de sentinelles aux portes secondaires. Ces gardes sont fréquemment relevés, des rondes font d'heure en heure le tour des bâtiments, fouillant les recoins d'ombre où pourraient se tapir des comploteurs acharnés à sauver la dynastie d'Austrasie ou, plus souvent, des exaltés fascinés par la beauté de la reine Brunehaut et prêts à verser leur sang pour ses beaux yeux.

Tout ce qui entre ou prétend sortir est contrôlé, cela va sans dire. La nuit venue, rien n'entre, rien ne sort.

C'est justement au plein de la nuit que l'une des deux sentinelles postées à la poterne du côté nord croit voir un mince rai de lumière – oh, mince comme fil d'araignée, et à peine moins sombre que le noir de la nuit – s'étirer sur le mur là où le battant de la porte joint étroitement la feuillure pratiquée dans la pierre afin qu'il s'y encastre. L'homme se frotte les yeux, les braque de toute l'intensité de sa vigilance sur

Le Sang de Clovis

l'immatérielle verticale, et la voit, là, devant lui, s'élargir, presque imperceptiblement, mais, pas de doute, s'élargir. Sans quitter des yeux l'intéressant phénomène, il allonge le bras, secoue son compagnon, lequel, faisant fi de la consigne, s'offre, appuyé au mur, un petit roupillon dérobé. L'autre sursaute, voit de quoi il retourne, joint illico ses yeux à ceux du copain.

Le fil lumineux est maintenant ruban et sa largeur semble bien décidée à continuer de croître. Pas de doute, il se passe des choses, là-derrière. Les deux gars se partagent le travail, réglementairement : un à droite de la porte, l'autre à gauche, la lance en bataille, la poignée de l'épée bien à portée de main.

La porte ne peut s'ouvrir que vers l'intérieur. Il faut donc attendre que le panneau soit suffisamment écarté pour espérer apercevoir quoi que ce soit de ce qui se passe. Quelqu'un va sortir, ça, du moins, on peut raisonnablement s'y attendre.

Le plus futé des deux Saxons glisse à son copain, dans le creux de l'oreille :

— La reine.

L'autre répond, sur le même ton :

— On se la capture nous deux, ou bien on appelle les autres ?

La réponse tarde. La chose vaut d'être pesée. C'est alors que le panneau s'ouvre tout grand, d'un coup, et que jaillit quelque chose d'énorme, quelque chose d'incroyablement brutal, une tempête, un ouragan, un tourbillon, qui a des jambes, des milliers de saloperies de jambes, et qui se rue dehors, hurlant un vacarme d'enfer, se cogne aux murs, renverse cul par-dessus tête les gardes et leurs ferrailles, aux cris de : « Sus ! » et de : « Tue ! »

De partout accourent les valeureux gardes saxons, abandonnant leur poste assigné pour parer au plus pressé. Ils s'activent, questionnent, brandissent lances, haches et épées, pour en venir enfin à la constatation qu'il s'agit ici d'un lâcher massif d'ânes, de bœufs, de porcs, de chèvres, de chiens, de tout ce qui a quatre pattes pour courir et une gueule pour gueuler, tout cela chassé au fouet et au gourdin afin d'obtenir l'effet maximal... Deuxième étape de la réflexion : sans doute tout ce tintamarre a-t-il servi à couvrir la fuite de dame Brunehaut et de ses enfants... Mais comment aurait-elle pu passer ? Les renforts sont arrivés trop vite, et d'ailleurs... Oh, oh ! Qu'est cela ? Qu'entend-on, maintenant ? N'est-ce pas un martèlement de sabots, un tambourinement de roues en bois sur des pavés en pavé ? Mais bien sûr ! Elle nous a eus ! Ce n'était qu'une diversion. Ce n'est pas ici que ça se passe. On nous a leurrés. Courons à la grande porte ! Courons, camarades, courons !

Ils courent, tournent le coin, atteignent le portail, qu'ils trouvent, comme prévu, béant de ses deux vantaux, tandis que le tambourinement, soudain plus sonore, leur annonce qu'un véhicule lancé à folle allure roule sur le pont de bois, et puis s'estompe, et puis s'enfonce dans la nuit.

Un gradé hurle à s'arracher la gorge :

— Rattrapez-moi ça, bordel de saloperie de bon Dieu de mon cul et de sa pouffiasse de mère... Je veux dire : par le Seigneur Christ Jésus.

Il se signe. L'avènement du christianisme a merveilleusement contribué à renouveler en pittoresque et en diversité le contingent de jurons si utiles à l'honnête homme dans les passages difficiles de la vie, mais pourquoi les avoir baptisés « blasphèmes » et en avoir fait des péchés mortels ?

« Rattrapez-moi ça ! » Facile à dire. Ils voudraient bien, eux, lui rattraper ça, mais, comme le fait remarquer un garde dont le désappoi.   ment n'a pas altéré la lucidité :

— Nous n'avons pas de chevaux, chef.

C'est un fait. À quoi auraient servi des chevaux pour monter la garde ? On se met donc en quête de chevaux. Et de cavaliers, tant qu'on y est. Quand tout ce petit monde, enfin rassemblé, se lance à la poursuite en criant « Tue ! Tue ! » afin de bien se rappeler ce qu'on est venu faire, le chariot — ou quoi que ce soit après quoi on court – a pris une confortable avance.

Tandis que ces événements en cascade occupent sur deux côtés du palais la totalité des forces saxonnes pédestres ou montées présentes sur le terrain, sur le troisième côté, celui sans ouverture, il se passe des choses.

Pour comprendre ces choses, il nous faut revenir quelque temps en arrière, à l'intérieur du palais. Dans une pièce plus intime que la grande salle de tout à l'heure sont réunis, à la lueur vacillante de quelques torches fichées dans des supports scellés à la muraille, trois personnages, deux debout, un à genoux.

Debout sont la reine Brunehaut dans tout l'éclat de ses vingt-huit printemps et aussi le duc Gondobald. Agenouillé est Petit Loup. Petit Loup qui, en tant qu'homme libre et de bonne race, n'a jamais ployé le genou devant quiconque, et surtout pas, en tant que jeune mâle fier des attributs qui se balancent entre ses jambes, devant une femme, Petit Loup, à sa propre stupéfaction, est tombé à genoux dès que parut la reine. « Encore un ! » a pensé le duc.

Brunehaut, pénétrant dans la pièce, a vu sans surprise ce jeune gaillard au dos orné d'une hache monumentale pâlir à son entrée et puis tomber à genoux en balbutiant elle ne sait trop quoi où elle crut déceler qu'il était question d'un ange. Elle a l'habitude, Brunehaut l'incomparable. Tous, tous... Pourtant, cela l'émeut, chaque fois. Elle se tourne, interrogative, vers Gondobald, qui s'empresse :

— C'est Petit Loup, dame vénérée. Pour la chose que tu sais

Le Sang de Clovis

Petit Loup, foudroyé, trouve néanmoins la présence d'esprit de compléter la présentation selon les règles de la politesse barbare :

— Fils d'Émeric, fils de Loup dit le Hun blond, fils de Bouzil... euh...

La reine sourit :

— Fils de Bouzil. Nous nous en tiendrons là.

— D'autant qu'au-delà de Bouzil, j'ai oublié.

— Je me ferai une raison. Dis-moi, j'ai cru entendre, n'as-tu pas parlé d'ange ? En aurais-tu vu un ?

Elle se signe. Petit Loup, dans sa candide ardeur, s'écrie :

— J'en vois un en ce moment. Dame, tu es un ange, quoi que ce puisse être.

Brunehaut est émue. Sur ses joues que pâlit le chagrin, un peu de rose fleurit. Ce compliment-là, on ne le lui a jamais fait. Le duc Gondobald allonge une face contrariée, allez savoir pourquoi. Avec un brin de sévérité – peut-être sincère, après tout –, la reine remarque :

— Je ne suis pas certaine qu'une telle comparaison ne frise pas le blasphème, lequel serait chose fort dommageable pour le salut de ton âme, Petit Renard.

— Loup, dame. Petit Loup.

— Petit Loup, soit. Qu'en penses-tu, duc ?

Gondobald se redresse, s'installe dans une pose avantageuse. Cet « ange » va quand même lui servir, après tout.

— Dame ma reine, si la comparaison portait sur le Seigneur Christ Jésus, ou sur une des personnes de la Très Sainte Trinité, ou même sur la très sainte Mère du Sauveur, peut-être, en effet, y aurait-il matière à péché. Selon moi, les anges, aussi parfaits soient-ils, ne sont que créatures, comme nous-mêmes pauvres humains, et ne participent en aucune façon de l'essence divine. Mais ce n'est là que mon avis. Interroge ton chapelain, il en sait bien davantage sur ces choses qui passent notre entendement.

Le Sang de Clovis

Ayant dit, et bien dit, à tout hasard il se signe. La reine en fait autant. Petit Loup, pour sa part, n'en voit pas la nécessité. Il s'abstient donc.

La reine s'avise de la curieuse position de Petit Loup.

— Que fais-tu donc là, mon garçon ? Veux-tu bien te relever ! Je ne sais pas, mais il me paraît qu'il y a là de l'inconvenance. Que t'en semble, duc ?

Gondobald se frise la moustache.

— Très inconvenant. Insultant, je dirais. Mais ça ne sait pas. C'est du croquant des champs. À son accent, ça vient de loin. C'est encore sauvage, vois-tu. Allons, toi, debout !

Ce n'est que lorsque la reine lui tend sa blanche main que Petit Loup consent à se relever. Ses yeux ne quitteront plus le lumineux visage, ses lèvres demeureront légèrement béantes, ce qui pourrait devenir gênant pour l'objet d'une telle dévotion, mais Brunehaut y est accoutumée. Si ces signes n'étaient présents, cela lui manquerait. Elle parle :

— Duc, mon ami, tu m'as priée de t'accorder cet entretien, « dans le plus grand secret », précisais-tu. M'y voici. Que fait ici ce jeune homme ? Fait-il partie du secret ?

— Tout juste, dame vénérée. Te souviens-tu de certaine idée que je te soumis concernant l'utilisation de certain chariot ?

— Tu veux dire que tu t'obstines à vouloir m'enfouir sous le crottin et les épluchures ? Je te l'ai dit alors et je te le répète : jamais !

Gondobald a un sourire malin.

— Tu n'iras pas dans le chariot.

— Qui donc ira ?

— Tes filles, dame très chère.

— Mes filles ? Ingonde et Chlodeswinde ? Tu es fou, duc !

Gondobald sent qu'il va falloir s'armer de patience. Aussi posément qu'il lui est possible, il explique, comme il le ferait pour un enfant pas très doué :

91

Le Sang de Clovis

— Dame, tu es, m'as-tu affirmé, décidée à ne pas chercher à fuir.

— Je ne m'en dédis pas. J'affronterai Chilpéric ici même.

— Cependant, tu veux sauver tes enfants.

— Plus que tout au monde.

— Surtout Childebert, le petit roi.

Elle soupire.

— Si un seul doit survivre, que ce soit lui. Il nous vengera.

— Bien. Alors, écoute. Nous allons déclencher à la poterne ouest, au plein de la nuit, un énorme vacarme de bestiaux, de coups de bâton sur tonneaux vides, de hurlements enragés et de tout ce qui peut faire tintamarre. Les gardes vont accourir de partout et se masser là, croyant à une sortie en force.

— Mais il n'y aura pas de sortie ?

— Si fait. Il y aura sortie brutale de bestiaux affolés qui bousculeront et piétineront les Saxons. Avant que ces goujats n'aient compris de quoi il retourne, la véritable sortie aura lieu, par la grande porte, qui se trouvera dégarnie de ses sentinelles.

— Je comprends. La première sortie n'aura été qu'un leurre.

— Voilà.

— La vraie évasion se fera par la grande porte.

— C'est cela même.

— Avec le chariot ?

— Avec le chariot, dame bénie.

— Et dans le chariot, il y aura mes enfants ?

— C'est cela.

— Sous le crottin ?

— Sous un double fond. Le crottin ne les effleurera même pas.

— Ingonde, Chlodeswinde et Childebert ?

— Pas Childebert. Seulement Ingonde et Chlodeswinde.

Le Sang de Clovis

— Tiens donc !

— Je t'explique.

— J'espère bien.

— Cette deuxième sortie sera, elle aussi, un leurre.

— Que de leurres ! Je m'y perds.

— Un leurre qui peut très bien réussir en tant qu'évasion, tout en ayant fonctionné comme leurre.

— Ce serait alors double bénéfice.

— Et nous en remercierions le Ciel. Mais contentons-nous de l'effet de leurre.

— C'est cela. Contentons-nous.

— La garnison, ayant constaté que la première alerte n'était que leurre...

— Duc, ce mot me lasse. Ne peux-tu employer un synonyme, pour changer ?

« "Synonyme" ! » pense Gondobald. « Où va-t-elle chercher ça ? Ah, l'éducation si vantée des jeunes princesses wisigothes n'est pas un vain mot. » Tout haut :

— Euh... J'en ai un, là, sur le bout de la langue...

— « Diversion », peut-être ? Ou bien « appât » ? Ou encore « amorce », « truc », « tromperie »...

— « Diversion » fera l'affaire.

— Parfait. Va de l'avant. Je t'écoute.

— La garnison, donc, ayant compris que la première alerte n'était que diversion, pensera tout naturellement que cette diversion avait pour objet de détourner son attention de l'affaire principale, celle de la grande porte et du chariot... Qui ne sera elle-même qu'une diversion !

— Duc, n'abuse pas maintenant du mot « diversion ». Alterne, veux-tu ? Ne sois pas fastidieux. Donc, de leurre en diversion, où en sommes-nous ?

— Nous en sommes à ceci que cette deuxième div... euh, leurre masquera l'opération suprême.

93

Le Sang de Clovis

— Cette fois, nous y sommes, j'espère. Opération suprême qui consistera en quoi ?

— En l'évasion de ton fils Childebert, notre roi.

— Fort bien. Conte-moi un peu cela.

— Eh bien... L'exécution de cette partie de l'opération ne me concernant plus, je préférerais que le garçon que voici...

— Petit Loup ?

— Petit Loup.

— Ce croquant des champs, ce grossier, ce sauvage ?

En disant cela, la reine regarde Petit Loup droit dans les yeux tandis que quelque chose comme l'ombre d'un sourire erre sur ses lèvres, si bien que le garçon, peu fait aux façons de cour, n'en discerne pas moins derrière les mots l'ironie qui perce et perçoit en même temps que cette ironie n'est nullement à son détriment. Gondobald aussi sent tout cela. Il fait la grimace.

Une inquiétude tourmente la reine.

— Avant que nous n'allions plus loin, duc, j'aimerais que tu me dises comment tu vois la suite des événements en ce qui touche à mes filles bien-aimées, à qui tu as, un peu légèrement, à mon goût, assigné le rôle de leurres – ou de diversions, au choix – et que tu as abandonnées, tapies sous le fumier au fond d'un misérable chariot branlant lancé au galop avec une armée de furieux aux trousses.

Les traits énergiques du duc Gondobald se combinent pour exprimer la fermeté navrée de l'homme d'honneur acculé par le destin à un choix déchirant, dilemme qu'il souligne de vive voix :

— Reine, il faut ce qu'il faut.

— L'évidence en personne parle par ta bouche. Cependant, j'ai noté qu'on ne lui donne la parole, à cette évidence, que lorsqu'elle nous force à acquiescer à des décisions désagréables, voire funestes. En l'occurrence, je te le demande tout net : que deviennent mes filles ?

Le Sang de Clovis

Gondobald compte sur ses doigts, ça donne du poids au discours.

— De deux choses l'une. Ou bien elles ne sont pas rattrapées, et alors elles seront recueillies par un seigneur austrasien de mes amis qui bat la campagne avec une troupe bien armée entièrement dévouée à ta cause et les conduira à Metz, forçant le passage là où il faudra le forcer.

Il marque un temps, assez content de lui, ma foi. La reine s'impatiente :

— Ou bien ?

— Ou bien elles seront rejointes et reprises par les gardes de Chilpéric, qui les ramèneront ici, auprès de toi.

— À moins qu'ils ne les massacrent. Ou, pis, ne leur fassent subir leurs sales luxures. Mes petites chéries...

Tristesse et compassion, voilà ce qu'exprime le visage de Gondobald. Il dit :

— C'est un risque à courir.

Il ajoute vivement :

— Mais je n'y crois pas. Chilpéric ni Frédégonde ne sont en ce moment dans les environs. La soldatesque n'osera pas porter la main sur des personnes royales sans en avoir référé à eux. En tout cas, ton fils notre roi sera sauvé, n'est-ce pas l'essentiel ?

— Toujours choisir entre le pire et le pire du pire...

Elle se tourne vers Petit Loup.

— Eh bien, voyons ton plan, petit.

Petit Loup expose son plan. Ce plan agrée à la reine, qui l'approuve en formulant certaines remarques portant sur des points de détail. Petit Loup accepte sans trop rechigner d'envisager quelques modifications, ne cédant toutefois rien sur l'essentiel, à savoir qu'il sera le seul maître d'œuvre et le seul exécutant, sans autre contrôle que le sien propre. Ce qu'il résume en une formule abrupte :

Le Sang de Clovis

— Dame reine, si tu me fais confiance, c'est tout à fait. Sinon, je renonce et je reste ici pour l'amour de toi. Je te sauve ou je meurs avec toi.

Ce que Brunehaut voit dans ces yeux la décide. Elle lit dans les âmes, Brunehaut. Elle y lit le désir qui n'est que désir, elle y lit parfois autre chose. Ce garçon est pur dévouement. Il n'attend rien d'elle ni de quiconque. Son âme est aussi limpide que ses yeux, aussi joufflue que ses bonnes joues. Il est de ceux qui mènent les choses à terme, quoi qu'il leur en coûte. De ceux qui vont jusqu'à la mort, mais qui, avant de mourir, réussissent.

Il est désarmant de certitude. Sa foi en soi passe en Brunehaut.

Voilà pourquoi, en cette même nuit sans lune et sans étoiles, tandis qu'au portail de façade s'organise, en hâte et en désordre, la poursuite du chariot fantôme, sur le faîte du haut mur qui ceint du côté opposé le jardin du palais rampe, à peine distincte de la pierre, une ombre plus ombre que la nuit même. L'ombre cesse de ramper. Elle a atteint l'endroit propice. Le mur ici fait une tache plus pâle. Quelque chose glisse le long de ce mur, de haut en bas, touche le pavé, s'y pose doucement. Un panier. La corde à laquelle il pendait se tend à nouveau, vibre sous l'effet d'un poids assez considérable. C'est un jeune gars, agile comme une araignée le long de son fil malgré la formidable hache qu'il porte par le travers du dos. Il termine sa descente par un saut tout ce qu'il y a de gracieux, se penche sur le panier, pose un doigt sur ses lèvres et fait « Chut ! ». Un rire vite étouffé lui répond. Et bon, il empoigne le panier par l'anse et s'en va, laissant pendre la corde désormais inutile.

IX

— Pourquoi il est si grand et si gros, ton cheval ?

— D'abord, ce n'est pas « mon cheval », c'est Griffon.

— Mais Griffon, c'est ton cheval, non ?

— Chut ! Lui, il ne le sait pas.

— Il ne sait pas quoi ? Qu'il est un cheval ?

— Il ne sait pas qu'il est un cheval, et il ne sait pas qu'il est mon cheval.

— Ah, ouais ? Qu'est-ce qu'il sait, alors ?

— Il sait qu'il est mon copain.

— Mais il voit bien qu'il a quatre jambes, et que toi tu n'en as que deux, et que lui il a une tête de cheval, et toi une tête de bonhomme.

— Bien sûr qu'il voit tout ça, mais il se dit que je suis tout mal foutu, et comme il m'aime beaucoup il fait comme si ça ne se voyait pas.

L'enfant réfléchit. Il est assis devant Petit Loup, par le travers du cheval, sur l'encolure, bien calé entre les bras du cavalier, les jambes ballottant dans le vide au rythme du petit trot peinard de Griffon.

— Alors, toi, tu fais semblant de croire qu'il a raison de croire ça, pour ne pas lui faire de peine, parce que c'est ton copain ?

— Voilà. Tu as tout compris.

Le Sang de Clovis

L'enfant se penche tout contre l'oreille de Petit Loup et souffle :

— Je ne dirai jamais « le cheval » quand il peut entendre. Je dirai toujours « Griffon ».

— C'est une très bonne idée. Et tu sais, il est ton copain à toi aussi, seigneur roi.

Le petit se renfrogne.

— Ne m'appelle pas « seigneur roi ».

— C'est pourtant ce que tu es.

— Je ne veux pas être un seigneur roi. Les seigneurs rois sont des hommes méchants qui tuent les autres seigneurs rois. Mon oncle le seigneur roi Chilpéric a tué mon papa, qui était le seigneur roi Sigebert, mais lui, mon papa, il ne tuait personne, c'est pour ça que mon oncle Chilpéric l'a tué. Et il veut me tuer, moi aussi. Et aussi ma maman Brunehaut, et aussi mes sœurs Ingonde et Chlodeswinde.

— Il ne te tuera pas. Il ne tuera pas tes sœurs ni ta maman.

— Elle est belle, ma maman. Tu la connais ? Elle s'appelle Brunehaut.

— Je la connais. Elle est très belle.

— C'est la plus belle femme du monde, et même la plus belle qu'il y ait jamais eu au monde.

— Je le crois volontiers.

— J'ai entendu Gondobald, le duc, qui disait ça à un autre seigneur

— Le seigneur duc avait tout à fait raison. Mais il aurait dû garder cela pour lui.

— Pourquoi ?

— On parle aux dames, si elles l'agréent. On ne parle pas des dames.

— Comment tu t'appelles, toi ?

— Petit Loup, fils d'Émeric, fils de Loup, dit le Hun blond.

L'enfant ouvre de grands yeux, compte sur ses doigts.

— Le Hun blond, c'est ton grand-père ?

Le Sang de Clovis

— Eh oui, tu vois.

— Le fameux Hun blond des histoires que ma nounou me raconte le soir quand je n'ai pas envie de dormir ?

— Je suppose qu'il n'existe qu'un seul Hun blond. Je ne savais pas qu'il était connu à ce point.

— Tu ne savais pas qu'avec son ami Otto il a tenu tête au seigneur roi Clovis, qui était mon grand-père à moi, et qu'il a eu plein d'aventures, et qu'il gagnait à tous les coups ?

— Eh bien, vois-tu, il est plutôt discret en ce qui touche à ses exploits de jeunesse.

— En tout cas, je t'appellerai Petit Loup. Et toi, ne m'appelle plus « seigneur roi ».

— Comment dois-je t'appeler ?

— Childebert. C'est mon nom. Mes sœurs m'appellent « Chichi ». Si tu veux, tu peux me dire « Chichi », puisque maintenant tu es mon copain.

— Comment t'appelle la reine ta maman ?

— Elle m'appelle Childebert, mais très doucement.

— Tu seras donc pour moi Childebert.

— Sans « seigneur » devant !

— Promis.

On trottine un bout de chemin. Childebert ne reste pas longtemps muet.

— Pourquoi tu portes cette hache sur ton dos, et pas une épée ? Ce n'est même pas une hache d'armes.

— Tu as raison. C'est une hache de bûcheron. Je ne porte pas d'épée parce que je n'ai pas voulu apprendre à m'en servir. Par contre, je me sers fort bien de ma hache.

— Même contre des épées, des lances, des coutelas, des masses d'armes ?

— Contre n'importe quoi servant à faire du mal.

Childebert pose sa main sur le bras du grand garçon.

Le Sang de Clovis

— Quand ils viendront pour me tuer, tu me protégeras avec ta hache ?

Une émotion serre Petit Loup à la gorge.

— Ils ne te tueront pas. Tu as trois copains pour les en empêcher. Trois copains formidables : Griffon, Adèle et moi.

— Adèle, c'est ta hache ?

— Oui.

Le petit a un sourire complice.

— Adèle ne sait pas qu'elle est une hache ? Elle croit que c'est toi et Griffon les mal foutus, et alors elle fait semblant de rien pour ne pas vous faire de peine. C'est ça, hein ?

Petit Loup part d'un fou rire qui le plie sur l'encolure. Griffon en prend sa part et hennit de toutes ses dents.

Évitant villes et villages, voies romaines et berges de rivières, ils ont chevauché toute la nuit et la plus grande partie du jour. Sans mettre pied à terre, ils ont dévoré les provisions emportées dans le panier, ce panier même où s'étaient tassés les cinq ans et demi du seigneur roi Childebert II. Ledit Childebert ayant demandé pourquoi n'avoir pas utilisé un panier plus grand, où auraient pu tenir, en sus de lui-même, ses deux sœurs, leurs poupées et sa jolie maman, il lui avait été répondu que, s'il n'avait tenu qu'à lui, Petit Loup, à Griffon et, cela va de soi, à Adèle, toute la famille serait en ce moment même à califourchon sur la vaste croupe, trottant allègrement vers le salut, c'est-à-dire la frontière d'Austrasie.

C'est alors qu'ils peuvent s'estimer hors de danger, le territoire de l'Austrasie commençant sur l'autre berge de la rivière qu'ils s'apprêtaient à passer à gué, que la chose arrive.

Le chemin forestier qu'ils ont suivi, sur les indications d'un berger poussant ses chèvres, se termine à même la grève, encadré par d'épais buissons de sureaux. Griffon allonge un sabot plein de méfiance pour tâter la température de l'eau

Le Sang de Clovis

quand, de droite et de gauche, surgit un quarteron de malandrins, soldats débauchés devenus bandits de grand chemin comme l'époque en produit tant. Ces gens ont au poing de meurtrières ferrailles.

Sans un mot, deux des gredins saisissent la bride et, sciant brutalement la bouche du cheval, le forcent à faire halte. Griffon n'est pas accoutumé à de telles manières. Il hennit, de douleur et d'indignation, se cabre, secoue sa crinière. Un bandit moins haillonneux et mieux armé que les autres s'avance, s'adresse au cavalier :

— Holà, le cul-terreux, descends de sur mon cheval.

— « Ton » cheval ?

— Il est mien, maintenant. Si tu ne le savais pas, je te l'apprends. Descends ! Et qu'est-ce que tu trimballes là ? Un gosse ? Bonne prise. On le revendra. Allons, à bas !

L'arrogante vermine n'a pas noté la présence d'Adèle, blottie contre les omoplates de Petit Loup. Il croit celui-ci désarmé, ça donne de l'assurance. Il fait signe à l'un de ses ruffians, lequel, bien dressé, empoigne à deux mains la cheville du cavalier et se met en devoir de le jeter à bas. Il n'aurait pas dû. Avant que qui que ce soit ait pu voir quoi que ce soit, Adèle tournoie, s'abat sur la main droite, puis sur la gauche, si vite que c'est merveille. L'imprudent hurle comme un écorché de frais, secoue ses mains en éplucheur de marrons trop chauds. Adèle a été bonne fille, elle a frappé du talon. Eût-elle donné du tranchant de la lame que l'univers se fût trouvé enrichi d'un manchot double.

Voilà qui change la donne. Un croquant qui se rebiffe, et qui va jusqu'à frapper, ça ne s'est jamais vu. Ça donne à réfléchir. Les épées rouillées sautent hors des fourreaux, les lances se groupent en un hérisson tourné en dedans. Griffon, son cavalier et son passager se trouvent au centre même de l'action.

Le Sang de Clovis

Dans de telles pressantes circonstances, le cavalier menacé fait cabrer sa monture afin de se garantir, derrière le vaste poitrail, du premier choc de l'attaque frontale. C'est, bien sûr, ce à quoi s'attendent les arsouilles, en vétérans aguerris qui la connaissent dans les coins. Seulement, ici, ils ont affaire à Petit Loup, qui n'est certes pas un génie militaire mais a grand souci de la santé de Griffon et ne veut pas qu'en se cabrant ce cher ami expose son tendre ventre aux fers ébréchés et malpropres des soudards. C'est donc de ses arrières que, prenant l'initiative des hostilités, il fait partir la première passe d'armes, laquelle consiste en une ruade aussi puissante qu'une décharge de cette terrifiante machine de guerre que les Romains nomment catapulte. L'ennemi est surpris. Trois des assaillants sont à terre, l'un tenant à deux mains sa mâchoire, l'autre d'une seule main son épaule, le troisième ne tenant rien car il gît, inconscient, sur l'herbette.

Un flottement se dessine dans le cercle menaçant des lames tranchantes et des pointes piquantes. L'arsouille en chef rallie les courages :

— Allons, sus, les enfants ! Tue ! Tue !

S'ensuit un élan concentrique à la tactique bien ordonnée. Mais qu'est cela ? Voilà qu'un éclair tourbillonnant fauche en rond tout ce qui dépasse, bois ou fer, et voilà nos chevaliers de la marmite vide brandissant des moignons de hampes et des trognons d'épées tranchés au ras de la garde. Ils n'ont pas l'habitude de se battre à mains nues. Jeter leurs bâtons ridicules et mettre la main sur des armes plus sérieuses nécessite un certain temps. Que Petit Loup décide de mettre à profit. Il a remarqué que ces gens n'ont ni chevaux, ni arcs, ni armes de jet quelconques. Puisque les voilà provisoirement démunis en armes de corps à corps, le moment lui semble opportun pour une tentative de fuir le champ de bataille. Il n'y a point déshonneur, il n'est pas là pour gagner la guerre, Petit Loup, mais bien pour assurer l'arrivée parmi ses leudes

Le Sang de Clovis

et ses sujets du tout neuf seigneur roi d'Austrasie, Childebert, deuxième du nom, si possible entier et en état de marche.

Griffon, cheval de labour, sait s'adapter. Il comprend, d'instinct, la manœuvre. C'est quelqu'un, Griffon. Se ramassant sur ses massives jambes de derrière puis les détendant d'un coup puissant, il s'enlève dans l'espace en un saut qu'il voulait aérien et qui devait les propulser, lui, Petit Loup, Adèle et l'enfant, par-dessus les têtes pouilleuses des bandits et les déposer avec délicatesse dans l'eau peu profonde de la rivière, parmi un glorieux bouquet de gerbes irisées. Griffon a trop présumé de son agilité. Son saut ne s'élève pas suffisamment haut. Ses sabots fauchent au passage une demi-douzaine de faces ébahies. Ça fait mal, un pied de cheval en pleine figure, surtout quand c'est ferré. Ceux de Griffon le sont.

Ainsi freiné par ces obstacles, l'ensemble Griffon-Petit Loup-Adèle-Childebert prend pied dans l'eau moins loin qu'il n'était prévu. Ce qui permet au chef de la joyeuse bande, décidément un acharné, d'attraper d'extrême justesse la queue du noble animal et de s'y cramponner tout en criant à ses troupes d'accourir lui prêter main-forte, cependant que, de par l'effet de la course, il se voit traîner sur le ventre parmi les herbasses détrempées, suscitant l'effroi des grenouilles et la réprobation des canards. Un léger coup du talon d'Adèle sur les menottes, asséné sans même que Petit Loup ait daigné tourner la tête, lui fait enfin lâcher prise.

L'autre rive est atteinte sans encombre. Griffon a de l'eau jusqu'au ventre, ça lui plaît, il la fait jaillir sous ses sabots en riant de bonheur. Childebert, silencieux, fait le point. Tout s'est passé si vite... Il dit enfin :

— Tu es très fort, Petit Loup. Tu m'as sauvé la vie.

Le Sang de Clovis

— Moi ? Je n'y suis pour rien, moi. Griffon et Adèle ont tout fait. Remercie-les.

— Merci, Griffon.

— Et Adèle ?

— Elle est sur ton dos, je ne peux pas la voir.

— Elle t'entend.

— Merci, Adèle.

Il n'y aura pas d'autre alerte.

Passé la Vesle, qui est la rivière arrosant la ville royale de Reims, on est en pays austrasien. Bien que cette partie du territoire, envahie par Chilpéric après l'assassinat de Sigebert, ait été rattachée au royaume de Neustrie, la brutalité des occupants ainsi que l'avidité de Chilpéric et de Frédégonde firent si bien que la population ne s'est pas résignée à l'état de fait. On sait le fils de Sigebert et de Brunehaut vivant et, sous le manteau, on le considère comme roi de plein droit.

À Reims, malgré la vigilance de la soldatesque neustrienne, Childebert est déjà chez lui, parmi son peuple, qui le cache et le protège. Bien qu'un certain nombre d'opportunistes austrasiens, leudes, dignitaires de l'Église et de l'administration royale traîtres à leur serment, se soient ralliés à l'usurpateur, les partisans secrets de Childebert II se révèlent, accourent, organisent clandestinement le retour de leur roi légitime dans sa capitale : Metz.

Le voyage s'achève en triomphe.

À Metz, les évêques et les seigneurs austrasiens se réunissent en une grande assemblée et proclament à l'unanimité Childebert II, fils de Sigebert Ier, roi d'Austrasie par la grâce de Dieu (celui des chrétiens). Puis les chefs de l'armée le

Le Sang de Clovis

hissent sur le bouclier de ses aïeux et le promènent trois fois devant le front des troupes, ainsi est-il également roi par la grâce (surannée mais toujours vivace) des vieux dieux guerriers de la Germanie.

Exprimer dans son maintien la majesté royale n'est déjà pas trop aisé pour un enfant de cinq ans. Le faire en se tenant debout sur un bouclier fortement concave, aggravé en son milieu d'un gros machin pointu et balancé au gré de la houle boiteuse née de la démarche inégale de deux dignitaires pas forcément égaux en taille et préalablement imbibés de diverses boissons stimulantes, ressortit à la plus périlleuse acrobatie. Le public guette. Tomber à bas du bouclier ou même seulement chanceler trop ostensiblement serait de mauvais augure pour le nouveau règne, sans parler du ridicule, auquel Childebert, malgré son jeune âge, se montre fort sensible. C'est pourquoi l'enfant roi, redressé de toute sa courte taille, appuie sa main auguste sur le poing d'un jeune gars de belle mine, monté sur un cheval colosse et portant par le travers du dos une hache non moins considérable.

Certains puristes font la grimace devant cet accroc à la coutume, mais il est si joli, le petit roi, avec son flot de boucles blondes cascadant sur le manteau de pourpre, que les dames versent sur son passage les douces larmes de l'attendrissement. Et puis, ce solide gaillard à son côté n'est pas non plus détestable à contempler.

On rêve...

X

Dans sa villa gallo-romaine de Braine, près de Soissons, le roi Chilpéric donne libre cours à sa rage, et c'est une très grosse rage, en vérité. Le porteur de la fâcheuse nouvelle se tient devant lui, tête droite, impassible, s'attendant au pire. Mais le roi se domine, réfrène l'envie furieuse d'écraser cette face de mauvais augure, de la piétiner, de lui faire ravaler le malheur annoncé, afin que, n'ayant pas été dit, il n'ait pas eu lieu. Il se laisse tomber sur un lit de repos à la romaine garni d'ornements en bronze doré, vestige de quelque pillage. Coudes aux genoux, poings aux joues, il grince :

— Comment le gosse a-t-il pu s'échapper ? Comment a-t-il pu, sous mon nez, gagner Metz ? Il est passé par Reims, là, tout près ! Et je n'en ai rien su ! Et j'apprends tout ça aujourd'hui ! Que fichaient donc ces abrutis de ma garde saxonne ? Je les paie assez cher, ces pourceaux ! Je les dorlote, je les place au-dessus de l'armée... Ils étaient saouls à crever, je parie. Oh, mais, il va y avoir du nettoyage dans les rangs... Et tous ces Austrasiens ralliés, soi-disant, qui venaient me manger dans la main, baisaient le bas de ma robe, se disputaient les lambeaux d'Austrasie que je leur jetais comme à des chiens... Tous partis au galop rejoindre le fils de Sigebert... Et ces évêques, ces abbés, le bec ouvert pour qu'y tombent prébendes et monastères...

Le Sang de Clovis

Chilpéric secoue la tête, il est l'accablement même. La reine Frédégonde profite de l'accalmie. Assise bien droite sur une cathèdre à haut dossier, plus reine que nature, reine comme une reine qui jouerait à être reine, et c'est bien ce qu'elle est, ce qu'elle fait, Frédégonde : elle se la joue reine, elle s'amuse follement, elle ne s'en lasse pas.

Agaçant du bout de ses longs doigts ses douze colliers superposés – un de perles des îles de la Chine, un de turquoises de Numidie, un de rubis dont chacun vaut une armée tout équipée, un d'émeraudes du pays des émeraudes, un de gros diamants, un de diamants plus petits mais très joliment arrangés, un de fils d'or tortillés avec art par une fille d'empereur aveugle, un de pierres dont elle ne connaît pas le nom, qui, si ça se trouve, ne valent rien mais vaudront plus que toutes les autres maintenant qu'elles auront touché sa peau, un fait de petits camées taillés en forme de membres sexuels de toutes formes et dans toutes les positions, féminins et masculins, on peut les assembler, drôle comme tout, quels artistes, ces Romains, et quels cochons, et encore quelques autres, douze en tout, au-delà ce serait de mauvais goût –, jouant, donc, avec ces ravissantes merveilles, Frédégonde suggère, comme négligemment, de cette voix de gorge dont elle est le seul exemple depuis Cléopâtre, voix qui bannit de l'âme de qui l'entend tout ce qui n'est pas sexe ; sexe délectable et terrifiant, sexe diabolique, sexe à s'y damner avec joie... :

— Tu as tardé. L'instant s'est enfui. Il ne reviendra pas.

— Si c'est pour me dire ça...

Pour le moment, Chilpéric n'est apparemment pas sensible à la magie de cette voix.

— D'autres instants viendront. Ne les laisse pas échapper.

— Cause toujours... En attendant, le petit merdeux est roi, il me nargue dans Metz, bien excité par sa charogne de mère, et il lève une armée, je le sais.

— Tu ne l'as pas liquidé quand tu le pouvais...

Le Sang de Clovis

— Oh, ça va, on le saura !

— Moi, ce que j'en dis, hein... Enfin, il te reste la mère et les filles.

— Peu de chose. Ce qui compte, c'est le gosse, le roi. Les leudes d'Austrasie sont pour lui, et peut-être bien quelques-uns des miens. L'armée de va-nu-pieds levée par son père chez les sauvages d'outre-Rhin ne demande qu'à remettre ça.

— Il n'a pas le sou. La guerre, ça coûte.

— Où vas-tu chercher ça ? Il a tout le butin que son père a raflé sur mes terres quand il était vainqueur, tous les impôts exceptionnels qu'il y a perçus... Il m'a saigné à blanc ! Ajoute à cela la dot de sa mère, je ne sais combien de chariots pleins à déborder de sacs d'or, de vaisselle d'or, de bijoux, de meubles précieux... Toute une quincaillerie qui fait un fabuleux trésor.

— Le trésor qu'on n'a pas dans la main est comme l'oiseau sur la branche.

— Toi et tes paraboles... Parle clair.

— Je parle clair : où se trouve-t-il, ce trésor ? Pas dans ta main, en tout cas. Ni dans la sienne.

— Que veux-tu dire ? Il ne se trouve pas avec lui ?

Frédégonde prend son temps. Elle tient son petit effet, elle le savoure bien à son aise. Chilpéric n'est pas d'humeur à jouer aux devinettes.

— Tu sais quelque chose que je ne sais pas ? Alors, dis-le, par le trou du cul du Christ !

— Fi ! Tu blasphèmes. Fais le signe de la croix.

Elle donne l'exemple. Il l'imite, en grognant. Frédégonde explique :

— Réfléchis. Le gosse s'est sauvé tout seul, tout nu. Il n'a rien pu emporter. J'ai vérifié. Aucun convoi de chariots n'a pris la route de l'est, aucune péniche suspecte n'a remonté la Marne ou l'Oise, je puis te l'assurer.

— Donc ?

Le Sang de Clovis

— Donc le trésor est toujours là, tout près de Paris, peut-être dans Paris même, en tout cas à portée de main de la Wisigothe. Il le faut bien. Sans son trésor, elle est fichue, et ses projets de reconquête au nom de son fils, fichus aussi.

Chilpéric se redresse, l'espoir se risque à luire sur sa face :

— Eh, mais... Si nous ne savons pas où est le trésor, nous savons où est la veuve ! Elle, elle y est, dans le creux de ma main !

— À moins qu'elle n'ait fait comme sa vermine de fils.

— Elle ne l'a pas fait. Je le sais. Trop fière. Et puis, le trésor. Elle ne lâchera pas le trésor. Bon. Je file à Paris. J'entre dans le palais. Je tue tout. Sauf elle, bien sûr. Juste pour lui montrer que je ne plaisante pas. Je lui mets le marché en main : ton trésor ou ta vie. C'est tout simple.

— Voilà qui est parler, mon cher seigneur. Et puisque te voilà redevenu un bon garçon bien sage, en récompense je te fais cadeau d'une bonne nouvelle.

Chilpéric, l'œil brillant, quitte son lit romain et vient à Frédégonde, trépignant, battant des mains.

— Laquelle ? Laquelle ?

Frédégonde, bonne fille, lui tapote la joue.

— Tu ne te demandes pas ce que sont devenues les deux fillettes ?

— Fillettes ? Quelles fillettes ?

— Les filles de Sigebert, pardi ! De quelles autres fillettes pourrais-je bien parler ?

— Ah, celles-là ? Ma foi, non. Elles seront reprises ou pas... Quelle importance ?

— Quelle importance, dis-tu ? Tu es vraiment un enfant ! La Wisigothe est mère. Garçon ou fille, pour une mère, c'est tout un. Son cœur saigne pour tout ce qui est sorti de son ventre. En ce moment, elle sait son fils en sûreté, mais elle pleure ses fillettes dont elle a tout lieu de penser qu'elles sont mortes.

— Bon. Alors ?

Le Sang de Clovis

— Alors, les filles, je les ai. Ce que tes lourdauds de Saxons n'ont pas été fichus de mener à bien, mes Numides l'ont réussi. Elles croupissaient sous un tas d'ordures, au fond d'un chariot, marinant dans leur pisse, crevant de faim, claquant des dents et puant comme trente-six cochons...

— Tu leur as fait couper la tête ?

— Ah, non...

— Tu les as réservées pour m'offrir cela en spectacle ? C'est ça, ta surprise ? Quelle charmante idée ! Merci, amour. Où sont-elles ? Je veux qu'on le fasse tout de suite. Ici. Ça me consolera. Et tiens, je vais le faire moi-même !

— Tu me laisses parler ? Ces deux gourdes, nous ne les tuerons pas.

Chilpéric est déçu. Il fronce le nez, au bord des larmes.

— Ah, non ?

— Non. Tu les prendras avec toi quand tu te rendras au palais. Tu les présenteras à leur mère, le couteau sur la gorge.

— Deux couteaux, donc. Un pour chaque fille.

— La Brunehaut se laisserait peut-être égorger plutôt que de te livrer son trésor. Elle ne laissera pas égorger ses filles chéries. Pour consentir à cela, il lui faudrait la force d'âme de ta grand'mère Clotilde[1].

— Or, des Clotilde, on n'en fait plus.

Elle a un petit sourire.

— Crois-tu ?

---

1. La reine Clotilde, veuve alors de Clovis. Deux de ses fils, s'étant fait confier leurs deux neveux orphelins qu'ils avaient juré de protéger, firent parvenir à la grand'mère des ciseaux et un poignard, signifiant par là : « Ou tondus, ou morts. » (Un roi tondu ne pouvait plus régner.) Clotilde fit répondre : « Plutôt morts que tondus. » Les enfants furent égorgés.

Chez les peuples germaniques, en particulier chez les Francs, la chevelure du roi ne ne devait jamais être touchée par les ciseaux, si bien qu'elle pouvait descendre jusqu'aux mollets.

Le Sang de Clovis

— Voyons un peu si tu te rappelles bien tout. Donc, premièrement ?

— Premièrement, je fais seller mon cheval et je galope jusqu'à Paris.

— Mais non ! Ça ne compte pas, ça. Le « premièrement » commence quand tu es à Paris.

— Ah ? Tu crois ? Bon. Alors, premièrement, je lance mes lourdauds de Saxons à l'assaut du palais.

— C'est cela. Mais doucement, n'est-ce pas ? Sans massacre.

— Tout doucement, sur la pointe des pieds, une fleur à la main, un sourire aux lèvres.

— Idiot ! Deuxièmement ?

— Deuxièmement, je me fais amener la veuve, pieds et poings liés...

— Oh, que tu m'agaces ! Pas du tout. Tu fais demander à la reine Brunehaut si elle veut bien te recevoir. Tu te présentes devant elle galamment, l'air tout à fait réjoui de la voir. Tu es son beau-frère, après tout.

— Elle me verra venir de loin, tu parles !

— Elle ne te verra même pas. Elle n'aura d'yeux que pour ses deux nouillasses de filles que tu pousseras gentiment devant toi comme un bon tonton que tu es.

— Couronnées de fleurs, les filles ?

— Pas la peine. Je les ai fait laver, ça suffira bien. L'amour d'une mère fera le reste. Allons, troisièmement ?

— Heu... Ah, oui, voilà. Troisièmement, je propose à la r..., à l'enquiquineuse un marché : la vie sauve pour elle et ses filles en échange du trésor. C'est bien ça ?

— Mais oui, mais oui... Va toujours.

— Et si elle m'offre à boire, qu'est-ce que je fais ?

— Tu refuses ! Tu n'es pas là pour ça !

Le Sang de Clovis

— Mais si elle se vexe ?

— Se vexer ? Cette chienne ? Mais elle est sous ton pied, aplatie, écrasée ! Tu sais que tu m'agaces de plus en plus ? Allez, quatrièmement ?

— Ah, là, je sais. Quatrièmement, elle me dit où est le trésor, je cours le prendre, je mords les pièces d'or histoire de voir si ce n'est pas du plomb. Si c'en est, je la tue.

— Si ce n'en est pas ?

— Je la tue. C'est le cinquièmement.

— Les deux pisseuses ?

— Je les tue. Je tue tout le monde.

— Tu oublies un détail.

— Ah, tu crois ? Lequel ?

— Une fois que tu t'es assuré du trésor, tu reviens au palais avec un bon sourire, tu fais le gentil, tu caresses les gamines, tu peux même leur donner une friandise, il faut soigner les détails, et puis, posément, juste comme la Brunehaut commencera à se rassurer, tu les égorges, l'une après l'autre, de ta main, devant elle.

— Tu raffines, là.

— Fais attention, c'est à ce moment précis que la bête peut avoir un sursaut, tu sais comment sont les mères. Elle peut très bien te sauter au visage et t'arracher les yeux avec les ongles, ou te planter une épingle à cheveux dans le cœur. Ce serait dommage, tu peux encore servir.

— Je ferai attention. Mais je me dis qu'elle sera peut-être difficile à égorger, Brunehaut, après avoir vu ce que je faisais à ses filles malgré la parole donnée. Elle se méfiera, se mettra à courir tout autour de la pièce...

— Tu as oublié une chose. Ton fils Mérovée sera avec toi. C'est un grand garçon, maintenant. Il faut qu'il se rende utile. Il se tiendra, mine de rien, derrière la Wisigothe, et quand tu commenceras le travail avec les petites, il saisira la

Le Sang de Clovis

mère et la fera se tenir tranquille. Voilà ce qui s'appelle orga-
niser son affaire.

— Dis donc, j'y pense : tant qu'il la tiendra, la gueuse,
Mérovée pourrait aussi bien l'égorger lui-même. Il n'a encore
jamais égorgé, Mérovée. Ce lui serait un bon entraînement.

— Hum... Je le crois encore un peu tendre. Enfin, c'est à
toi de voir... Sixièmement ?

— Il y a un sixièmement ?

— Sixièmement, tu rentres dare-dare à la maison avec le
trésor. Et qu'il ne manque pas une piécette !

Là-dessus, d'un geste à rendre fou de désir un eunuque, la
plus que belle s'enveloppe d'un immatériel tissu que seuls
savent filer les doigts diaphanes des fillettes à tout jamais
impubères (c'est un secret) que s'arrachent à coups de guerres exterminatrices certaines tribus sauvages de l'Asie
interdite.

Elle s'éloigne, comme les Grecs rêvaient que s'éloignaient
les déesses, et elle songe : « Que j'aimerais donc voir cela de
mes yeux... Que j'aimerais faire cela de mes mains ! »

Elle s'arrête, tourne la tête, crie :

— Tu me raconteras !

Ils en sont au troisièmement. Les deux premières phases
de l'opération furent effectuées selon le plan. Brunehaut
serre bien fort contre elle ses filles qu'elle croyait ne jamais
revoir. Elle a écouté la proposition de Chilpéric, qui ne l'a
nullement surprise. Inutile d'en discuter les termes, elle est
décidée. Elle abandonne le trésor d'Austrasie. Elle sait qu'elle
se livre ainsi à la merci de l'implacable beau-frère, et qu'il la
fera tuer – ou la tuera de sa main, il aime ça – aussitôt le
magot en sûreté. Chilpéric dissimule mal. Elle lit sur la face
madrée qu'il en sera ainsi.

113

Le Sang de Clovis

Elle a du moins réussi cela : son fils est roi. À lui de venger son père. Et sa mère, bientôt. Et ses sœurs.

Ne lui reste-t-il donc rien, à Brunehaut ? Si. Un atout, un seul. Elle le joue en ce moment même. Elle le voit agir, là, devant elle. Elle n'a pas à s'en mêler, à s'en soucier. Il opère. Elle le voit à l'œuvre dans les yeux porcins de Chilpéric, qui vacillent, s'étonnent, luttent, renoncent, s'abandonnent.

Cet atout, c'est cette chose impalpable, indescriptible, indéfinissable, qui émane d'elle, chose que l'on peut, faute de mieux, nommer « charme », mais qui, dans le cas de Brunehaut, est infiniment plus que cela. Sa beauté ? Oui, elle est éclatante, bouleversante. Mais rien d'étrange, rien de fatal. Rien que la perfection dans l'harmonie, la plénitude tranquille de la séduction ingénue... Plonger dans les yeux de Brunehaut, c'est se dissoudre dans un bonheur ineffable, c'est n'être plus rien qu'un abandon total à un vertigineux néant, c'est redevenir l'enfant à la mamelle, c'est croire au ciel, c'est pleurer d'émotion douce, c'est oublier qu'on est Chilpéric et qu'on est là pour tuer.

Elle se tient debout, entre ses filles, limpide, sans mystère. Elle est prête à la mort. Or, déjà, elle a gagné. Le tueur ne peut plus tuer. Il bafouille n'importe quoi :

— Eh bien, voilà. Tu as tes filles. Une bonne chose de faite. Pour la suite, je te verrai demain.

— Tu es le maître.

Il grogne, se dandine d'un pied sur l'autre. Il est tout perturbé, Chilpéric. Cet élan qui le pousse vers cette femme, il ne sait pas trop quoi en faire. La culbuter, là, bien salement, en jouir en vraie brute, cela exorciserait le charme. Sûrement. Mais, justement, il ne veut pas l'exorciser. Ce qu'il veut vraiment, il n'en sait rien, et il n'aime pas ça. Avec Frédégonde, il a su, tout de suite. C'était plus fort, plus violent, plus sauvage que tout ce qu'il avait connu jusque-là, mais c'était de

Le Sang de Clovis

même nature. Un éblouissement, mais par l'intensité, pas par la nouveauté. Là... Il hausse les épaules, tourne les talons.

Absorbé tout entier par un trouble qui, pour une fois, dépasse l'appel des sens et le déconcerte, Chilpéric n'a pas pris garde à l'émergence d'un autre trouble, de même nature et non moins intense, qui eût dû inquiéter sa vigilance. Ce trouble, né lui aussi d'un regard de Brunehaut, exerça ses ravages dans l'âme de son grand fils, Mérovée, qu'il a amené avec lui « pour l'aguerrir », mais surtout par fierté de père, le gaillard étant tout à fait réussi.

Mérovée est foudroyé. L'amour lui est tombé dessus sans prévenir. Il ne se pose pas de question, il ne résiste pas. Il flambe.

Sa vie a un sens, il vient de lui être révélé : cette femme. Cette vieille. Vingt-huit ans ! — Il en a dix-huit. — Trois enfants ! Comme s'il pesait ces choses...

Il est blême, il tremble, ses jambes se dérobent. Il reste immobile, fasciné, hébété, oubliant où il se trouve, laissant son père partir sans lui.

Brunehaut voit cela. Elle ne sait que faire, que dire. Elle remarque qu'il est beau. Qu'il est mieux que beau, même. Le désarroi du garçon l'émeut. Compassion ? Autre chose aussi, non ? Cette émotion en elle... Ce trouble, mais oui... Brunehaut s'en défend. Elle n'a aimé que Sigebert, ne peut aimer que lui, à tout jamais... Et puis, c'est le fils de l'assassin, un rejeton du nid de vipères !

Les deux fillettes contemplent, bouche bée, ce jeune seigneur que l'on dirait changé en statue. Brunehaut prend l'initiative :

— Mes filles sont fatiguées. Je te salue, seigneur Mérovée.

Chilpéric est venu pour tuer. Chilpéric ne tue pas. Il remet de jour en jour. Il se raconte des histoires : « Tout le trésor

Le Sang de Clovis

est-il bien là ? Peut-être n'a-t-elle pas tout livré ? Peut-être en cache-t-elle une partie ? Une grosse partie ? La plus grosse partie ? C'est qu'elle est rusée ! Et il y en a tant... »

Il est de fait qu'il y en a beaucoup. Plus que ne l'avait supputé Chilpéric en ses estimations les plus hardies. L'inventaire se prolonge. Les jours s'ajoutent aux jours. Chilpéric aime compter, plonger ses bras dans l'or, s'en barbouiller le visage. Un scribe le suit, qui note scrupuleusement, sur ses tablettes de cire, les chiffres que le roi lui dicte, et puis il fait le total, qu'il inscrit à l'encre sur un parchemin. Chilpéric le fera égorger quand le travail sera fini. Lui seul, Chilpéric, doit savoir combien il est riche. Il se demande s'il ne devra pas faire égorger aussi les esclaves aux gros bras qui mettront tout ça en sacs et le chargeront sur des chariots, mais, à la réflexion, il en vient à l'évidence qu'il ne pourrait y arriver seul, il devrait charger du massacre des égorgeurs de métier, lesquels devraient être égorgés à leur tour par des égorgeurs au deuxième degré, lesquels... C'est comme ça, quand on commence à égorger. Gouverner pose maints problèmes dont le vulgaire ne se doute même pas.

Certes, l'or est et demeure, de très loin, la première passion de Chilpéric. Il en a, depuis peu, une deuxième, dont il ne soupçonne pas l'existence ni le travail de sape, mais dont il subit les effets. Oh, passion qui jamais ne surpassera la sacrée fièvre de l'or ! Cependant, cette passion première, se trouvant comblée au-delà de tout ce qu'il avait pu rêver, laisse à son âme rassasiée de ce côté quelques loisirs dans les interstices desquels la passion de second plan montre le bout de son nez. Ce bout du nez offre le dessin adorable de celui de Brunehaut.

Pour la première fois de sa vie tumultueuse, Chilpéric connaît l'embarras devant une femme. Il vient surprendre Brunehaut en geôlier qui a tous les droits, en vainqueur qui est partout chez lui. Il l'interroge longuement, l'œil sévère,

Le Sang de Clovis

cherchant obstinément à lui faire avouer qu'elle a dissimulé quelque part une partie de ses trésors, ce qui serait contraire à leurs arrangements. Il se répète, tourne autour du pot, parle pour ne rien dire, sait qu'il ne trompe personne, s'en veut, s'énerve, tout cela sous le regard bienveillant et poliment étonné de la reine déchue, qui se conduit en souveraine accordant audience et n'aide pas, pas du tout, ne tend pas la moindre perche, bien que, c'est certain, rien des tourments intimes de Chilpéric ne lui échappe.

À Braine, Frédégonde s'impatiente. Frédégonde pressent la survenue de quelque imprévu fâcheux. Par deux fois, elle a envoyé à Paris un de ses fidèles Numides porteur de ce laconique message : « Est-ce fait ? » Le roi Chilpéric ne sachant pas lire, ne sachant même pas le latin, or on n'écrit qu'en latin, le messager s'est borné à réciter « Est-ce fait ? », en faisant sonner l'intonation interrogative, avant d'aller se faire servir un gobelet de vin à l'office. Chilpéric, chaque fois, haussait les épaules, se posait vaguement la question de savoir si le message méritait d'être considéré comme secret d'État et si, en conséquence, il devait faire égorger le messager. Et puis il pensait à autre chose, c'est-à-dire à l'on sait bien quoi.

Il semble décidément que la mainmise de Frédégonde sur les sens et sur la volonté de Chilpéric perde quelque peu de sa toute-puissance en fonction de l'éloignement du sujet. Chilpéric s'émancipe. Le brutal plaisir du sexe assouvi ne lui suffit plus. Chilpéric devient compliqué. Son désir veut l'épice de quelque chose de nouveau, quelque chose qu'a fait naître l'apparition dans sa vie de la reine Brunehaut, de sa lumineuse beauté, de sa céleste douceur, de sa suprême noblesse. Non qu'il aspire à la rejoindre là-haut, dans les sublimes parages. Ce que l'imagination perverse de Chilpéric

Le Sang de Clovis

ébauche s'apparente bien plutôt au plaisir de profaner, de saccager. Rouler dans le stupre épais avec cette inaccessible, plonger cet ange dans la boue, la faire malgré ses dédains hurler de plaisir sous son étreinte de bouc en rut... Plus c'est pur, meilleur c'est à souiller.

En attendant, Chilpéric continue à faire ce qu'il faut bien appeler « sa cour », pataud comme un ours qui aurait trouvé une poupée.

S'il était moins accaparé par ses coffres d'or et par ses frustrations érotiques, le roi Chilpéric, il prendrait conscience qu'il se passe des choses du côté de son fils. Des choses qui ne lui feraient pas plaisir.

Mérovée n'est plus sur terre. Mérovée plane dans la pure extase. Il n'a pas avoué son amour à la reine, il serait bien incapable d'articuler un seul mot en sa présence. À quoi bon ? Ses yeux parlent pour lui. Et sa pâleur, et les cernes de ses insomnies, et sa main qui tremble quand il la lui tend pour qu'elle s'y appuie...

Brunehaut feint de ne rien remarquer. Elle voit pourtant la passion du garçon croître et se nourrir de son silence même. Elle sent monter son exaltation. Elle redoute le moment où cette passion fera sauter les contraintes pour éclater, va savoir où, va savoir comment, mais violemment, à coup sûr. Elle se surprend à déplorer d'avance les conséquences d'un tel éclat, non pour elle-même, mais pour le pauvre enfant. Ces mots, « pauvre enfant », éveillent au profond d'elle une étrange tendresse. Elle a plus d'une fois retenu sa main qui, d'elle-même, s'était levée pour se poser sur les boucles blondes de la toison royale.

Brunehaut est ce qu'il est convenu d'appeler une femme de tête. Elle est suffisamment lucide pour comprendre et accepter ce qui est en train de se passer en elle.

Le Sang de Clovis

L'adoration masculine l'a toujours accompagnée. Il lui arriva d'y être sensible, jamais d'y céder. Mariée au roi Sigebert, elle eût voulu l'aimer comme aime une amante. Sigebert était plus roi que mari, plus moine que roi. Les circonstances l'y forçant, il fut plus guerrier que moine. Mais toujours aussi peu mari.

Depuis l'assassinat de sa sœur Galeswinthe, une ardeur nouvelle animait Brunehaut : la vengeance. Elle y entraîna Sigebert. De ce jour, ils furent unis dans le même dessein, détruire Chilpéric et sa complice dans le crime, Frédégonde.

Sigebert à son tour assassiné, Brunehaut vaincue, abandonnée de tous, livrée au meurtrier, sachant que sa vie et celles de ses enfants ne tiennent qu'à un caprice, que si son charme a pu pour un moment dompter le fauve, Frédégonde bien vite recouvrera son empire sur lui et n'aura aucune pitié, Brunehaut, dans sa détresse, ne peut pas rester insensible à cet amour naïf qui, du fond de sa nuit, luit comme un réconfort, comme un espoir, peut-être...

Et puis, bon, elle l'admet : son cœur bat pour l'amoureux transi. Il est si beau, si touchant ! Elle connaît la fascination qu'elle exerce sur les hommes. Jamais elle n'y a décelé cette ferveur, ce don total, ce désir de mourir pour elle... D'accord, d'accord ! Elle ne lutte plus. Elle l'aime.

Elle ne l'encouragera pas. Elle le juge trop émotif, trop transparent. Il ne saurait pas cacher son bonheur. Or, il y a le père et son sale désir qui lui sort par les yeux, le père tout aussi transi que le fils. S'il venait à apprendre qu'il a un rival, et un rival heureux, et que ce rival n'est autre que son fils...

Elle se fait plus distante encore. Elle ne sait pas que ses yeux parlent. Mérovée capte l'involontaire aveu, n'ose y croire, et c'est tant mieux. Il emportera son secret, car l'heure du départ est là.

Le Sang de Clovis

Chilpéric s'est enfin décidé. Foin des complications ! La nostalgie lui est venue de sa Frédégonde, de sa fleur vénéneuse aux cuisses toujours accueillantes. Il va noyer en elles sa déception. Faire crouler sur la rapace des cascades d'or. Se faire pardonner sa clémence. Sa faiblesse, dira-t-elle, sa mollesse... Mais l'or l'aura rendue indulgente.

Car, c'est décidé, il ne tuera pas Brunehaut, ni ses filles. Il va même lui faire un cadeau. Il est comme ça, Chilpéric ! Il le lui annonce :

— Femme, tu m'as fait la guerre. Tu as excité la haine entre mon frère Sigebert et moi. Les armes ont parlé. Dieu a tranché (il se signe). Le bon droit n'était pas de ton côté.

Il marque un temps. Brunehaut prend patience.

— Cependant, tu es l'épouse de feu mon frère. Tu as respecté les termes de notre traité. Tu m'as restitué l'or volé et tu y as ajouté une juste contribution pour compenser les ravages causés par la guerre. Je te sais gré de cela et, pour te prouver mon amitié, je t'abandonne la millième partie des sommes restituées afin de te constituer un douaire de veuve.

Chilpéric se tait. S'il espérait un merci, il est déçu. Brunehaut reste de marbre. Il s'irrite :

— Afin que tu ne puisses continuer à exciter ton fils et ses leudes à reprendre les armes contre moi, je t'assigne à résidence dans la cité de Rouen, pour laquelle tu partiras dès demain, sous escorte.

Sans desserrer les lèvres, elle acquiesce, d'un bref hochement de tête. Chilpéric commence à en avoir assez. Il enrage : « Attends, crâneuse, je t'en foutrai, moi, de la fierté ! Ah, on te fait des cadeaux et tu ne dis même pas merci, alors que je devrais te faire couper la tête ? » Il réfléchit un instant, trouve enfin :

— Tes filles n'iront pas avec toi. Je les garde en otage. Elles seront confiées à la mère supérieure d'un couvent que je

Le Sang de Clovis

connais, près de Meaux. Elles y seront sévèrement gardées, mais traitées en filles de roi. Dis-leur adieu.

Cette fois, il obtient un effet. Les deux petites se jettent, sanglotantes, sur la poitrine de leur mère, qui les étreint, stupéfaite devant tant de méchanceté. À travers ses larmes, elle supplie :

— Seigneur roi ! Pitié !

Chilpéric se paie le luxe d'un noble mouvement du menton, façon empereur romain.

— J'ai dit.

Et puis il s'en va.

XI

Metz, ville principale des Francs du royaume d'Austrasie, est un séjour assez rude. Les peuplades qui vivent là sont restées fort proches de l'état de barbarie où se trouvaient leurs pères avant les grandes ruées. La civilité des mœurs romaines les a peu atteintes, leur conversion toute de surface à un christianisme mêlé de survivances des rites païens les a laissées plus portées aux joyeuses violences de la guerre et du pillage qu'aux fastidieux travaux de la paix.

Une fois l'enfant roi livré à bon port, reconnu comme tel par ses leudes et acclamé par son peuple, une fois le Conseil de régence constitué, Petit Loup estime n'avoir plus rien à faire en ces lieux. D'autant qu'il se sent de trop, Petit Loup, bras ballants parmi ces seigneurs arrogants et brutaux se bousculant dans l'entourage du monarque pour arracher des lambeaux de pouvoir. L'étranger à la hache détonne.

Petit Loup n'arrive même plus à approcher Childebert, tant ses abords sont encombrés. Il faut que l'enfant réclame avec insistance la présence de son ami pour qu'enfin on lui permette de le joindre. Encore l'entrevue a-t-elle lieu sous les regards soupçonneux de deux barons plus ou moins apparentés à Childebert.

À la vue de Petit Loup, l'enfant pousse un cri de joie, glisse à bas des coussins de son siège d'apparat et va pour lui sauter

Le Sang de Clovis

au cou. Les deux barons veulent s'interposer. Le petit frappe du pied.

— Vous alliez porter la main sur moi, il me semble ?

— Seigneur roi...

— Seigneur roi, oui ! C'est ce que je suis. Et vous, bas les pattes ! On ne porte pas la main sur le roi.

Les deux longues figures se le tiennent pour dit. Childebert bat des mains.

— Tu es venu me voir ! Quelle bonne idée ! Je m'ennuyais de toi.

— Je suis venu, oui, seigneur roi. Pour prendre congé.

— Congé ? Tu t'en vas ? Mais je ne te le permets pas ! Tu sais, je suis le roi, c'est moi qui commande. Si je ne veux pas que tu partes, tu ne partiras pas. Et ne m'appelle pas « seigneur roi », tu sais que je n'aime pas ça, venant de toi.

Petit Loup sourit.

— Quand je t'aurai dit où je compte aller, tu me laisseras partir. Tu me pousseras même à prendre la route au plus vite.

— Mais, tu sais, nous allons tous partir ! L'armée, les seigneurs leudes, tout le monde ! Nous allons nettoyer le pays des bandes de sales Neustriens qui ravagent mes campagnes et massacrent mes paysans. Ensuite, nous envahirons la Neustrie, nous tuerons les gens de là-bas, nous couperons la tête à mon oncle Chilpéric et à sa pouffiasse. Ce sera drôle comme tout ! Viens avec nous.

— J'ai l'impression que ton Conseil de régence emploie devant toi un langage un peu en avance pour ton âge.

— Parce que j'ai dit « pouffiasse » ? C'est un gros mot ?

— C'est un très gros mot.

— Tout le monde l'appelle comme ça.

— Tu n'es pas tout le monde. Tu es le roi.

— Bon. Je ne dirai plus « pouffiasse ». Tu vois, je t'écoute. Il faut que tu restes près de moi. Les autres emploient des gros mots, et moi je ne sais pas les reconnaître.

123

Le Sang de Clovis

— Tu sais très bien reconnaître les vilains mots. Sois le roi. Ne parle pas « comme tout le monde ». Quant à moi, je n'irai pas avec toi parce que je ne veux pas faire la guerre. C'est la seule chose que mon grand-père a exigée de moi pour me laisser courir le monde : ne pas tuer, parer les coups, ne pas les rendre à moins d'y être absolument obligé. Ça tombe bien, je n'aime pas la guerre.

— Pourquoi ? Tu es un lâche ?

— Je ne sais pas. À ton avis ?

— Tu t'es battu pour moi comme un lion.

— Donc ?

— Donc, tu n'es pas un lâche.

— Pourtant, je n'aime pas la guerre. Et j'ai beaucoup mieux à faire que de tuer les gens.

— Quoi, par exemple ?

— Aller délivrer ta maman.

— Pour de vrai ?

— Pour de vrai.

— Tu as raison ! Tu as mieux à faire que la guerre ! Beaucoup mieux ! Va, va vite !

— Tu vois ce que je te disais !

— Va ! Saute sur Griffon et cours, vole !

Chilpéric, rentrant de Paris, estimait qu'un accueil triomphal aux portes de Braine, sa ville de prédilection, eût été la moindre des choses dues au héros qui rentrait au bercail, traînant derrière lui une interminable caravane de chariots débordants d'or monnayé, de bijoux, de pièces d'orfèvrerie et de multiples objets de grande valeur. Il ramenait de quoi verser l'allégresse au cœur des gens de guerre privés de solde depuis des mois, et aussi l'espoir de pouvoir reprendre le combat sur des bases financières solides. Il rapportait surtout cet énorme bric-à-brac qui constitue le butin, hétéroclite

Le Sang de Clovis

entassement, produit du joyeux vandalisme qui parle au cœur du pillard-né plus éloquemment que le sec entassement du numéraire. Aux chariots étaient attelés les bœufs gras qu'on dévorerait à la lueur dansante des torches. À leur suite se traînaient, enchaînés, les solides croquants, les sveltes paysannes, qu'on vendrait comme esclaves après la fête, quand on s'en serait amusé un peu, cette engeance n'étant, cela va de soi, que graine de païens ou, pis, d'hérétiques de la puante secte d'Arius, bien que cette racaille prétendît le contraire malgré l'affirmation de l'évêque, qui n'y regardait pas de trop près quand l'œuvre pieuse de purification de la chrétienté coïncidait avec le dépeuplement des terres du roi d'Austrasie.

Chilpéric, qui se présentait en roi vainqueur, se sent quelque peu déçu par la pompe réduite au strict minimum que la reine Frédégonde a estimée bien suffisante pour la circonstance. À cette économie d'apparat répond la parcimonie de l'allégresse chichement répartie sur le visage de la reine. Chilpéric, tout refroidi, pense : « Ça va chauffer. » En effet...

Sans trop y croire, il tente d'orienter l'entretien vers l'aspect positif des choses :

— Tu as vu ? Il y en a beaucoup plus que ce que nous escomptions. Au moins trois fois plus. Je t'ai rempli un coffre de colliers et de bracelets, tu verras ça...

Tentative ratée. Frédégonde va droit à l'essentiel :

— Elle vit.

— C'est-à-dire... J'ai trouvé plus habile...

— Elle vit. Et ses pisseuses aussi. Tu n'as pas eu le cran. Elle t'a possédé. Je parie qu'elle t'a juste regardé, juste ça. Son regard si pur, n'est-ce pas... Tu as fondu. Ils fondent tous... Que je la tienne une fois devant moi, rien qu'une fois ! Je ne fondrai pas, moi.

— Enfin, je suis là, non ? Si j'avais fondu, comme tu dis, je serais resté là-bas. Et le trésor, hein ? Je le lui ai piqué,

125

Le Sang de Clovis

son trésor. Je ne l'ai pas ramené, peut-être, le trésor ? Enfin, quoi...

— Tu es revenu parce que tu n'as pas osé. Elle t'impressionne, elle te glace. Ce n'est pas l'envie qui t'en manquait, mais voilà : glacé. Pas foutu de la tuer, pas foutu de la baiser. Pourtant, tu y as mis le temps. Et comme tu ne peux pas rester longtemps sans te vider, tu es un sanguin, ça te monte à la tête, alors tu rappliques la queue basse chez ta bonne vieille Frédégonde bien salope... Mais je te préviens : si tu penses à elle quand tu seras sur moi, je le saurai. Et alors...

— Et alors... ?

Elle fait avec deux doigts le geste de fermer une paire de ciseaux :

— Couic !

Chilpéric frissonne, pense : « Elle le ferait ! » et encore : « Comment ne pas penser à ELLE à ce moment précis alors que je pense à elle tout le temps ? » En effet, c'est un problème. Mais Frédégonde va de l'avant :

— On va tâcher de rattraper tout ça. Nous avons le trésor.

Chilpéric se redresse.

— Bon point de départ. Nous avons le trésor.

— Nous avons donc des hommes. Nous rassemblons sur-le-champ une armée. Une armée considérable.

— Nous attaquons le petit merdeux dans Metz !

— Justement, non.

— Non ?

— Dans Metz et dans toute l'Austrasie, il a sous la main une armée formidable. Nous l'attaquons là où il n'a personne.

— Où ça ? Où ça ?

— Dans les villes et territoires attribués à l'Austrasie après la mort de Caribert : Poitiers, Limoges, Cahors, Bordeaux et quelques autres, qui se trouvent bien loin de Metz et de Colo-

Le Sang de Clovis

gne mais, par contre, se trouvent à portée de main de nos armées.

— Tu oublies que, ces villes-là, nous n'avons jamais pu les prendre. Elles sont fidèles à l'Austrasie, c'est à ne pas croire. Et ces pedzouilles se battent en chiens enragés.

— Parce que nous n'avons jamais concentré sur elles des forces suffisantes. Cette fois, nous y allons à fond.

— Il y faut un général à la hauteur.

— C'est là le hic. Tu n'as que des lavettes.

— Pardon. Il y a mon fils.

— Mérovée ?

— Mérovée. Je l'observe, ce petit. Il a des dispositions. Et du courage. Et il sait commander.

Elle réfléchit.

— Peut-être... Pourquoi pas ? À moi aussi, il fait bonne impression. Plein de feu, d'allant...

— Il tient de moi. C'est dans le sang. Le sang divin du monstre sorti de la rivière, tu sais bien.

— Tu blasphèmes, païen ! Acte de contrition.

Tous deux s'agenouillent, face à face, se signent, joignent les mains, récitent cahin-caha en latin de cantinière l'acte de contrition. Ils se relèvent. Chilpéric bougonne :

— C'est même pas un blasphème. C'est tout vrai.

— Tu recommences ?

— Bon, bon... Alors, c'est décidé, on fait comme ça ? On envoie mon cher grand fils Mérovée prendre ces bonnes villes bien grasses et brûler un peu les paysans du petit merdeux. Mais... si ces faux culs d'Austrasiens en profitent pour nous attaquer par le nord, hein ? Tu y as pensé, à ça ?

Elle hausse les épaules.

— À ça et au reste. Le trésor de ta chère belle-sœur peut suffire pour deux armées.

— Et justement, j'ai deux fils.

— Les voilà casés.

Le Sang de Clovis

Le roi Chilpéric est fier de son fils Mérovée. Il ne le lui laisse pas voir, les jeunes n'ont que trop tendance à se figurer que le moment est venu où les vieux doivent céder la place, et, au besoin, à donner le coup de pouce qui hâte les destins.

Il n'en contemple pas moins avec satisfaction ce gaillard bien découplé, à l'intelligence aussi agile que les membres. C'est d'un ton non dénué d'une certaine tendresse qu'il lui annonce :

— Mon fils, le moment est venu de montrer ce dont tu es capable. J'ai formé une armée, je l'ai équipée de neuf, je te la confie. Tu la commanderas.

Mérovée a une brève inclination de la tête.

— Je la commanderai, seigneur père.

Chilpéric fronce le sourcil.

— Tu ne délires pas d'enthousiasme, dis donc. Moi qui espérais que la nouvelle chasserait de ta face cet air lugubre que tu affiches depuis quelque temps... Tiens, depuis que nous avons quitté Paris, exactement. Allons, confie-toi à ton père. Qu'est-ce qui ne va pas ?

— Mais rien, seigneur père, je t'assure.

— Bon, bon. Je n'insiste pas. On connaît ça. Quelque amourette. Elle se fait désirer. Dis-moi qui c'est, je la fais jeter sur ta couche dans l'instant... Non ? Comme tu voudras. J'espère seulement que ce n'est pas la femme ou la concubine d'un leude, ou celle d'un évêque... Quoi qu'il en soit, la guerre te changera les idées. Les belles filles s'y ramassent à la pelle, tu n'auras qu'à choisir.

— Quand dois-je partir, seigneur père ?

— Mais demain, petit. Demain à l'aube.

— Je vais donc de ce pas faire mes préparatifs et me présenter à l'armée.

Le Sang de Clovis

Mérovée salue de la tête et tourne les talons. Chilpéric le rappelle :

— Tu ne me demandes même pas où je t'envoie ? Ce que tu vas y faire ? Contre quel ennemi ? Enfin, en quoi consiste ta mission, quoi !

Le jeune homme fait un visible effort pour s'arracher à cette obsession chagrine qui semble l'isoler du monde et de ses contingences.

— Eh bien, seigneur roi, voilà, je te le demande. Où m'envoies-tu ? Quels sont tes ordres ?

— Mouais... Ça manque d'élan. Mais je te connais. Une fois le cul sur la selle et l'épée au flanc, tu te réveilleras, tu oublieras le reste. Tu t'es ramolli, la paix ne nous vaut rien, voilà la vérité. Alors, écoute. Tu vas gagner au plus vite les rives de la Loire. Tu la longeras, puis tu la passeras et tu cueilleras l'une après l'autre ces villes que j'avais dû céder par force à la veuve de Sigebert et qui se sont maintenant données à son fils, à ce petit merdeux qui trône à Metz sur son pot de chambre.

Mérovée lève la main.

— Il me semble pourtant que Tours s'est prononcée pour toi, seigneur père.

— À la bonne heure ! Je constate que je ne parle pas dans le vide. En effet, Tours est à moi, tu ne la saccageras pas, et même tu pourras t'en servir de base d'opérations, il y a là-bas une garnison à moi. Par contre, Poitiers, Limoges, Cahors et Bordeaux ont gardé leur foi à Childebert, et donc tu ne les ménageras pas, celles-là, non plus que la campagne environnante. Tue, viole, pille, amuse-toi. Que ces bâtards sentent qui est le maître. Brûle le moins possible : c'est mon bien. Nu, cocu, battu, affamé, le croquant peut encore travailler. S'il n'a plus de toit, il lui faut reconstruire, et c'est du temps de perdu pour le travail utile, celui qui fait tomber les sous d'or dans mes coffres.

Le Sang de Clovis

La chambre qu'occupe Mérovée dans la villa de Braine offre l'aspect d'une cellule de moine. Non que le jeune homme ait un penchant pour la vie contemplative, mais tout simplement parce qu'il n'attache aucun intérêt aux meubles, statues, ornements et autres futilités, de préférence surchargées de dorures, raflées chez les patriciens gallo-romains à l'époque des grandes ruées et dont sont si friands les barbares de haut rang. De même que sa tenue affecte une austérité toute militaire, les murs de son lieu de repos sont nus, le sol dallé dépourvu de tapis, l'ameublement réduit à un matelas de paille jeté dans un coin et à un vaste coffre où ranger ses vêtements. Au mur pendent ses armes.

Ces armes, il les examine, en éprouve le fil et la pointe, les soupèse, apprécie si elles sont bien en main. Il fait cela comme machinalement, la pensée visiblement ailleurs. Cependant, rien ne sera bâclé. C'est un garçon consciencieux.

Un pan de la peau de buffle servant de porte se soulève. Un bras blanc apparaît, que cernent des bracelets précieux. Bras de femme aux adorables contours. La femme à son tour sort de l'ombre, nimbée par la froide lumière d'un jour parcimonieux. Frédégonde. La reine.

Belle à couper le souffle. Coulée dans une étroite dalmatique d'or liquide moulant ses formes à tout jamais adolescentes et puis tombant en plis lourds qui ruissellent et bouillonnent sur les dalles de pierre. Dans sa sombre chevelure aux reflets bleus torsadée en un haut chignon court un rang de perles.

Elle se tient sur le seuil, silencieuse. Modeste, dirait-on. « Modeste... » Attribut qui lui va si peu ! Frédégonde sait être ce qu'il convient d'être avec qui il convient de l'être au

Le Sang de Clovis

moment qui convient. Elle attend. Mérovée, tout à sa tâche, ne l'a pas vue.

Ce n'est que lorsqu'un essai de volte, l'épée au poing, l'amène à se fendre face à l'ouverture qu'il l'aperçoit enfin. Son élan cassé net, il se tient bien droit, salue sèchement de l'habituel hochement de tête. Sans un mot. Frédégonde est l'ennemie, elle l'a toujours été, ne s'en cache pas. Yeux baissés, elle a un sourire qu'on pourrait qualifier de timide si ce n'était le sourire de Frédégonde. Elle parle :

— Tu ne me salues pas, seigneur beau-fils ?

— Je t'ai saluée, dame.

— Sans un mot de bienvenue.

— Soit. La bienvenue sur toi, avec la grâce de Dieu.

— C'est mieux. La bienvenue sur toi, Mérovée.

S'ensuit un silence. Mérovée perçoit un embarras chez Frédégonde. Ça tombe bien, c'est justement ce que Frédégonde veut qu'il perçoive. Elle ne tortille pas un coin de sa robe autour de son doigt, mais le cœur y est. Mérovée attend. Il ne sait ce qu'elle lui veut. Il est certain d'une chose : ce ne peut être que du mal. Il se tient sur ses gardes. Il la regarde, et que faire d'autre ? La regardant, il ne peut s'empêcher d'absorber par les yeux cette irrésistible séduction qui émane d'elle, cet appel aux sens hurlant comme une femelle exigeant le rut... Une toute jeune femelle encore inconsciente de son pouvoir, c'est ainsi que Frédégonde a décidé de se la jouer.

Elle se rapproche. Il ne s'éloigne pas. Elle pose sur son bras la main de l'apaisement. Elle dit :

— Tu vas au-devant de grands dangers. Tu vas peut-être trouver la mort. Je ne veux pas que l'image que tu emportes de moi soit celle d'une ennemie.

Mérovée a un amer sourire.

— Tu es une ennemie. Tu es l'ennemie. Tu as fait ignominieusement chasser ma mère. Tu as fait assassiner mon frère.

131

Le Sang de Clovis

Tu désires ma mort par-dessus tout. Afin que soit roi le fils sorti de tes entrailles... Quelle autre image veux-tu que j'aie de toi ?

Pendant qu'il parle, elle s'est encore rapprochée. S'en rend-il compte ? Elle est maintenant tout contre lui. Ses seins effleurent son torse. Une odeur monte d'elle, qui ne doit rien aux savants parfums, odeur de sexe innocent dont Mérovée ne perçoit pas le danger, et qui cependant, à son insu, l'investit. Elle lève vers lui des yeux candides.

— Peut-on reprocher à une mère d'être mère ? Peut-on reprocher à une femme d'être femme ? Je suis mère. Je suis femme. L'une et l'autre. L'une ou l'autre. En ce moment, c'est femme que je suis. Et tu es homme.

Il ne sait que dire. Ce qu'il croit discerner l'effare. Il faut repousser la tentatrice, des deux mains, de toutes ses forces, la rejeter contre le mur... Il est trop tard ! Elle a noué ses bras autour de son cou, a posé sa joue contre sa joue. Il sent contre son cœur un cœur battre en grand émoi, de jeunes seins s'écraser sur sa poitrine, et maintenant des lèvres, mais oui, des lèvres, douces, si douces, sur ses lèvres à lui ! Et bon, le désir répond au désir. Mérovée a dix-huit ans, son jeune sang bout dans ses veines, son jeune sexe l'emporte en un furieux galop, il plonge, il oublie tout, il se donne, il la prend, elle se donne, elle le prend... C'est très sauvage et très beau.

Ensuite... Eh bien, ensuite, on reprend pied sur terre. On se voit, dégrisé, haletant, affalé sur cette femme dépouillée de sa magie, le visage noyé dans cet océan de cheveux parmi les lourds effluves de sueur et de stupre... Et la réalité qui, peu à peu, implacablement, s'insinue, l'horrible réalité... Et la culpabilité.

Mérovée n'est pas de ceux qui gémissent tout haut leur faute, ébranlant terre et cieux de leurs *mea culpa* assénés à grands coups de poing dans la poitrine. Mérovée est un sombre, un ruminateur silencieux. Il se relève, se rajuste, sans un

Le Sang de Clovis

mot, ne comprenant pas comment son ardent et pur amour pour Brunehaut ne l'a pas protégé des maléfices de la goule.

Frédégonde, alanguie sur la couche rustique dans le désordre où l'ont laissée leurs ébats, le suit des yeux. Ses cheveux en tignasse hirsute lui font un halo ténébreux. Ses yeux d'eau verte luisent étrangement. « Il y a du diable en elle », pense Mérovée, qui croit très fort à ces choses. Elle sourit, comblée. Elle a eu ce qu'elle était venue chercher. Dans le triomphe de ce sourire point aussi quelque chose qui pourrait bien être une tendresse mal réprimée. Il faut bien que quelqu'un se décide à parler. Ce sera elle :

— Bel enfant, c'était merveilleux.

Ça lui a échappé. Ce n'est pas cela qu'elle voulait dire. Elle se rattrape :

— Mais ça ne change rien. Je te hais. Ne l'oublie pas.

Mérovée rend sourire pour sourire, méchanceté pour méchanceté :

— J'en ai autant à ton service.

Elle insiste, tout en arrangeant son chignon en un geste d'une grâce infinie :

— Je tiens à ce que tu le saches. Tu pourrais te faire des idées.

Comme il ne juge pas utile de répondre, elle change de registre.

— Tu sais ce que tu viens de faire ?

— J'ai couché avec la femme de mon père. Adultère aggravé d'inceste au premier degré.

— Exactement. Et sacrilège, aussi. En tout cas, une ribambelle de péchés mortels.

— Je me confesserai. Je ferai pénitence. Peut-être suis-je maudit à tout jamais.

Mérovée est très pieux. Ils sont tous très pieux. Sauf Frédégonde, peut-être. Encore n'est-ce pas sûr : elle aime le risque, cette petite. Défier le Ciel, quel frisson !

133

Le Sang de Clovis

Elle n'en a pas fini avec les petits plaisirs accessoires qu'elle peut tirer de son exploit du jour. Avant de le quitter, elle lâche à ce Mérovée qu'elle sent fort marri contre lui-même :

— Et sais-tu quoi ? Tu viens de me planter dans le ventre celui pour lequel je te tuerai.

XII

Griffon, Petit Loup et Adèle, l'un portant les deux autres, progressent au trot de promenade dans une campagne que, pour l'instant, ne ravagent pas les armées en guerre ni les bandes de déserteurs. La saison est clémente. On dort à la belle étoile. On se nourrit sur le pays, Griffon d'herbe tendre à foison, Petit Loup d'écuellées de soupe que lui rapporte sa chère Adèle, jamais paresseuse pour fendre un monceau de bûches, achever d'abattre un arbre frappé de la foudre, réparer une barrière, relever une masure... Parfois le paysan, charmé par l'excellence et la rapidité du travail, se fend de quelques œufs, d'un fromage, d'un morceau de lard. Ce sont denrées précieuses, les temps sont durs au pauvre monde.

Petit Loup s'est renseigné. Pour se rendre de Metz à Paris, le plus commode est d'emprunter, comme à l'aller, la vieille voie romaine encore en assez bon état qui traverse Reims. Passé cette ville, s'il tient à éviter le plus longtemps possible de pénétrer en territoire neustrien, le mieux est de rejoindre la Seine, qui coule, en cette partie de son cours, dans le royaume du troisième frère, Gontramn : la Burgondie.

Aucune mauvaise rencontre n'ayant nécessité l'intervention d'Adèle pour des tâches plus héroïques, les trois compagnons font une entrée discrète dans Paris.

135

Le Sang de Clovis

L'activité y est grande, surtout le long des berges où les nautoniers au bonnet de laine chargent et déchargent à force rires, jurons et blasphèmes les nefs pansues.

À l'étonnement de Petit Loup, aucun remue-ménage belliqueux n'agite plus les rues de la cité. À peine si quelques sentinelles veillent aux remparts et aux accès des ponts, se bornant à jeter un coup d'œil machinal sous les bâches des chariots, dans l'éventualité, sans doute, où des malintentionnés y cacheraient des armes. Renseignements pris, cette soldatesque est neustrienne, en dépit de la foi jurée qui interdit l'accès et le séjour de Paris à l'un quelconque des trois frères ou à leurs armées. Mais Chilpéric se moque bien de la foi jurée.

Sur la rive gauche du fleuve, le palais est toujours debout. Ce n'est plus une forteresse assiégée. On y entre, on en sort, seigneurs et menu peuple. Petit Loup, sur Griffon, en fait lentement le tour, attentif à tout, cherchant à comprendre. Il revoit la haute muraille le long de laquelle il fit échapper l'enfant roi caché dans un panier. Il ne sait trop que penser. Il décide d'entrer dans la cour pour voir un peu de quoi il retourne. Ayant passé la bride de Griffon dans un anneau de fer scellé dans le mur, il franchit le porche, nez en l'air, flairant l'ambiance. S'enquérir de la reine Brunehaut serait probablement incongru, voire dangereux.

— Seigneur de la hache !

On a chuchoté cela dans son dos. Il sursaute.

— Non, ne te retourne pas ! Rejoins-moi hors d'ici. Ne me suis pas de trop près. Je t'attendrai sur la berge.

Petit Loup se retourne sans hâte, aperçoit une silhouette menue qui s'éloigne, enveloppée dans un vaste manteau de grosse laine cardée comme en portent les bergers sur les pâturages et dont le capuchon est rabattu. À la démarche, c'est une femme, ou une fille. Ce doit être elle, la voix était féminine. Il quitte l'endroit, musardant en bon badaud de

Le Sang de Clovis

campagne qui n'a rien de mieux à faire, dirige ses pas nonchalants vers le bord de l'eau, parvient à la grève, repère le gros manteau qui trotte, souris grise, parmi les sacs entassés et les tonneaux empilés, puis s'arrête derrière une longue muraille de bûches de chêne aux impeccables alignements.

Il rejoint le manteau, dont le capuchon maintenant rejeté en arrière dégage le minois pointu, semé de taches de rousseur, d'une gamine délurée. Avant qu'il ait pu ouvrir la bouche, elle attaque, à voix pressée :

— Je te reconnais, seigneur. Tu es le seigneur de la hache et du gros cheval. Tu es venu quand notre reine Brunehaut était enfermée dans le château.

— Elle n'y est plus ?

— Non. Le seigneur Chilpéric (elle crache) l'a exilée à Rouen, qui est une ville près de la mer, bien loin d'ici.

— À Rouen, dis-tu ? Très bien. Mais toi, qui es-tu ?

— Je faisais partie de la suite de la reine. Je suis la fille d'un seigneur wisigoth d'Espagne. Je suis venue avec elle depuis Tolède.

— D'où ton accent.

— Il n'est pas joli ?

— Oh, si ! Très joli. Mais pourquoi n'as-tu pas suivi ta reine ?

— Le seigneur Chilpéric (elle crache) n'a pas permis à la reine de garder ses gens avec elle. Elle est partie toute seule, entre les soldats, comme une je-ne-sais-quoi.

— Ses filles ?

— Pas permis non plus. Enfermées dans un couvent, près d'une ville qui s'appelle Meaux, je crois. Tu es venu pour la reine, n'est-ce pas ?

— Pour la reine, oui.

— Tu voulais la délivrer ?

— Je le veux toujours.

— Mais puisqu'elle n'est plus ici ! Elle est à Rouen.

137

Le Sang de Clovis

— Je pars pour Rouen.

— Sur ton gros cheval ?

— Sur Griffon, oui.

Elle s'agrippe à son bras. Ses petits doigts serrent très fort.

— Emmène-moi !

— Je n'ai qu'un cheval.

— Il est très gros. Je suis si menue... En croupe derrière toi, il ne me sentira même pas.

— Griffon a ses têtes. Nous allons lui demander ce qu'il en pense.

La petite enfouit une main fondante dans la paume considérable de Petit Loup, et les voilà qui reviennent au lieu tout proche où le seigneur Griffon attend, placidement, au milieu d'un cercle de galopins qui n'ont jamais admiré monture aussi colossale.

La nouvelle recrue ayant été soumise à son appréciation, Griffon retrousse haut les lèvres, ce qui, chez un cheval, équivaut à lever les épaules, façon humaine d'acquiescer en dégageant toute responsabilité. Il ne reste plus qu'à procéder dans les règles aux présentations.

— Je te présente Griffon, fils de Titan.

La petite s'incline. Griffon hennit.

— Moi, je suis Petit Loup, fils d'Émeric, fils de Loup dit le Hun blond, fils de Bouzil, après j'ai oublié.

— Je suis Minnhild, fille de Gotharic.

— Minnhild, es-tu fille ou femme en puissance d'époux ?

Elle rougit. De colère, peut-être bien.

— Je suis fille, tout à fait fille. Notre reine Brunehaut ne veut pour son service que des filles pucelles et sans tache devant le Seigneur Christ Jésus.

— Quel âge as-tu donc ?

— Seize ans tout pleins aux prunes prochaines, seigneur.

— Tu ne les fais pas. Je t'aurais crue toute jeunette.

— C'est que je suis tellement menue, seigneur.

138

Le Sang de Clovis

— Tu es très mignonne. Ne m'appelle pas « seigneur ».
— Comme tu voudras. Dommage, cela m'amusait, seigneur.

Depuis la mort du roi Caribert, la Neustrie de Chilpéric s'est augmentée de la partie du royaume de son frère défunt s'étendant à peu de chose près de la Somme à la Loire. Rouen se trouve incluse dans cette Neustrie agrandie, ainsi que Paris, bien que cette dernière ville soit en principe territoire neutre et libre de troupes, n'appartenant à aucun des trois frères survivants.

Entre Paris et Rouen, il est une route qui marche toute seule et porte sur son dos le voyageur. C'est la Seine, fleuve à la majesté tranquille, fleuve ami qui coule, paisible, entre ses rives verdoyantes. En ces temps troublés, la voie de l'eau est plus sûre que les routes terrestres, les postes de garde réclamant péage, arme au poing, au nom du roi Chilpéric, y sont moins nombreux, comme aussi les bandes d'arsouilles exigeant rançon, la différence entre ces deux façons de taxer le voyageur résidant essentiellement dans le terme, non dans la brutalité ou la mine des percepteurs.

Petit Loup n'a sur lui, pour toute fortune, que dame Adèle qui ronronne tendrement sur son dos, dame Adèle dont il ne saurait se séparer sans grand et inextinguible chagrin, et qui d'ailleurs, trop pesante, ne serait d'aucun service en d'autres mains que les siennes. Continuant l'inventaire de ses richesses, il lui faut mentionner, sous lui, cette fois, le seigneur Griffon, qu'il ne pourrait voir tomber entre des mains – plutôt sous des fesses – indignes sans que son cœur saigne. Et, pour finir, ne s'est-il pas embarrassé de cette Minnhild minuscule dont il ne sait trop que faire mais qui, à elle seule, constitue une proie non négligeable pour des trafiquants

Le Sang de Clovis

fournisseurs de bordels ou même pour un truand fatigué des hasards des grands chemins et désireux de se lancer dans le noble métier de maquereau ?

De tout cela, Petit Loup conclut que le plus sage est d'adopter la voie fluviale. Il prend donc langue avec le patron d'une nef qu'il voit prête à appareiller, chargée qu'elle est à ras bord de tonneaux de vin de Suresnes qu'elle se propose de transporter jusqu'aux rivages brumeux de l'Armorique seconde[1] où le raisin ne mûrit pas.

Le nautonier examine Griffon, estime le volume d'air déplacé, en déduit le volume équivalent de cale encombrée, se gratte la tête sous son bonnet, finit par lâcher :

— Pour toi et la petite, ça pourrait se faire. Mais celui-là, il prend la place de six tonneaux, des gros.

— Cinq.

— Quoi ?

— Je dis cinq tonneaux. Couchés, cela va de soi. Trois dessous, deux dessus. Tu ne peux pas gerber trois tonneaux sur trois tonneaux. Les panses se calent dans les creux. C'est de la géométrie.

C'est qu'il la connaît dans les coins, Petit Loup ! Tant de science subjugue le nautonier. Il s'incline.

— Tope là. On se débrouillera.

Il tend la main, paume en l'air. Petit Loup tope, clair et franc. Un détail reste à régler.

— Naturellement, tu paies d'avance, camarade.

— Pas question. Je paie en travail. Je vaux trois hommes. Tu embauches trois hommes de moins. Tu y gagnes.

— Comme tu y vas ! Et il y a le foin pour ton monstre, là.

— Je m'en occupe.

---

1. L'Armorique seconde : l'actuelle Normandie. (Les Normands ne débarqueront que dans quatre siècles !)

Le Sang de Clovis

Le patron se gratte de nouveau la tête. Petit Loup questionne :

— Il y a autre chose ?

— Il y a des tas d'autres choses.

— Par exemple ?

— Tu es peut-être un espion de la Brunehaut ? Qu'est-ce que j'en sais, moi ? Paraît que la guerre va remettre ça. Peut-être bien que tu es une espèce de messager ? Peut-être bien que tu fais la navette entre la veuve et son fils qui est à Metz avec une énorme armée, à ce qu'on dit, prêt à nous tomber dessus ? Déjà, tu te caches...

— N'aie crainte. Je suis d'Armorique, sujet du roi de là-bas. Je ne comprends rien à vos bisbilles entre Neustriens et Austrasiens. Elles ne m'intéressent pas. Je ne veux pas m'en mêler.

— Possible. En tout cas, je ne veux pas d'histoires. J'ai mon vin à livrer, moi. Je ne t'embarquerai pas ici, à Paris même. Trop dangereux. Ils vérifient le fret avant le départ, tu comprends. Alors, écoute. Tu sors de la ville en douce, ce n'est pas difficile. Tu pousses sur ton cheval jusqu'à Poissy, c'est un village de pêcheurs à quelques milles d'ici. Tu m'y attendras. À partir de là, plus de danger. Je suis connu tout le long de l'eau qui marche. On me fout la paix.

XIII

L'armée austrasienne, Mérovée à sa tête, est parvenue sans combat à Tours, ville acquise de tout cœur au roi Chilpéric. Elle y fut accueillie avec des arcs de triomphe faits de fleurs et de feuillages. On mit en perce aux carrefours des tonneaux de vin de la Loire, l'évêque Grégoire[1] organisa des processions d'action de grâces, on dansa sur les places, on chanta...

On déchanta bientôt. Insensibles à la liesse populaire, les soldats du bon roi Chilpéric ne se conduisaient nullement en amis, mais bien en vainqueurs brutaux mettant à sac une ville conquise. Femmes et filles abondamment violées furent jetées par les fenêtres ou bien servirent de cibles pour le tir à l'arc. Meubles, bijoux et objets précieux s'entassèrent dans les chariots réquisitionnés. Quelques poignées de mécontents furent pendus ici ou là. Il n'y eut pas d'incendies, ou si peu que rien, mais l'odeur de grillade des pieds brûlés pour faire jaillir les sous d'or de leurs cachettes se répandit par les rues.

« Pourquoi tant de hargne ? » se demande l'évêque. Pourquoi ? Parce que, depuis le départ de Soissons, le général en chef marine dans les humeurs noires et fait passer sa rage sur ses hommes.

---

1. L'évêque Grégoire : le fameux Grégoire de Tours, principal chroniqueur à qui nous devons l'essentiel de nos connaissances sur l'époque.

Le Sang de Clovis

Mérovée souffre. Il n'en a pas l'habitude. Il aime pour la première fois, il aime dans la plénitude de l'amour, et l'objet de cet amour lui est inaccessible ! Mérovée découvre en même temps l'amour total et sa privation. Brunehaut est en lui, flambe en lui, tout ce qui n'est pas elle n'est que néant, et lui, il lui fait la guerre !

À ce désespoir s'ajoute l'horreur de la trahison, de la souillure. Ce délire des sens où il plongea avec l'Ennemie, ces râles de plaisir qu'elle mêla aux cris de son propre délire, cris arrachés par la vulve cannibale, cet inceste, ce sacrilège qu'il expiera dans l'éternité et qu'il expie ici-bas bien plus cruellement par l'absence de la seule à qui il voudrait vouer sa vie... Avant CELA, il n'attachait pas l'idée de sexe à l'image céleste de Brunehaut. Il ne pensait pas à elle de cette façon. Maintenant, il prend conscience avec honte qu'il ne peut pas ne pas se demander si le plaisir eût été aussi intense dans les bras de Brunehaut, et il se méprise pour cette pensée, et il se déteste de traîner son pur amour dans ces bas-fonds.

Un chef malheureux est un mauvais chef. Tout le long de la route de Soissons jusqu'à Tours, Mérovée se montra sombre, absent, indifférent au service, sujet à des colères subites, injustes, ravageuses. La discipline s'éparpilla, les hommes de guerre livrés à eux-mêmes se laissèrent aller à leurs pires instincts, traçant derrière eux un sillage de meurtres et de terreur. Mérovée ne voyait rien.

Tours n'est qu'une étape vers la reconquête. L'armée est censée s'y regrouper, s'y adjoindre les contingents locaux fidèles à Chilpéric, mettre au point un plan de campagne et prendre sans plus attendre la direction de la première des places à enlever : Poitiers.

Mérovée n'y met aucune hâte. Il est logé chez un grand ami de son père, le comte Leudaste, responsable militaire de la cité. Cette demeure patricienne est pleine d'objets d'un grand prix. Les soldats de Mérovée, allant et venant pour les

Le Sang de Clovis

besoins du service, dépouillent peu à peu la riche demeure de tout ce qui présente quelque valeur marchande. Le comte Leudaste en fait courtoisement la remarque à leur chef. Mérovée promet d'y mettre bon ordre.

En fait, c'est pour le compte de leur chef que les soudards volent Leudaste. Ils revendent leur butin à des receleurs et en rapportent le produit à Mérovée, qui a pris sa décision et œuvre ainsi à la mettre en action. Pour cela, il lui faut de l'or.

L'armée gronde. L'inaction lui pèse. Pourquoi s'éternise-t-on à Tours où il n'y a plus rien à rafler alors que Poitiers est là, à portée de la main, gorgée de butin et tremblant de peur ?

Soudain, un matin, l'étonnante nouvelle : le général est parti. Parti ? Pour où ? Pour le Mans. Qu'est-il allé y faire ? Voir sa mère.

Au fait, c'est vrai. C'est au Mans que se trouve le couvent où Frédégonde a fait enfermer Audovère, la reine que sa ruse fit évincer, la mère de Mérovée.

Qu'un fils éprouve le besoin de faire visite à sa mère, quoi de plus louable ? Mais pourquoi furtivement ? N'aurait-il pu se faire accompagner de l'escorte due à son rang et à sa sûreté ? Oh, il n'y fait qu'un saut ! Il sera bientôt de retour.

Il ne reviendra pas.

Il est passé par le Mans, il est allé saluer sa mère, puis il a continué sur sa lancée, droit au nord, droit sur Rouen.

Sur Rouen où rayonne l'étoile qui illumine sa vie.

Et il galope, Mérovée, nuit et jour, nuit et jour. Que fera-t-il, arrivé à Rouen ? Il ne le sait pas, ne se le demande pas. Elle est à Rouen, il va à Rouen.

XIV

— Frère, je ne puis te garder à bord plus longtemps. Il te faut débarquer.

— Trahison ! Nous étions convenus que, jusqu'à Rouen...

— Rouen est à dix milles d'ici[1]. Aux abords de la ville, il y a les patrouilles du fleuve. S'ils vous découvrent à mon bord, ils confisquent le bateau et la cargaison. Si encore ils ne me pendent pas, une fois mon vin bu. Ça les met en joie.

— Je m'en voudrais toute ma vie d'avoir été la cause que tu fusses pendu par des ivrognes inspirés par ton propre vin. Donc, adieu, camarade.

Dix milles sous le soleil ne sont pas pour faire peur à Griffon, qui s'est bien reposé à fond de cale. Le soudain éclat du jour lui fait cligner les yeux. Petit Loup est bientôt en selle. Minnhild saute en croupe comme une puce sur un blanc téton. En avant !

Le soleil est à son haut. Sous les pas de Griffon se lève une poussière de craie. Petit Loup se laisse bercer au lent dandinement de la croupe massive. Cramponnée des deux mains aux flancs du grand gars, Minnhild regarde de tous ses

---

1. Le mille romain équivalait à environ 1 500 de nos mètres.

Le Sang de Clovis

yeux la campagne environnante. Elle absorbe tout, ne laisse rien perdre. Soudain elle donne du poing contre le vaste dos.

— Seigneur !

— Pas comme ça.

— Ah, c'est vrai... Petit Loup !

— J'aime mieux. Alors ?

— Là-devant. Sur le côté, à droite.

Petit Loup regarde. Et voit. Ça bouge. C'est couleur de poussière de craie. Ça se met debout. C'était assis, donc, sur une pierre au bord du chemin. Ça vient vers eux, ça court, ça essaie de courir, plutôt. Ça trébuche, ça se relève en jurant. Griffon, immobile, laisse venir.

De tout près, on distingue un homme, assez mal en point. Son costume, pour ce qu'on en peut deviner sous la poussière, est d'un Franc de bonne maison. Il est épuisé. Il se cramponne à la bride. Petit Loup s'apitoie. L'homme, avec effort, parle. Petit Loup s'attend à un gémissement. C'est un ordre qu'il entend :

— Paysan, ton cheval. Vite !

Un homme qui ne sait parler que pour ordonner. Il y a des gens comme ça. Des gens qui, dans la vie, n'ont affaire qu'à des êtres qu'on commande. Petit Loup n'est pas de ceux-là. Même son père, quand il était enfant, ne lui parlait pas sur ce ton. Ses ordres caressaient l'oreille comme des conseils. Il se borne à répondre :

— Ce cheval n'est pas à vendre.

L'autre s'énerve :

— Qui te parle de vendre, bouseux ? J'ai besoin du cheval, donc il est à moi. Allons, descends !

— Tu as besoin d'un cheval, achète un cheval à qui veut t'en vendre un. Ou vole-le, si tu ne peux le payer. Mais pas celui-là. Et ne m'appelle pas bouseux. Et ne dis plus « cheval », Griffon est susceptible. Maintenant, ôte-toi de mon chemin.

Le Sang de Clovis

L'inconnu fait un pas en arrière, non pour dégager la route, mais pour se mettre en garde, tout en cherchant de sa main droite à atteindre la poignée de son épée. Mais d'épée, il n'y en a pas. Pas plus que de fourreau, ni de baudrier. Apparemment, il avait oublié ces circonstances. Il a un geste de rage.

— Oh, que n'ai-je un gourdin, un bâton, n'importe quoi ! Je te ferais savoir, pauvre vermine, à qui tu oses dire non !

Petit Loup est l'obligeance même.

— Un gourdin, seigneur ? Ces bois qui nous cernent en sont pleins. Adèle se fera un plaisir de t'en tailler un. Et, bien sûr, un autre pour moi. Ainsi pourras-tu me faire savoir ce que tu brûles de me faire savoir.

L'inconnu n'a pas l'habitude d'un tel langage. Il écarquille les yeux, effaré de l'audace :

— Me prends-tu donc pour un des tiens, bouseux ? Il ne s'agit pas de duel, mais de la correction que tu vas recevoir, à genoux, avant que je ne m'en aille sur ce gros cheval de labour, faute de mieux.

Il se cramponne à la bride, bien décidé à ne pas lâcher prise. Petit Loup, devant tant d'acharnement, pense que le destin est par trop obstinément opposé à ses désirs de vie paisible. Il dit calmement :

— Bouseux ou pas, tu m'as fait offense. Tu m'as défié. Trop tard pour reculer.

Il saute à bas de Griffon, lui laissant la bride sur le cou. Il a repéré une touffe de noisetiers aux rejets drus, gros comme le poignet. Adèle lui saute dans la main. Deux petits bonds d'Adèle, deux beaux rejets pleins de sève tombent à terre. Deux autres bonds, les brindilles volent. Petit Loup tend à l'irascible seigneur deux triques solides et nerveuses.

— Choisis.

L'autre, sans même daigner prêter attention à ces préparatifs belliqueux, n'a pas lâché son bout de bride. Venant par

Le Sang de Clovis

le flanc, il tente de sauter en selle. C'est ne pas connaître Griffon, qui se cabre, rue, frappe des pieds de devant. Personne au monde ne le montera, sinon son ami Petit Loup.

Voilà l'imprudent à terre, le cul dans la poussière de craie. Petit Loup l'aide à se relever, le salue, lui tend une trique :

— Tu m'as laissé le choix des armes, je t'en remercie. Et maintenant, ne te gêne pas. Cogne, camarade ! Ah, un détail : je ne frappe pas. Je me contente de parer les coups.

L'inconnu hausse les épaules. Il a perdu de sa superbe, dirait-on. Il écarte le bâton tendu, lâche la bride, s'appuie au cou du cheval. Il chancelle, ses jambes tremblent. Tête basse, il convient :

— Ça va. Tu as gagné. Tu m'as l'air d'un brave gars. Si tu veux me prendre en croupe et m'emmener jusqu'à Rouen, je ferai ta fortune.

— Pas besoin de fortune pour ça. Suffit de demander gentiment. Il se trouve que je vais à Rouen. Minnhild, mon petit oiseau, serre-toi contre mon dos pour faire place à ce seigneur.

Minnhild ne répond pas. Depuis quelques instants, elle examine avec attention le visage de l'inconnu. Et voilà qu'elle s'écrie :

— Je te reconnais ! Tu es le seigneur Mérovée, le fils du roi Chilpéric ! Je t'ai vu à Paris, tu étais avec le roi ton père, dans le château où était retenue prisonnière ma maîtresse, la reine Brunehaut. Oui, oui, c'est bien toi, j'en suis sûre !

Petit Loup s'est figé.

— Tu es le fils de Chilpéric ?

L'autre se redresse, essaie de retrouver sa morgue.

— Je le suis. Et alors ?

— Alors, dis-tu ? Alors tu es l'ennemi enragé de la reine. Tu es ici pour la tuer. Je ne comprends pas ce que tu fais sur cette route, à pied, sans armes, l'air bien fatigué, mais je pense qu'il y a quelque ruse, là-derrière. Vous êtes une

148

Le Sang de Clovis

famille de fourbes et d'assassins. Rien ne peut sortir de vous que fourberie et assassinats.

Mérovée — puisque Mérovée il y a — secoue la tête et laisse tomber, d'un ton infiniment las :

— Si tu me laissais t'expliquer...

— Expliquer ? C'est tout expliqué. Tu es Mérovée, fils de Chilpéric, et tu vas à Meaux, où réside la reine Brunehaut. Qu'ajouter à cela ?

— Laisse-moi parler quand même. Tu feras ce que tu voudras.

Petit Loup hésite. Minnhild s'en mêle :

— Écoute-le. Je regardais ses yeux, chez la reine. Ce n'est pas de la haine que j'y ai vu.

Petit Loup se laisse attendrir.

— En deux mots, alors.

Minnhild prévoit que ce serait un peu court :

— Allons jusqu'à la douzaine.

— Deux mots me suffiront.

— Vas-y.

— Je l'aime.

— Qui ?

— La reine.

— Brunehaut ?

— Brunehaut.

— Tu l'aimes ?

— Je l'aime.

— D'amour ?

— Plus que ma vie, plus que mon honneur, plus que le salut de mon âme.

— En effet, c'est beaucoup. Mais ce ne sont que des mots.

Minnhild est tout émue.

— Il y a aussi l'accent.

— Un bon menteur sait mettre l'accent.

— Il ne ment pas.

149

Le Sang de Clovis

Elle se tourne vers lui, à l'improviste, plonge ses yeux dans les siens :

— Mens-tu ?

L'exaltation tremble dans la voix de Mérovée :

— Je l'aime, vous dis-je ! D'amour ardent, d'amour fou, d'amour éternel... Tenez, voulez-vous savoir ce que j'ai fait pour elle, pour la rejoindre, pour la défendre ?

— Tu vas nous le dire.

— Mon père m'a mis à la tête d'une de ses armées afin que j'aille prendre et ravager des villes d'Aquitaine lui appartenant. J'ai abandonné l'armée et j'accours à Rouen pour me jeter à ses pieds.

— Tu as déserté ?

— J'ai déserté.

— Tu as trahi le roi ton père, tu as jeté aux orties ton honneur de soldat ?

— J'ai fait cela, oui. Et je m'apprête à faire bien pis.

— On peut savoir ?

— J'aime à en mourir une femme qui fut la belle-sœur de mon père, étant sœur de Galeswinthe, sa deuxième épouse. C'est un inceste, selon le droit divin. Et même un inceste double, puisque Brunehaut fut l'épouse du défunt frère de mon père, mon oncle Sigebert.

— Dis donc, quand tu t'y mets, tu ne fais pas dans la demi-mesure !

— Ce ne peut pas être pis que ce que j'ai déjà fait.

Minnhild brûle de savoir.

— Raconte.

— Non. C'est trop horrible. Jamais Dieu ne pardonnera.

— Si bien que, damné pour damné, tu n'as plus rien à perdre ?

— On peut dire ça comme ça.

Minnhild bat des mains. Ses joues ruissellent.

Le Sang de Clovis

— Que c'est beau ! Que je voudrais être aimée comme cela !

Petit Loup, depuis un moment, s'est rembruni. Sur son avenant visage la déception trace ses rides lugubres. La jalousie, aussi, peut-être ? Non. Petit Loup conçoit et admet que d'autres puissent aimer Brunehaut. Même, il ne pourrait comprendre que, l'ayant une fois vue, tout homme ne lui voue pas sa vie. Simplement, devant ce concurrent, il ne se sent pas de taille. Il soupire :

— Ce sont amours de fils de rois. Tout le monde ne peut viser aussi haut. Ni aimer aussi fort.

Il hausse les épaules :

— Viens.

Ils vont, au pas tranquille de Griffon, la petite Minnhild bien calée entre un dos et un ventre, et même quelque peu écrasée, mais oubliant ces petits malheurs dans son brûlant désir de savoir :

— Seigneur Mérovée, tu ne nous as pas conté comment il se fait que nous t'ayons trouvé perdu sur cette route, dépouillé de tes armes et à demi mort d'épuisement.

— C'est fort simple et bien peu glorieux. Je suis tombé sur un ramassis de brigands, des déserteurs, probablement...

Petit Loup ne peut se tenir de marquer le coup :

— Des déserteurs, vraiment ? Pourtant, à ce qu'on dit, les loups ne se mangent pas entre eux.

Minnhild n'aime pas qu'on interrompe une narration :

— Oh, c'est gentil, ça ! Charitable, vraiment ! Ne t'occupe pas de lui, seigneur Mérovée. Continue !

— Eh bien, ces fripouilles ont surgi du sous-bois où ils se tenaient en embuscade, sans même me permettre de saisir mon épée ils m'ont assommé, dépouillé et laissé pour mort sur la place.

Le Sang de Clovis

— Mais ils t'avaient mal tué. Le goût du travail bien fait se perd.

— Ils n'ont, par contre, pas raté mon écuyer.

— Peut-être portais-tu un casque, lui pas ?

— Ils avaient, bien sûr, emmené les chevaux. Quand je suis revenu à moi, j'ai repris mon chemin vers Rouen, à pied, me guidant au soleil. J'étais à bout de forces lorsque je vous aperçus. Voilà toute l'histoire.

XV

La reine Brunehaut, à Rouen, n'est pas enfermée. Elle ne pourrait quitter la ville sans que Chilpéric en soit aussitôt prévenu, peut-être même les postes de garde l'empêche-raient-ils d'en franchir l'enceinte, mais, la jugeant désormais inoffensive puisque dépouillée de cet or dont on paie les armées et les trahisons, le roi de Neustrie la laisse libre de jouir de son douaire et d'aller par la ville à sa guise.

La reine met la dernière main à sa toilette quand une des esclaves slavonnes laissées pour sa commodité (et pour sa sur-veillance !) par Chilpéric vient lui annoncer :

— Dame, là sont gens qui demandent à voir toi.

— Que veux-tu dire par « gens » ?

— Gens « d'avant ». C'est ça qu'eux disent. Moi, pas sais. Eux disent toi sais.

— Des gens « d'avant » ? D'avant quoi ? Seigneur Christ Jésus, je n'ose comprendre... Va leur dire que je te suis. Et tu resteras près de moi. Quoique, si ce sont des assassins envoyés par Frédégonde, tu ne pèseras pas lourd.

Brunehaut estime qu'étant là, vivante, de par la fantaisie de Chilpéric, elle n'a guère à craindre de Frédégonde, qui n'oserait pas aller à l'encontre des décisions de son terrible époux, mais sait-on jamais... La haine, comme toute passion violente, ne connaît pas la raison. Quoi qu'il en soit, elle fait « Bof ! » et décide de prendre le risque.

Le Sang de Clovis

Plus belle encore de se savoir belle, elle passe le seuil de ce qui fut l'atrium de la villa aux temps brillants de la romanité, pièce dont elle a fait sa salle de réception.

Ils sont là, ceux « d'avant ». Toute appréhension la fuit. Elle ouvre les bras. Minnhild s'y jette.

— Minnhild ! Ma fleur, mon rossignol ! Tu as donc pu t'échapper ? Que je suis heureuse ! Et ce grand gaillard ! C'est toi qui as fait évader mon fils, qui l'as emmené jusqu'à Metz, sa ville royale ! Toi qui l'as replacé sur le trône de son père, qui l'as fait acclamer par ses leudes et par son peuple !

Petit Loup incline la tête, juste ce qu'il faut :

— Petit Loup, fils d'Émeric, fils de... Ce serait trop long. Pour te servir, dame reine.

Minnhild serre les lèvres, comme réprimant à grand'peine une envie de parler. Brunehaut s'en aperçoit.

— Tu as quelque chose à dire, quelque chose qui te brûle la langue. Allons, parle.

— J'ai à dire que ce n'est pas tout. Il y a encore celui-là.

Elle désigne du doigt le beau jeune homme qui paraît sur le seuil, pâle et tremblant, n'osant s'avancer. Brunehaut à son tour pâlit. Elle chancelle, s'appuie à la table de marbre. Elle ne dit rien. Lui non plus. À quoi bon les mots ? Ils suffoquent, elle de surprise, tous d'eux d'intense émoi. Elle tend les bras. Elle dit seulement :

— Je t'attendais.

Petit Loup prend la main de Minnhild. Ils s'éloignent sur la pointe des pieds, cueillant au passage l'esclave slavonne.

— Dame très chère à mon cœur, du jour où je t'ai vue, du tout premier instant, j'ai été tien. Corps et âme. Je n'avais encore jamais aimé. Je n'aimerai jamais ailleurs. Tu es la seule qui pouvais me faire aimer. J'aurais pu ne pas te rencontrer. Je n'aurais jamais su ce qu'est aimer. Mais tu es

Le Sang de Clovis

venue. Tu es la lumière, tu es la vie, rien d'autre ne vaut. T'appartenir, me fondre en toi, c'est, enfin, exister. Me voilà à tes pieds, fais de moi ce que tu veux. Te voir, entendre ta voix, je ne demande rien d'autre. Je suis comblé, je défaille de bonheur.

Il y croit tout le premier. Il se garde cependant d'évoquer ces nuits de fièvre et de frustration où, faisant surgir l'image adorée de Brunehaut, tout autant que le doux visage le hantaient les larges blanches cuisses à l'épanouissement splendide, et le ventre accueillant, et l'exubérante touffe frisée où se cache l'ineffable, le Graal fabuleux de la quête d'amour. Il s'en veut de penser à elle de cette façon, il se méprise, sa jeune candeur refuse que le pur amour et le rut bestial soient une même chose. Peut-être l'intermède avec la brune, l'épicée Frédégonde n'est-il pas étranger à cette déviation vers l'endroit précis où s'expriment les transports de la passion. Les odeurs de blonde, c'est comment, les odeurs de blonde ?

Brunehaut sait ce qu'il en est de ces amours éthérées. Non qu'elle soit réticente. Elle aussi brûle d'une flamme ardente pour le bel adolescent. Elle en est toute surprise, mais ne résiste pas. Elle se laisse aller à un voluptueux abandon, se grise de cette adoration juvénile. Elle n'en perd pas pour autant la notion des réalités.

— Doux ami, pourquoi le tairais-je ? Je t'aime de toute mon âme. Nul n'avait su m'émouvoir depuis mon veuvage, pourtant beaucoup s'y sont essayés. Le souvenir de mon époux tant aimé m'était un talisman... Et il a fallu que ce soit toi, le fils de mon ennemi, de l'assassin de Sigebert, qui force mon cœur ! Je l'avoue en rougissant, mais aussi avec fierté, je t'aime plus encore que je n'ai aimé Sigebert, mon époux, le père de mes enfants.

— Dame, ô dame...

— Tu as fait plus qu'un preux n'aurait fait. Il peut arriver qu'un preux risque sa fortune, sa position, sa vie même pour

Le Sang de Clovis

l'amour d'une femme. On le dit, du moins. Mais jamais il ne met en jeu son honneur. Cet honneur qui lui est plus sacré que tout au monde, sauf peut-être sa vie éternelle. Toi, tu as renié honneur et salut éternel pour l'amour de moi. Doux ami, je te retourne tes propres paroles. Je suis à toi. Fais de moi ce que tu veux.

C'est fort joliment dit. Ce n'en est pas moins une invite claire et nette. Certes, les façons diffèrent de celles de Frédégonde. Brunehaut est une reine, une vraie, née pour cela. Mérovée ne veut pas, avec elle, rééditer l'épisode trivial. Son amour pour Brunehaut est du domaine du sacré. Son accomplissement exige du sacré.

— Dame, il faut nous marier.

Ce n'est pas ce qu'elle attendait. Elle s'étonne :

— Qu'as-tu besoin de sacrement ? Tu m'as tout entière. Les gestes du prêtre ne te donneront rien de plus. Crois-tu donc que je t'en aimerai davantage ?

— Je veux mettre entre nous de l'ineffaçable.

— Ce qu'il y a entre nous est ineffaçable, à tout jamais. Quant au mariage que tu envisages, il ne serait pas valable, étant entaché d'inceste, et même d'inceste double. Je suis la femme du frère de ton père, donc ta tante. Je suis aussi la sœur de la pauvre Galeswinthe, qui fut l'épouse de ton père, peut-être l'as-tu oublié ? Il y a interdit majeur.

— L'interdit n'est pas au-dessus du sacrement, si nous trouvons un prêtre pour passer outre. Le sacrement lie pour l'éternité, ici-bas et dans les cieux, dans la vie et dans la mort. Inceste, dis-tu ? Union maudite ? Soit. Mais union. Aussi indissoluble qu'une union bénie... Plutôt damné avec toi qu'élu sans toi.

Brunehaut pense : « Et moi aussi, tu me damnes bien légèrement ! » Elle dit :

— Bien-aimé, tu oublies le principal.

— Qui est ?

156

Le Sang de Clovis

— Le prêtre. Aucun curé, aucun moine, aucun clerc ayant reçu les ordres n'acceptera de procéder à une telle union qui, à ses yeux, ne pourrait être qu'une parodie de mariage, un sacrilège. Ce serait braver le ciel et l'enfer, provoquer les pires malheurs... Sans compter que nous nous trouvons ici en territoire dépendant du roi Chilpéric et que, sachant qui tu es et qui je suis, nul n'osera jamais braver la colère de ton père.

— J'y ai pensé.

— Et... ?

— Et je me suis souvenu que l'évêque du diocèse de Rouen – Admire l'étonnante coïncidence ! N'y vois-tu pas la main de Dieu ? – n'est autre que Prætextatus, qui me donna le baptême et est, depuis, resté mon parrain très cher. Il m'appelle « son fils ». Je suis sûr de le convaincre.

Prætextatus[1], le bon évêque, ne se laisse pas facilement convaincre. La complaisance qu'implore de lui son filleul Mérovée comporte plus d'une forfaiture à ses vœux de prêtre et de pasteur, parmi lesquelles le mépris des décrets du droit canon interdisant l'union charnelle entre personnes liées par des liens de parenté scrupuleusement précisés, et aussi le crime de simonie, qui est le trafic, rémunéré ou non, des sacrements, des dignités ecclésiastiques et des objets du culte. De quoi faire renâcler le scrupuleux évêque de Rouen, dont la vie, jusque-là irréprochable, lui vaut la chaleureuse estime de ses ouailles. Mérovée insiste, se fait pressant, minimise le péché, le supprime, met en avant la haute honorabilité de la reine, sa vertu, ses bonnes œuvres... À bien considérer, plaide-t-il, Brunehaut n'est sa tante que par alliance, une

---

1. Plus tard, Prætextatus, assassiné sur l'ordre de Frédégonde, deviendra saint Prétextat.

Le Sang de Clovis

alliance que la mort a dissoute. Elle est la veuve de son oncle paternel, certes, mais, ledit oncle étant décédé, par cela même le lien de parenté se trouve rompu. Les canons de l'Église sont formels et n'admettent aucune exception ? Mais les canons sont des garde-fous destinés à juguler les excès qui risqueraient trop souvent de se produire dans la promiscuité de la canaille. Nous ne sommes pas d'immondes luxurieux pressés de se vautrer dans le stupre, ni des impies acharnés à pécher à la face du Seigneur Christ Jésus, mais deux chrétiens de bonne naissance qui s'aiment d'amour honnête et veulent sanctifier cet amour devant Dieu. C'est à l'esprit de la règle, non à sa lettre, qu'il convient de se plier. L'esprit, ici, est qu'il n'y a entre nous nulle consanguinité, que dame Brunehaut n'a pas été unie charnellement au roi Chilpéric, mon père, et que par conséquent rien ne s'oppose...

L'évêque pourrait objecter bien des obstacles qui, justement, s'opposent. Mais voilà : il ne sait rien refuser à cet enfant qu'il appelle son fils. Le mariage se fera.

Il se fait. En secret. Dans la crypte de l'église métropolitaine de Rouen. Les témoins sont Minnhild et Petit Loup.

XVI

À Braine, près de Soissons, le roi Chilpéric fait ses préparatifs de voyage. La reine Frédégonde s'enquiert :

— Te voilà donc sur le départ, cher seigneur ?

— J'ai hâte d'être à Paris. J'y attendrai bien à mon aise
des nouvelles de l'armée de Mérovée. C'est un gaillard. Mes
espions m'ont rapporté qu'il a brûlé les étapes. Il doit de
présent avoir atteint Tours, qui est une ville loyale. Il y donnera quelques jours de repos à ses bougres, ils les auront bien
mérités. Il joindra ses forces aux garnisons que j'entretiens
là-bas, et puis, bien rafraîchi, il foncera sur Poitiers. Je veux
être le premier à apprendre la prise de Poitiers, ville rebelle,
ville insolente. J'y courrai alors tout d'un galop afin d'y faire
une entrée solennelle, et aussi pour montrer à ces peigne-
culs qui est le maître. Je crains que Mérovée, qui a le cœur
tendre, ne se montre par trop compatissant envers cette
racaille.

— Que la protection du Seigneur Christ Jésus t'accompagne, seigneur. Que ferai-je, si les Austrasiens attaquent ?

Chilpéric rit de bon cœur.

— Je laisse ici suffisamment de troupes pour ta sûreté,
quoique tu ne risques rien, le petit roi de Metz est bien trop
occupé à jouer avec son cheval de bois. Tu peux aussi compter sur les Austrasiens ralliés à moi qui campent dans la cam-

159

Le Sang de Clovis

pagne alentour. Ils se sont tellement compromis à ravager les terres et à tuer les croquants de leur propre roi qu'ils ne risquent pas de tourner casaque ! J'aperçois justement deux de ces transfuges qui viennent par ici. Fais-leur bon visage.

Le roi accueille les deux traîtres à bras ouverts.

— Seigneur Sigoald ! Seigneur Godewin ! Vous tombez bien. Je pars pour un petit voyage d'agrément dans mes nouvelles acquisitions. Je vous confie ma femme. Prenez-en bien soin. Et surtout, rendez-la-moi dans le même état où je vous la laisse !

Il rit. Quand le roi rit...

Si, au lieu de plisser les yeux pour rire à son aise, le joyeux Chilpéric était un peu plus attentif aux rires serviles des deux Austrasiens, il s'aviserait d'une chose, c'est que ces deux-là ne rient que des dents. Leurs yeux ne participent pas. Il en émane une nette agressivité. Agressivité contre qui ? Contre eux-mêmes. L'un contre l'autre. Le sujet de cette agressivité ? La rivalité, bien entendu. Rivalité en quoi ? La réponse éclate dans leur second regard, celui qui converge vers la reine, la reine plus séduisante que jamais, modeste et rayonnante comme l'épouse qui voit s'éloigner l'époux pour un bon bout de temps et qui sent autour d'elle bruisser le flot montant des désirs.

À Paris.

— Seigneur roi, c'est un messager.

— De Poitiers ?

— De Tours, seigneur roi.

— De Tours ? Ils sont encore à Tours ? Il vient sans doute m'annoncer qu'ils partent pour Poitiers. Ils se sont bien reposés, j'espère ! Qu'il entre.

Entre le messager, couvert de poussière, comme il se doit.

— Parle.

Le Sang de Clovis

— Seigneur roi, j'arrive de Tours.

— Ça, je le sais. Tu as autre chose à m'apprendre que le temps qu'il fait à Tours et le goût des poulets rôtis qu'on y mange, je suppose ? Des nouvelles de mon fils, par exemple.

— Seigneur roi, le seigneur Mérovée a quitté Tours.

— Enfin ! Il s'est décidé. À marches forcées sur Poitiers ! C'est bien. Brave petit. Il va vous mettre ces mauvaises têtes à la raison, ça ne va pas tarder.

— Seigneur roi, le seigneur Mérovée n'a pas emmené l'armée.

— Pas emmené l'armée ? Attends, attends, ça ne va pas, ça. Qu'est-ce que tu racontes ? Il ne va tout de même pas prendre Poitiers à lui tout seul ?

— Seigneur roi, le seigneur Mérovée n'est pas allé à Poitiers.

— Où est-il allé, alors ? Parle, couilles du Christ !

Le juron fait sursauter le brave militaire, qui se signe trois fois de suite, très vite. Machinalement, Chilpéric se signe aussi.

— Eh bien, tu parles ?

— Seigneur roi, je t'en prie, ne jure plus devant moi. J'ai de la religion et j'endurerais plutôt le martyre que de rester dans la même pièce qu'un blasphémateur.

— Je ne jure plus. Tu constates ? Je ne jure plus. Alors, toi, parle. Dis-moi tout, d'un seul élan, et fais vite, et n'oublie rien, sans quoi, ce martyre que tu évoques, tu pourrais bien le recevoir de ma main.

— Seigneur roi, je vais faire de mon mieux, mais toi, surtout, ne jure plus. Bon. Voilà. Le seigneur Mérovée a laissé l'armée cantonnée à Tours pour aller présenter ses hommages filiaux à la dame reine Audovère, sa mère, qui réside dans la ville du Mans, dans un monastère.

— Je sais où elle est, c'est moi qui l'y ai mise. Va, va !

— Seigneur roi, si tu m'interromps tout le temps...

161

Le Sang de Clovis

— C'était la dernière fois. Va !

— Seigneur roi, le seigneur Mérovée est bien allé au Mans, avec une escorte légère. Il est entré dans le monastère, seul, c'est la règle, n'est-ce pas ? Il n'en est pas ressorti. Les gars de l'escorte ont attendu, attendu, puis ils ont demandé l'entrée. Comme les nonnes la leur refusaient, ils ont un peu cassé la porte. Ils ont fouillé partout, pensant que des ennemis, des Austrasiens, par exemple, enfin des gens de la dame reine Brunehaut, l'avaient assassiné, ou peut-être enlevé. Ils n'ont rien trouvé, mais ils ont remarqué que le monastère avait une cave où s'amorçait un souterrain qui débouchait dans la campagne, assez loin.

— Pas de flaques de sang ?

— Non, seigneur roi.

— Il a été enlevé ! Par des gueux à la Brunehaut. Que vont-ils en faire ? Pardi, le garder comme otage. Pour me l'échanger contre... je ne sais pas, moi... la pleine liberté pour la gueuse, peut-être bien. C'est ça, j'en suis sûr ! Oh, mais, qu'ils ne comptent pas là-dessus ! Je ne cède rien. Ils le tueront et m'enverront sa tête. C'est ce qui se fait. Quel dommage, pauvre enfant ! Il promettait. Tant pis. Si je cédais, la Frédégonde ne me le pardonnerait pas. D'autant que ça fait un héritier de moins avant ses gosses à elle... Je n'oserais plus rentrer à la maison. Mais, poils de la Vierge, qu'allait-il faire en ce monastère ?

Le messager se signe, trois fois, et se retire, sans un mot. Chilpéric se dit qu'il faudra penser à lui faire couper la tête, ne serait-ce qu'en tant que porteur de mauvaises nouvelles. Ne jamais contrarier les vocations pour le martyre.

— Seigneur roi, c'est un messager.

— Non, il n'arrive pas, il s'en va.

Le Sang de Clovis

— Pas celui-là, un autre, seigneur roi.

— Quelle tête il a ? Une tête de bonnes nouvelles ?

— Je ne sais pas interpréter les têtes, seigneur roi.

— J'ai compris. Mauvaises nouvelles. Fais-le entrer. Tant qu'on y est...

Le messager numéro deux fait son entrée, réglementairement couvert de poussière comme tout bon messager, mais d'une poussière blanche, cette fois, crayeuse, dirait-on, au lieu de l'épaisse couche ocre sous laquelle disparaissait son précédent collègue. Droit sur ses jambes arquées d'homme de cheval, il attend la question du roi. Chilpéric la pose, prêt au pire :

— Quelle calamité m'annonces-tu, toi ?

— Seigneur roi, j'arrive de Rouen.

— Tu arrives de Rouen, bon. Que peut-il bien se passer de désagréable à Rouen ?

— Seigneur roi, le seigneur Mérovée a été retrouvé.

— À Rouen ? Retrouvé ? Il n'est donc pas mort ? Pas otage ? Pourquoi n'est-il pas avec toi ?

— Seigneur roi, le seigneur Mérovée n'est pas mort, ni otage. Il n'est pas avec moi parce qu'il est à Rouen.

Dans la tête de Chilpéric, la chose trace son chemin. Il dit, lentement :

— Tu insinues, si j'ai bien compris, qu'il ne serait pas prisonnier, qu'il serait allé là-bas de son plein gré ? C'est cela ?

Le messager hésite, respire un bon coup, et, bien forcé, acquiesce :

— C'est cela, seigneur roi.

Et puis il ferme les yeux, il connaît les fureurs de Chilpéric, il attend, stoïque, l'objet lourd aux angles vifs qui ne va pas manquer de lui arriver en pleine figure, ou le coup de pied dans le ventre, ou... On ne peut jamais prévoir. Mais, cette fois, la stupeur, chez Chilpéric, paralyse la colère. Il reste un long moment sans voix. Il réussit enfin à articuler :

163

Le Sang de Clovis

— Il n'a pas été enlevé. Il s'est enfui. Il a quitté son poste. Trahi ma confiance. Abandonné l'armée. Son armée. Mon armée. Il a, mais oui, il a déserté ! Déserté ! Comme un couard ! Comme un poltron ! Comme un paysan recruté de force qui pleure après sa bonne femme et sa soupe au lard !

Chilpéric, mains au dos, arpente en rond les dalles polies. Il finit par se planter devant le messager, qui donnerait cher pour être ailleurs.

— Mais pourquoi Rouen ? Quand on déserte, c'est pour courir se vendre à l'ennemi. L'ennemi est à Metz, à Poitiers, à Bordeaux... Pas à Rouen. Pourquoi Rouen ?

Là, le messager sent une boule enfler dans sa gorge. Le plus dur de l'affaire est devant lui. Il ne peut plus reculer. Chilpéric s'impatiente :

— Tu sais quelque chose, je le vois. Allons, parle.

— Seigneur roi, le seigneur Mérovée s'est rendu auprès de la dame reine Brunehaut, que tu détiens en résidence forcée à Rouen.

— Auprès de la veuve ?

Le messager prend son élan pour tout lâcher d'un coup :

— Seigneur roi, le seigneur Mérovée a épousé en légitimes noces la dame reine Brunehaut.

— Que dis-tu là ? Qu'oses-tu dire ?

— Hélas, la vérité, seigneur roi. D'autres que moi peuvent l'attester.

— Mariés ? Devant Dieu ? Ils ont donc trouvé un tonsuré assez fou pour se prêter à cela ? Sacrilège ! Abomination ! Et sur mes terres ! Qui donc est ce traître, ce simoniaque, ce blasphémateur ?

— On parle du seigneur évêque du diocèse de Rouen, seigneur roi.

— Prætextatus ! Cette chèvre bêlante ! Mais bien sûr ! N'est-il pas le parrain de ce petit voyou ! Une chiffe molle, on en fait ce qu'on veut. Eh bien, il sera damné dans les

Le Sang de Clovis

siècles des siècles, l'évêque, et moi je vais lui faire goûter ici-bas des tourments qui vaudront bien ceux de l'enfer. Non, mais, voyez-moi ce vieux débris ! De quoi je me mêle ?

Passé la stupeur de la première surprise, la rage, peu à peu, enfle et hurle en lui. Cette rage désespérée, Chilpéric l'attribue de bonne foi à la trahison soudain révélée, à l'indignation devant le sacrilège, à la crainte des conséquences – il est bigot autant qu'avide –, à la sale peur pour sa peau, aussi, car, pour un roi de la race de Clovis, un fils est un assassin en puissance. Il y a de tout cela, bien sûr. Mais il y a surtout, plus violent que tout, un sentiment que Chilpéric a toujours ignoré et dont il subit en ce moment les tortures sans le reconnaître : la jalousie.

Chilpéric est en plein désarroi. Il ne lui serait pas venu à l'idée que cette émotion qui l'étreint en présence de l'adorable veuve, que ce trouble qui annihile sa volonté quand il est question d'elle, d'autres puissent les ressentir. Ingénument, il est persuadé que le charme irrésistible n'opère que sur lui. Chilpéric ignore avec superbe les autres hommes. L'univers se résume à lui. Et voilà qu'il lui faut prendre conscience que la très belle en subjugue d'autres ! En l'occurrence, son propre fils... Amoureux de sa tante ! Marié, même. Elle l'aime donc aussi. Tante et neveu. Honte et malédiction ! L'inceste, horreur suprême... Il en oublie que, cet inceste, il était lui-même tout prêt à le commettre, pour peu qu'elle l'eût, si peu que ce soit, encouragé.

Prudent, le messager s'est éclipsé avant que n'éclate l'orage. Puni pour puni – et peut-être de mort –, autant éviter le premier choc.

Chilpéric en est réduit à éparpiller en miettes le mobilier. Il s'en donne tout son saoul. Mais il n'est de rage qui ne cède à la fatigue. Il s'abat alors sur ce qui reste d'un article d'ébénisterie raffinée, un coffre à habits, peut-être bien, et, la tête entre les mains, essaie de mettre de l'ordre dans ses

Le Sang de Clovis

pensées en déroute afin d'en tirer un projet d'action. Chilpéric n'aime pas penser. Il veut de l'action, quelle qu'elle puisse
être. Il trouve enfin.

— Je pars pour Rouen.

Ça ou autre chose...

Ce n'est pas tellement que la reine Frédégonde ait de gros
besoins sexuels. Elle aime beaucoup ça, c'est vrai. Mais pour
elle l'accomplissement n'est pas le meilleur de la joute amoureuse. Surtout quand on a pour partenaire un de ces seigneurs francs pour qui l'idylle se réduit à préparer une
pénétration sans fantaisie, et même brutale, dont l'apogée
est marqué par une salve de puissants rugissements – on ne
proclame jamais trop haut sa virilité – suivis d'une petite tape
sur les fesses et d'un reculottage accompagné du sifflotement
des sens calmés et du cœur en paix. Une âme sereine dans
un corps bien vidé, telle pourrait être la devise du séducteur
teutonique.

Le roi Chilpéric est d'un naturel moins rustique. Les apparences sont trompeuses. Mais les raffinements qui épanouissent ses sens et font fleurir sur ses augustes lèvres un sourire
de bébé avec un peu de bave au coin n'épanouissent pas forcément les sens de sa partenaire. Ses goûts vont aux extrê-
mes : battu et être battu. Les deux variantes lui conviennent,
ensemble ou alternativement. Or, s'il trouve sans peine des
sujets à faire souffrir parmi les belles patriciennes raflées dans
les villes conquises, il éprouve davantage de difficultés à se
procurer des fouetteuses énergiques et musclées. Esclave ou
femme libre, qui oserait obéir au terrible monarque, maître
de la vie et de la mort, lorsqu'il ordonne, fesses à l'air : « Cogne ! Mais cogne donc, charogne ! Puisque je te le dis !
Allons, plus fort, c'est mou ! » Si bien qu'une moitié, et non
la moindre, de la sensibilité du roi demeure insatisfaite.

Le Sang de Clovis

La petite Frédégonde fut la seule qui, placée devant son devoir de sujette docile, ne s'y déroba pas et cogna sans retenue, de toutes ses jeunes forces, suivant les indications balbutiées par un Chilpéric pâmé de bonheur. C'est même ainsi que commença sa prodigieuse ascension. Cependant, Frédégonde, il faut bien le dire, n'éprouve qu'un fugitif plaisir, plus cérébral que sensuel, à bastonner ce gros derrière piqueté de cicatrices de furoncles. La séance se termine par un coït des plus banals, auquel Frédégonde se résigne car, au bout, il y a l'espérance du fils tant désiré par lequel elle régnera, un jour.

Frédégonde sait se tenir. Du moins, sauver les apparences. Ses expériences hors mariage, nul n'en a rien soupçonné, Chilpéric moins que quiconque. Ce ne furent pas les orgies de luxure d'une Messaline affolée de chair fraîche. Bien plutôt la recherche éperdue de quelque chose qu'elle soupçonne et n'atteint pas. Elle veut aimer, cette petite. Être aimée, si possible. Faute de mieux, elle séduit.

Frédégonde aime séduire, a besoin de séduire. Elle n'existe que lorsque autour d'elle l'air vibre du rut des mâles. La séduction émane d'elle à flots continus. Ses cheveux si noirs parmi ces tignasses pâles, ses yeux verts de chatte aux aguets, sa démarche tout à la fois sinueuse et arrogante lui valent une aura maléfique dont elle a pleinement conscience, dont elle joue, dont elle s'amuse comme une gosse d'un chaton. La petite Frédégonde aux pieds noirs de crasse, aux genoux écorchés, au cul mal lavé, promue grande séductrice fatale et, ne l'oublions pas, reine des Francs ! Quand elle y pense – elle y pense souvent ! –, cela la fait rire aux larmes.

L'intermède avec Mérovée, conçu comme une méchante blague pour affoler le puceau, un jeu pervers où le frisson délicieux du tabou profané, joint au risque frôlé, piquait ses sens, avait éveillé en elle un trouble inattendu. Elle s'était surprise à se demander si ce ne serait pas là l'amorce de ce

Le Sang de Clovis

qu'obscurément elle avait toujours cherché... Et peut-être cette explosion de haine qu'à la fin elle lui avait crachée à la face n'était-elle que le dépit d'avoir senti passer le souffle de l'insaisissable.

Toujours déçue dans sa quête d'« autre chose », Frédégonde persévère. En ce moment, les Austrasiens l'intriguent. On les dit plus barbares que les Francs de Neustrie, plus proches des origines. Elle a sous les yeux Sigoald et Godewin, les deux transfuges, traîtres à leur peuple, traîtres à leur roi, ce qui d'ailleurs ne semble les gêner en rien. Leur félonie même les classe à part, les auréole d'un attrait quelque peu maléfique. Les leudes neustriens les tiennent à l'écart. Par mépris pour la trahison, mais surtout par crainte de la concurrence. Ces deux-là se tiennent trop près du roi.

Ils sont beaux. D'une beauté sauvage qu'ils cultivent. La bimbeloterie d'or massif et de pierres précieuses dont ils ruissellent, comme tous les chefs barbares, n'est pas grossier entassement, mais savant arrangement, subtile harmonie, dont les femmes, attentives à ces choses, subissent d'instinct le charme.

Tous deux, dès leur arrivée, se sont empressés auprès de la reine. Cela plaît à Chilpéric. Il aime que sa femme soit la plus belle, la plus convoitée.

Chilpéric parti, on s'attendrait à voir les deux coqs hanter les lieux où triomphe la reine. Ce serait mal connaître Frédégonde. Tout au contraire paraissent-ils moins souvent au palais. Ils y sont pourtant davantage, mais à des heures plus intimes. Chacun a ses heures, chacun ignore que l'autre les a. Ainsi chacun peut-il se croire unique et planer dans la félicité égoïste de l'élu. Frédégonde y veille.

Hélas, elle est bientôt déçue, Frédégonde. Ces deux belles brutes se révèlent à l'usage plus brutes que belles. Derrière leur prestance, leur jactance et leur art de paraître, rien d'autre que de l'adulation de soi, de la vanité boursouflée, des

Le Sang de Clovis

façons amoureuses pires encore que celles de ses épais Neustriens. Des nigauds prétentieux. Elle aurait pu leur en remontrer, faire leur éducation. À quoi bon ? Quand elle estime que l'expérience excède les limites du fastidieux supportable, elle décide d'arrêter les frais. Et, pour punir les bélîtres de l'avoir à ce point déçue, elle met fin à l'épisode par un tour amusant de sa façon.

Elle avait accoutumé de donner rendez-vous à Godewin en un certain lieu discret, à Sigoald en un lieu non moins discret, mais suffisamment éloigné du premier pour ne pas risquer de rencontres fâcheuses. Les heures, cela va sans dire, différaient également. Une nuit d'entre les nuits, il se trouva que, sans le savoir, les deux heureux galants eurent rendez-vous au même endroit, à la même heure. Si Frédégonde y fut, elle n'y parut pas. Une esclave, d'ailleurs fort accorte, tint sa place et son rôle. L'endroit était très sombre, ainsi qu'il se doit entre amants quand l'idylle se pimente de clandestinité.

Quoi de plus saisissant, de plus effarant, pour les mains légères d'un amoureux courant, impatientes, sur la peau divine de la partie la plus secrète de la femme adorée, que d'y rencontrer une autre paire de mains, courant en sens inverse et non moins impatientes de parvenir au but ? C'est la mésaventure qui arriva aux mains des seigneurs Sigoald et Godewin, lesquels seigneurs eurent le mauvais goût de n'en pas rire, et même de s'en irriter. Cela se termina sur le pré, où furent échangées quelques estafilades, après quoi l'on alla bras dessus, bras dessous vider une cruche d'hydromel.

Mais, si l'amitié y résista, l'amour-propre s'y cabra. Les deux transfuges, rassemblant sur-le-champ leurs hardes et leurs troupes, abandonnèrent la Neustrie, son roi et, surtout, sa reine, pour s'en retourner faire leur humble soumission à

Le Sang de Clovis

leur roi naturel et légitime, le petit Childebert II, fils de Sigebert et de Brunehaut, en sa bonne ville de Metz.

Bilan de ce caprice royal : militairement désastreux pour
Chilpéric. Frédégonde devra lui expliquer cela... Il va de soi
que les deux lascars ne manqueront pas de se vanter bien
haut de s'être envoyé la reine de Neustrie – celle-là, quelle
salope ! –, mais de cela Frédégonde n'a nul souci : jamais
Chilpéric ne prêtera l'oreille au moindre ragot concernant
sa bien-aimée.

Frédégonde n'aurait quand même pas dû se payer cette
petite vengeance, comme la suite le montrera.

XVII

Qu'est-ce qui fait d'une grave mère de famille une gamine aux nattes folles lui battant les joues ? Qu'est-ce qui fait d'une sœur acharnée à venger sa sœur assassinée un chaton jouant dans un rayon de soleil ? Qu'est-ce qui fait éclore, sur les lèvres d'une veuve hantée par l'appel du mort, un sourire encore contraint qui s'épanouira en rire perlé ? Qu'est-ce qui fait que la vie saccagée ose croire au printemps ?

Celui qui fait tout cela, Brunehaut en connaît le nom. Il lui semble n'avoir jusqu'ici vécu que pour ces instants. Elle plane, elle s'abandonne, elle découvre une chose inconnue qui s'appelle peut-être le bonheur. Tout ce qui a précédé n'était que prélude.

Ce garçon, diraient les habituels malveillants, pourrait presque « être son fils ». Elle se l'est dit aussi, Brunehaut. Le premier mouvement est toujours celui des malveillants. Mais, chez les malveillants, il n'y a pas de deuxième mouvement. Ils s'en tiennent hargneusement à celui qui les arrange, qui nourrit leur malveillance. Ils n'aiment pas, ils n'ont jamais aimé, ils en sont bien incapables, ils ne peuvent voir l'amour qu'à travers des lunettes sales.

Brunehaut a vingt-huit ans, vingt-huit triomphales années. Mérovée en a dix-huit. Tous deux ont un cœur de douze ans, ce qui en fait vingt-quatre à eux deux. Ils sont beaux l'un et

Le Sang de Clovis

l'autre et encore bien davantage quand ils sont ensemble. Beaux à donner envie de ne parler que de cela.

C'est ce que font Minnhild et Petit Loup, spectateurs privilégiés de ce miracle, tous deux amoureux de la beauté – peut-être amoureux d'autre chose aussi, mais ils ne le savent pas. Ils en discutent gravement. Petit Loup démontre que la beauté, après tout, n'est que la norme, la réussite idéale du projet humain. Mais cette réussite est si rare ! objecte Minnhild. Vois plutôt : l'animal, à quelque espèce qu'il appartienne, est beau, naturellement, spontanément beau. Il est, tout simplement, réussi. Un chevreuil au bond, une hirondelle au vol sont tels qu'ils doivent être, sans effort, sans recherche. Or ils sont suprêmement beaux. Ils ne le savent pas, dit Petit Loup. Qui sait ? suggère Minnhild. Si, en plus, ils le savent, alors ils sont heureux au-delà du bonheur, dit Petit Loup. Pour être pleinement heureux, il faut être deux, dit Minnhild. Il y a du vrai, là-dedans, dit Petit Loup. Et il soupire, va savoir pourquoi. Le sait-il lui-même ?

Minnhild relance :

— Pourquoi les humains sont-ils aussi rarement beaux ?

Petit Loup réfléchit. Il n'avait jamais pensé à ça :

— C'est vrai. Ils sont bien peu souvent tels qu'ils devraient être s'ils étaient des animaux. Aux qualités qu'un maquignon exige d'un cheval, bien peu d'humains seraient estimés acceptables.

— Surtout les mâles. Les filles sont moins ratées.

— Je pense que c'est à cause de l'esprit. Dieu, en donnant l'esprit à l'homme, a tout mis dans la tête et négligé le reste. C'est pourquoi les garçons sont plus laids que les filles.

— Merci pour elles !

— Je ne parle pas des personnes présentes, bien entendu.

— Mais, si tu raisonnes juste, tous les idiots devraient être très beaux.

— Et toi, tu devrais être complètement bouchée.

Le Sang de Clovis

— Tu as une façon de tourner les compliments... Ça ne fait rien, c'est toujours bon à prendre. Mais tu as été un peu long à t'y mettre. D'habitude, on remarque cela plus vite et on n'attend pas pour me le dire.

— Moi, je prends mon temps.

On badine... Et que faire d'autre en un gîte où deux tourtereaux, perdus dans les yeux l'un de l'autre, ont arrêté le temps ?

Arrêté le temps ? Rejeté au néant tout ce qui n'est pas eux-mêmes ? Pas tout à fait. En Brunehaut veille une obstinée petite flamme qui ne veut pas s'éteindre, et qui lui fait dire :

— Petit Loup, je ne puis être véritablement heureuse tant que je sais mes petites chéries aux mains de Chilpéric. Je n'imagine pas qu'il puisse leur faire du mal, ce ne sont que femelles, donc broutilles de nul danger pour ses ambitions, mais je redoute la haine imbécile de Frédégonde, qui a là, sous la main, de quoi m'arracher le cœur à bon marché.

— Dame vénérée, j'y songeais. Ne sont-elles pas enfermées dans un monastère près de la cité de Meaux ? Fais-moi une faveur. Je ne puis demeurer longtemps oisif. Griffon tape du pied à l'écurie et Adèle me frappe l'omoplate à petits coups impatients. Je sais ce que cela signifie. Il nous faut prendre la route. Permets-moi d'aller chercher tes filles. Je me suis fait expliquer l'itinéraire d'ici à Meaux. Accepte mon offre, considère-moi comme parti et reçois mes adieux déjà lointains.

— Comment te feras-tu ouvrir les portes ?

— J'aviserai.

Pour aller de Rouen à Meaux, on peut, bien sûr, suivre la Seine jusqu'à Charenton, et puis remonter la Marne jusqu'à Meaux. Mais, outre l'ennui des méandres de ces fleuves

Le Sang de Clovis

paresseux dont la route épouse toutes les sinuosités, il faut au passage traverser Paris, ville où Petit Loup craint avec raison d'avoir semé ici et là quelques souvenirs dangereux. Il décide donc de suivre certaine route qui file droit à travers champs et forêts pour franchir l'Oise à Creil et donner pile sur Meaux. On lui a assuré qu'une antique chaussée romaine en assez bon état facilitait la plus grande partie du trajet. Voilà donc Griffon, Petit Loup et Adèle, l'un sur l'autre dans cet ordre, sortant de la ville sans anicroche – Petit Loup s'est fait des amis parmi la garnison – et rejoignant la route propice.

De la chaussée romaine ne subsistent que des fragments de dalles disjoints éparpillés parmi les touffes de pissenlits et qui, loin d'aider, font trébucher les chevaux. Griffon, dégoûté, tâte du bout du sabot avant d'aventurer le pied. Des chênes obèses, crevassés à cœur, ombragent généreusement la chaussée. C'est une compensation.

Petit Loup chevauche, placide, un brin d'avoine entre les dents. Griffon lève une oreille. Petit Loup a, lui aussi, perçu le choc léger. Quelque gland mûr à point qui se sera permis de se laisser choir sur la croupe majestueuse ? Mais le gland a deux mains qui se posent sur les yeux de Petit Loup, mais le gland a une voix acide qui ordonne « Devine ! » et puis s'étouffe dans un éclat de rire. Petit Loup ne tourne même pas la tête.

— Je m'en doutais bien. Je ne savais simplement pas où.

— Maintenant, tu sais.

Il n'ajoute rien. Ça ne fait pas l'affaire de Minnhild qui, elle, a envie de parler :

— Tu ne m'engueules pas ?

Il hausse les épaules. Ce n'est pas une réponse. Ça permet néanmoins d'en accrocher une.

— C'est malpoli, ce que tu fais. Je t'ai désobéi, j'ai couru pour me trouver avant toi sur la route que tu devais prendre, je suis grimpée dans le gros arbre, j'ai même déchiré mon

Le Sang de Clovis

petit linge, je t'ai attendu, j'ai sauté sur le dos de Griffon derrière toi, j'aurais pu rater la croupe et tomber par terre, me blesser sur ces morceaux de saloperies pointus, enfin, bon, j'ai très mal agi, très très mal, je mérite une engueulade, et même une fessée, et alors, toi : rien. Une bûche.

En effet, une bûche. Elle s'étonne :

— Tu ne me ramènes pas à Rouen ?

Elle s'émerveille :

— Tu m'emmènes avec toi ?

Ils vont, enlacés, par les allées. Ils ne songent pas à se montrer discrets, l'idée même ne leur en serait pas venue. Ne sont-ils pas mari et femme devant Dieu ? L'évêque Prætextatus vient à eux. Il hâte le pas, ce n'est pas son habitude. Lorsqu'il se trouve assez près, la peur se lit sur son visage. Brunehaut, lâchant le bras de Mérovée, accourt à la rencontre du prêtre, met un genou à terre, veut baiser l'anneau pastoral. D'un geste brusque, l'évêque retire sa main. Elle s'inquiète :

— Seigneur évêque...

Mérovée se joint à elle :

— Père, qu'y a-t-il ? Tu sembles bouleversé.

Prætextatus se maîtrise avec peine et lâche d'un trait :

— Mes enfants, il faut fuir. Le roi est ici.

Deuxième partie

FRÉDÉGONDE

XVIII

Voici donc ce que l'amour tardivement découvert a fait de Brunehaut l'avisée, de Brunehaut la guerrière : une fillette écervelée abîmée en sa passion. Elle a oublié qu'il y eût un monde, dans ce monde un Chilpéric, un Chilpéric désormais ivre de rage qu'elle ne pourra plus subjuguer par son charme.

L'imminence du danger la ramène sur terre. Avant tout, ne pas affronter le furieux dans la première explosion de sa rage, qui sera sanglante. Le seul nom de son père a paralysé Mérovée. C'est à Brunehaut de faire face.

Elle secoue l'évêque, le met en demeure de leur trouver un lieu de refuge, un lieu inviolable. Prætextatus, lui-même affolé, finit par lui indiquer une minuscule église de bois sise sur les remparts de la ville. Elle est vouée à saint Martin, patron vénéré des Gaules. Toute église est, par convention, lieu d'asile. Une église placée sous l'invocation du grand saint Martin l'est plus encore, si possible. Violer sa protection serait pis que se parjurer d'un serment prêté sur les Évangiles.

Les deux nouveaux époux s'y barricadent. S'y terrent, plutôt, les lieux étant fort exigus, le mobilier réduit à rien.

Brunehaut, quelque peu rassurée par l'aura du saint lieu, s'y arrange dans une soupente un nid d'amour. Quelques

Le Sang de Clovis

coussins, quelques tapis, quelques pièces d'orfèvrerie et la main d'une femme aimante font des miracles. L'endroit est minuscule mais douillet. Elle s'y pelotonne, attire à elle Mérovée, le rassure, le berce, le réchauffe, pauvre oiseau craintif, de sa douce tiédeur. Il se détend, lui aussi ne demande qu'à y croire, et bon, ils font l'amour, et le refont, n'est-ce pas la meilleure façon d'apaiser l'angoisse ?

Auparavant, Brunehaut a confié à l'évêque ce qui reste de ses trésors, ce maigre reliquat que daigna lui laisser Chilpéric après le marché de dupes auquel elle fut contrainte. Prætextatus tenta bien de refuser cette charge dangereuse, mais qui peut résister à un sourire de Brunehaut ? Sûrement pas le faible et tendre parrain de son mari. L'or de Brunehaut est enfoui quelque part, nul ne sait où. Il attend le moment où elle en aura besoin.

Le seigneur roi Chilpéric fait son entrée dans sa bonne ville de Rouen, de fort méchante humeur. Une troupe réduite l'accompagne, formée des hommes de sa garde personnelle, des antrustions choisis et formés sur le modèle fameux de ceux de son grand-père Clovis, redoutables et arrogants gaillards, dévoués jusqu'à la mort – ou jusqu'à la trahison –, couverts d'honneurs et de gratifications.

À son côté chevauche le comte Lantéric, son inséparable, qu'on pourrait qualifier d'« âme damnée » si la place n'était tenue avec compétence par la reine Frédégonde.

Le roi, pour irrité qu'il soit, n'est pas aussi enragé de l'envie de faire couler le sang qu'on pourrait s'y attendre. Tout au long de la route, Lantéric s'est appliqué à lui faire admettre la pertinence et l'utilité d'une relative indulgence.

Chilpéric, nature brutale avec excès, tout entière livrée à ses instincts, se pique, le croirait-on, de culture romaine. Il

Le Sang de Clovis

baragouine avec suffisance un latin barbare qu'il estime sublime, et même l'écrit, en tirant la langue. Il a pratiqué les philosophes, s'est imprégné des Pères de l'Église, discute fort doctement – croit-il – de théologie et des choses saintes. Il lui arrive de produire des vers qu'il soumet aux lettrés de son entourage – tous des clercs, par la force des choses –, séances que ceux-ci subissent avec d'hypocrites mines de gourmandise comblée. Chilpéric, tel jadis l'empereur Néron dont il a lu la vie, ne tolère que les applaudissements.

C'est donc au fin lettré et au théologien que Lantéric choisit de s'adresser. Il lui démontre avec patience, citations de la Bible et des Évangiles à l'appui, combien est coupable aux yeux de Dieu et de son Fils le Seigneur Christ Jésus, sauveur des hommes, le père meurtrier de son enfant, même lorsque le bon droit anime sa juste colère, et aussi de quel mauvais effet un tel acte serait auprès des souverains étrangers, tous plus ou moins parents de Mérovée. Il s'attache à expliquer que l'acte, certes néfaste, de Mérovée n'avait en aucune façon été inspiré par le dessein de faire la guerre à son propre père ou de l'assassiner pour prendre sa place, mais uniquement par la folie d'amour. Quant à la reine Brunehaut, elle aussi a été dominée par ses sens, elle a perdu la tête, il faut la comprendre, un si long veuvage, un tempérament de feu, ce désir des mâles tout autour d'elle... Peut-être aussi un diable malicieux s'en mêla-t-il... Est-elle dangereuse ? Non. Elle aime ses filles, que tu tiens en otage dans le creux de ta main, ô roi.

La limpidité du raisonnement séduit Chilpéric, flatté qu'on le juge digne d'en assimiler les subtilités. Et puis, la route est longue, l'effet apaisant des paroles, le balancement du cheval, tout cela le berce et le porte à l'indulgence. Il hoche la tête, bougonne qu'on verra. Lantéric sait qu'il a gagné.

Ce que Chilpéric, lui, ne sait pas – a-t-il vraiment besoin de le savoir ? –, c'est que le fringant comte Lantéric est l'amant

Le Sang de Clovis

de cœur de Frédégonde, celui vers lequel toujours elle se tourne lorsque son bras est fatigué de bastonnades sur fesses royales ou ses sens déçus d'amours coupables qu'elle avait espérées exaltantes et qui se sont révélées d'un banal à pleurer. Lantéric n'est pas compliqué, Lantéric n'est pas exaltant, il est le consolateur aux bras accueillants et aux reins solides, toujours tendre pour apaiser, toujours ardent pour assouvir.

Lantéric voit loin. Qu'y voit-il ? Une veuve encore consommable, pas désagréable du tout à satisfaire au lit, flanquée d'enfants mâles non encore en âge de régner et débarrassée d'autres enfants mâles dont les tombes proclament sa prévoyance et son amour maternel bien conçu. Il y voit encore lui-même, Lantéric, époux devant Dieu de ladite reine, prince consort, donc, et peut-être davantage plus tard s'il sait saisir sa chance et manœuvrer sa barque.

Si Lantéric, aujourd'hui, s'efforce d'incliner l'esprit du roi vers une relative clémence, c'est qu'il a intérêt à cela. Quel est cet intérêt ?

Eh bien, tout d'abord Lantéric connaît, mieux que Chilpéric lui-même, la fascination qu'exerce Brunehaut sur Chilpéric. Il sait fort bien que s'il laisse le roi, dans le premier feu de la colère, commettre l'irréparable, à savoir occire de sa main la blonde Wisigothe, il ne se le pardonnera pas, ne s'en remettra pas. Tant que Brunehaut est en vie, ennemie ou amie, Chilpéric garde, en un obscur recoin de son âme, l'espoir fou qu'elle puisse être à lui un jour. Lantéric ne veut pas tuer cet espoir, ce serait proprement émasculer Chilpéric, lui ôter tout goût à la vie, toute envie de conquête. Or Lantéric a besoin d'un Chilpéric pétant le feu. Pour l'instant, du moins.

Une autre raison, plus poétique, celle-là, est que, la vision d'avenir de Lantéric s'organisant autour d'une union tout ce qu'il y a de légitime avec la reine Frédégonde devenue reine mère et régente du royaume, il tient dès à présent à faire

Le Sang de Clovis

plaisir à celle que, dans son cœur, il considère comme sa fiancée, ce qui est galant. Quel plus beau cadeau pour une Frédégonde qu'une Brunehaut livrée pieds et poings liés, gorge tendue au tranchant de la lame ? Ce sera pour plus tard, quand Frédégonde sera veuve. Il importe donc de garder Brunehaut en vie jusque-là.

En ce qui concerne le fils prodigue, Lantéric a cru remarquer une certaine nostalgie dans le vert regard de Frédégonde lorsqu'il lui arrive d'évoquer, à mots couverts, un épisode peu clair où le flair de Lantéric hume un subtil relent de sexe, voire – oh là ! – d'amour. À suivre, à pas comptés. En attendant, prudence. Pas de geste définitif. Il sera toujours temps...

Il faut tout de même bien que la colère du roi trouve un dos sur lequel s'abattre. Un seul des protagonistes de la méchante affaire du mariage clandestin n'a pas eu sa cause plaidée par Lantéric : l'évêque Prætextatus. C'est donc sur sa falote personne que tombera l'ire royale.

Traîné sans ménagements aux pieds du roi dans le chœur même de son église métropolitaine, le serviteur de Dieu soutient contre toute évidence qu'il ignorait le degré de parenté, que, de toute façon, d'après ce qu'il apprend, ce degré n'est pas de nature consanguine, Brunehaut étant la veuve du frère du père de l'époux, donc sa tante par alliance, et que, par conséquent, si toutefois péché il y a, il ne saurait être que véniel. À l'extrême rigueur, en cherchant la petite bête, pourrait-on parler d'inceste spirituel, autant dire une bagatelle.

Quand on parle en sa présence droit canon et labyrinthe de parentèle, Chilpéric le fin juriste frétille et se laisse prendre au jeu. Le voilà qui oppose, ergote, argumente, cite saint Paul, épître tant, ligne tant, appelle l'Ecclésiaste à la res-

Le Sang de Clovis

cousse, chapitre tant, versets tant et tant... Il s'écoute parler, se grise à sa propre éloquence. L'évêque se garde bien de l'interrompre. Quand, la fatigue aidant, se fait sentir le besoin de conclure, Chilpéric a oublié ce qu'il voulait démontrer.

Il se rappelle cependant qu'il était en colère. Une grosse colère. Il ne peut moins faire qu'y revenir, fût-ce par un chemin détourné :

— Évêque, tu as commis une bien grande faute, en vérité. Enfin, ce qui est fait est fait, c'est maintenant affaire entre le Seigneur Christ Jésus et ta conscience. En ce qui concerne les châtiments terrestres, je vais commencer par te faire déposer par le seigneur pape. Pour la suite, cela dépend de toi. Je puis me montrer fort sévère si tu aggraves ta faute. Tu l'aggraves en ne me livrant pas les deux fornicateurs. J'attends.

Ce pourrait être l'occasion, pour le bon Prætextatus, d'opposer un refus héroïque et de périr crânement, face au tyran, en martyr de la foi jurée, afin d'entrer de plain-pied dans la blanche cohorte des saints, avec son jour assigné sur le calendrier. Mais son heure n'est pas venue[1]. Il répond tout simplement, comme on répond à une question qui vous est courtoisement posée :

— Seigneur roi, il n'y a là rien à livrer, ni personne. Juste un renseignement que tu pourrais obtenir en questionnant le premier quidam venu. Chacun, en cette ville, sait parfaitement que ceux que tu flétris du vilain nom de « fornicateurs » et que j'honore, moi, du glorieux vocable d'« époux » ont établi leur domicile dans l'église vouée à saint Martin, que tu trouveras, en sortant d'ici, à main gauche, sur le rempart.

À ces mots, Chilpéric sent la rage reprendre en lui toute sa violence. Il se jette sur l'évêque, poignes étrangleuses en avant. Heureusement, le fidèle Lantéric est là, qui veille au

---

1. Pas encore !

Le Sang de Clovis

grain. Il ceinture vivement le roi, le tire en arrière – il est très fort, Lantéric –, tout en demandant humblement pardon pour l'audace grande :

— Seigneur roi ! Qu'allais-tu faire ? Porter la main sur un homme de Dieu ! Dans le lieu sacré ! Devant le saint sacrement exposé !

Ce sont là les seuls mots qui pouvaient calmer Chilpéric. Il exécute à toute vitesse une demi-douzaine de signes de croix, marmonne deux *Pater*, s'essuie le front, tourne enfin vers Lantéric sa face contrite où bat encore, au coin de l'œil, la veine bleue de la grande fureur.

— Merci, Lantéric. J'allais me damner.

Il se passe la main sur le visage, comme pour remettre en place ses traits que déforma la rage.

— Donc, évêque, ils logent dans l'église Saint-Martin. C'est-à-dire en lieu d'asile. C'est-à-dire hors de portée de mes gens, qui d'ailleurs refuseraient d'y entrer en armes. Eh bien, c'est tout simple Tu vas les en faire sortir.

L'occasion du martyre serait-elle enfin venue ? Prætextatus répond calmement :

— Seigneur roi, je n'ai pas ce pouvoir. Je peux leur faire savoir que tu désires leur parler. S'ils consentent à sortir de l'église, ce ne sera que par l'effet de leur bon vouloir. Pourquoi ne le leur demandes-tu pas toi-même ? Tu seras tellement plus convaincant !

XIX

Depuis deux jours et deux nuits, Petit Loup observe le monastère, son enceinte, ses abords, les habitudes des religieuses. Il a laissé Griffon dans la grange à demi calcinée d'une ferme dont il ne reste rien d'autre – La guerre est passée par ici. Où n'est-elle pas passée ? –, avec ample provision d'eau et de fourrage. Il s'initie aux ruses du métier d'espion. Minnhild, désireuse de se rendre utile, en fait autant de son côté. Elle obtient de plus rapides progrès dans la maîtrise de la profession. Elle a des dispositions, cette petite.

Ils font le point. Minnhild est tout excitée.

— Je les ai vues !

— Les petites ?

— Évidemment, les petites ! Qui voudrais-tu... ?

— Toutes les deux ?

— Toutes les deux, et ensemble, même. J'étais grimpée dans le sapin, là-derrière, tu sais ? De là, le regard plonge dans une espèce de jardin qu'elles ont, les nonnes, et qu'on ne peut pas voir d'un autre endroit.

— Comment étaient-elles ? Tristes ? Maigres ? Battues ? En loques ?

— Elles riaient comme des folles, jouaient avec des nonnes à peine plus âgées qu'elles, dévoraient de grosses tartines de miel, étaient vêtues en ce qu'elles sont : en princesses.

Le Sang de Clovis

— Bien sûr, une nonne est une nonne. Chilpéric ne peut pas se doter de nonnes-bourreaux suivant besoin... N'empêche qu'elles sont privées de leur maman et que, la nuit, dans leur lit trop grand, elles pleurent dans les bras l'une de l'autre. C'est bien triste, pauvres enfants.

— Tu dis ça drôlement.

— Ah ?

— Comme si tu n'étais pas certain que ça se passe comme tu dis. Comme si quelque chose te tracassait. Allons, dis-tout à la petite Minnhild, mon gros ours.

Petit Loup laisse échapper un maître soupir :

— Je vais te le dire, ce qui me tracasse. Nous avons peut-être lâché la proie pour l'ombre, comme disait je ne sais plus quel vieux Grec du temps des Grecs que mon grand-père cite volontiers.

— L'ombre, c'est les petites filles ?

— J'en ai peur. Et la proie serait nos jeunes mariés.

— Explique.

— Délivrer les petites n'est pas chose d'une telle urgence. Surtout maintenant que nous les savons en de bonnes mains. Il sera toujours temps de s'en occuper. Par contre, je commence à penser que nous avons fait une grosse bêtise en abandonnant nos tourtereaux en pleine lune de miel, planant dans le ciel bleu parmi les nuages roses comme si le bonheur existait. C'est compter sans papa Chilpéric, qui doit être au courant à l'heure qu'il est, crachant feu et flammes comme un enragé. Il n'est pas homme à se laisser bafouer sans sursauter. Un vilain pressentiment me suggère qu'il fait feu des quatre fers vers Rouen, que peut-être même il y est déjà.

— Donc ?

— Donc, je saute sur Griffon, je refais la route en sens inverse et j'espère arriver à temps. Pour faire quoi ? Je n'en ai pas la moindre idée. J'aviserai

Le Sang de Clovis

— C'est ton verbe favori, « j'aviserai ». Tu pourrais le conjuguer au pluriel, et tout ce qui précède aussi. À moins que tu ne comptes m'abandonner ici ?

— Nous aviserons. En selle !

— En croupe !

L'église vouée à saint Martin n'est qu'un petit édifice de rondins très habilement disposés comme il y en a tant en Gaule, pays de bûcherons et de menuisiers. Elle érige sa silhouette tout à la fois modeste et fiérote sur le rempart même, d'où le dilemme qui n'a pas fini d'exciter les controverses entre les habitants de Meaux et ceux du dehors : l'église fut-elle bâtie avant le rempart, ou bien l'inverse ? Querelle non moins âpre que celle concernant la prééminence de l'œuf sur la poule et qui suscite mainte bataille rangée après boire.

Elle ne connaîtrait qu'une importance toute locale, cette église, dans cette ville de Meaux, antique capitale des Gaulois Meldi, siège d'un évêché et donc dotée d'une église métropolitaine où officièrent, entre autres, saint Faron et saint Saintin, si elle n'était placée sous la protection de saint Martin et, de ce fait, promue asile inviolable pour quelque pouvoir terrestre que ce soit, ce qui en fait tout naturellement le refuge de tout ce qui a quelque raison de fuir devant l'autorité, mauvais payeurs, déserteurs, coupe-jarrets, esclaves en fuite, ribaudes, criminels échappés à la potence, moines défroqués, nonnes débauchées, fillettes engrossées, galants que poursuit maint cocu, médecins ayant tué un patient de trop haute qualité et plus généralement toute engeance ayant motif à se mettre à l'abri.

Il est interdit à tout sbire, créancier ou propriétaire lésé d'en franchir, non seulement le seuil, mais aussi l'enceinte, car la cour et les bâtiments annexes, écuries, granges, loge-

Le Sang de Clovis

ments pour les hôtes de passage, sont tout aussi inviolables que le lieu du culte proprement dit, sous peine d'excommunication majeure et de privation à perpétuité de la béatitude céleste, ce qui, tout bonnement, signifie l'enfer éternel.

Il est à noter que le droit d'asile entraîne tout naturellement le droit de ravitaillement, car à quoi bon mettre les gens à l'abri de la poursuite si c'est pour les laisser mourir de faim ? Et donc, sous le nez des gardes armés postés tout autour du lieu saint et prompts à mettre la main au collet de l'imprudent qui se risquerait à laisser poindre son minois hors, passent et repassent dans les deux sens des processions de garçons boulangers, rôtisseurs, charcutiers, maraîchers, vinassiers, apothicaires et autres, les bras chargés des victuailles et denrées utiles à la vie ou à son agrément propres à leurs respectives professions. Ces bonnes choses, cela va de soi, sont destinées à ceux des hôtes de l'église salvatrice qui n'ont pas oublié de se munir d'une escarcelle bien remplie avant de venir s'enfermer là.

Brunehaut, émergeant pour un instant de son insouciance d'amante comblée, n'a pas négligé ce détail. Avant de confier ce qui reste de ses trésors à la sauvegarde de l'obligeant évêque, elle a eu soin de prélever de quoi soutenir un siège prolongé.

L'église est fort petite, et elle est fort peuplée. Hélas, ce n'est pas une foule débordant de piété qui se presse dans sa nef. Les fidèles désertent ce temple profané qu'envahissent des réprouvés plus attachés à se divertir et à faire ripaille, s'ils le peuvent, afin d'oublier la précarité de leur sort, qu'à se repentir devant l'autel et à implorer la miséricorde du Ciel pour les errements qui les ont amenés là. Il en va de même dans chaque lieu d'asile. Les rois tentent en vain d'en réduire le nombre. Le pape est inflexible en ce qui concerne les prérogatives du clergé. En tout édifice consacré il est chez lui, et tient à le faire savoir.

Le Sang de Clovis

Si bien que de lieu d'asile à lieu de débauche il n'y a souvent pas loin, c'est la pente naturelle et fatale. Le bas clergé local y trouve son compte par la rémunération de multiples complaisances, quand encore il ne plonge pas tout le premier dans les tentations charnelles qui, là, se font pressantes.

Protégés par leur mutuel amour, les deux époux ignorent les turpitudes qui les entourent. Qu'importent les contingences, Brunehaut n'a d'yeux que pour Mérovée, Mérovée pour Brunehaut. Leur amour est chaste jusqu'en ses accomplissements charnels. Là où est l'amour, tout est chaste.

Mais l'amour n'étend pas ses ailes d'arc-en-ciel sur tout un chacun et, parmi les réfugiés du saint lieu, il en est qui ne se privent pas de profiter du permanent état d'extase des époux pour leur dérober, sans trop se cacher, les victuailles avec le plat qui les contient, les bagues à même les doigts et les colliers autour du cou. Comme quoi, même uni dans le malheur, l'homme reste un renard, sinon un loup, pour l'homme.

C'est à cette forteresse dérisoire et formidable que protège, mieux que le plus épais rempart, l'invisible mur de l'inviolabilité, que se heurte le roi Chilpéric, suivi de ses terribles antrustions et flanqué, à sa droite, de l'indispensable Lantéric, à sa gauche d'un évêque Prætextatus bien désemparé.

Ce qui vient en premier à l'esprit du roi, c'est d'entrer en force dans la petite église. On causera après. Il jette un coup d'œil aux antrustions. Ces farouches ont tous mis un genou à terre et prient avec ferveur. D'accord. Ce n'est pas sur ceux-là qu'il faut compter. Des brutes égoïstes qui ne vivent que pour leur future part de Paradis, alors qu'ils devraient tout

Le Sang de Clovis

sacrifier, et joyeusement, à la satisfaction des désirs de leur maître· et souverain. Tout ce qu'on voudra, les dieux des ancêtres avaient du bon. À peine formée cette pensée impie, Chilpéric blêmit, se signe trois fois de suite, récite trois *Pater* puis trois *Ave* et demande humblement pardon pour la pensée mauvaise. Et puis il se dit qu'il aurait dû plutôt se faire accompagner de sa garde saxonne. Ceux-là sont païens, au moins !

L'évêque attend la suite des événements. Quant à Lantéric, il a suivi le cheminement de la pensée du roi comme s'il y était. Il se penche vers lui.

— Pas comme ça, seigneur roi.

Chilpéric n'est pas étonné. Il a l'habitude. Ce Lantéric a fait son nid à l'intérieur de sa tête à lui, Chilpéric. Il voit se former ses pensées comme on voit germer les salades aux premières ondées du printemps.

— Pas comme ça. Bon. Comment, alors ?

— En douceur.

— Explique-moi un peu ça.

— Je vais me faire ouvrir la porte.

— Pfft ! Le curé ne t'ouvrira pas.

— J'aurai un drapeau blanc à la main et un évêque sous le bras.

— C'est trahison. Tu te damnes.

— Ce ne sera pas trahison. Je porterai des propositions venant de toi. Pour de vrai.

— Venant de moi ? Quelles propositions ? Voyons un peu.

— La vie sauve pour tous les deux, la promesse solennelle de ne pas chercher à les séparer et de bénir leur union en bon père de famille. L'évêque se portera garant de ta bonne foi.

— Hé là ! Ça va pas ?

— Juste pour les faire sortir.

Le Sang de Clovis

— Ils ne te croiront pas. Et même s'ils te croient, toi, ils ne me croiront pas, moi. Je veux dire, ils ne croiront pas que même de bonne foi, je puisse me retenir aussi longtemps.

— Seigneur roi, ils sont amoureux. Les amoureux ont l'âme ainsi tournée qu'ils voient tout en rose et sont prêts à croire que le monde entier est amoureux et voit tout en rose

— Sais-tu que tu as peut-être bien raison, Lantéric ? Soit. Essaie. Amène la Wisigothe devant moi. Je saurai bien déceler ce que je dois faire... Ah, cette femme, cette femme ! Comme elle a su tourner la tête à mon fils, un brave garçon, pourtant. Je veux lui parler, seul à seule.

Ça, c'est ce que dit Chilpéric. Ce qu'il pense est un peu différent :

« Après tout, ce qu'elle a donné pour rien à ce puceau de mon fils, elle peut le donner à son père pour quelque chose, quelque chose de précieux, la vie de ses filles, par exemple. »

Pourquoi, de son côté, Lantéric ne penserait-il pas ? Et en effet :

« Je lis en toi comme un curé en l'Évangile, vieux bouc. Après tout, pourquoi ne te l'enverrais-tu pas, la Wisigothe ? Tu en crèves ! Ça rendrait Frédégonde encore plus féroce contre elle, donc plus heureuse encore quand je la lui amènerai à portée de lame... »

— Seigneur roi, ils ont accepté ! Ça n'a pas été facile, il m'a fallu beaucoup parlementer, mais, bon, ils ont accepté. N'est-ce pas, l'évêque ?

— Seigneur roi, j'en suis témoin. Mais ils y ont mis des conditions.

— Tiens donc ! Lesquelles ?

— Tout d'abord, que tu rendes à la reine ses fillettes aussi vite que possible, ou, mieux, que tu lui permettes d'aller les chercher à Meaux, dans ce monastère où tu les tiens, accom-

Le Sang de Clovis

pagnée du seigneur Mérovée, ton fils et son époux devant Dieu, dont elle entend ne plus être séparée.

— Rien que ça ! C'est tout ?

— Non, seigneur roi. Tu devras ensuite laisser le seigneur ton fils partir avec la reine son épouse pour le royaume d'Austrasie, où elle est appelée à exercer la régence au nom de son fils, le seigneur roi Childebert II.

Le roi Chilpéric bondit.

— Et mon imbécile de fils sera le prince consort de cette... de la reine Brunehaut, et, c'est sûr, il prendra la tête de ses armées contre les miennes, pour envahir la Neustrie, puis me faire mettre à mort, moi, son père devant Dieu, et ajouter la Neustrie à l'Austrasie... Oh, oh, Lantéric, tu t'es prêté là à un bien drôle de jeu !

— Seigneur roi, le seigneur roi ton fils fait serment de ne pas se mêler de guerre ni de politique. Vivre au côté de la reine Brunehaut suffit à son bonheur terrestre.

— Au côté d'une enragée qui veut ma mort !

— Seigneur roi, la dame reine Brunehaut fait serment de ne pas rouvrir la guerre, d'oublier la vengeance et de maintenir dorénavant la paix entre Neustrie et Austrasie.

— Hum... Serment donné sous la contrainte n'oblige le jureur que le temps de se mettre hors de portée.

— La dame Brunehaut et le seigneur Mérovée exigent que le serment soit prêté sur les Évangiles et sur les reliques d'un saint réputé, en présence de l'évêque et de plusieurs clercs de bonne renommée, qui inscriront la chose sur un parchemin dûment contresigné et scellé du sceau des personnes présentes.

— C'est la moindre des choses. Évêque, qu'as-tu, en fait de reliques, dans ton église ?

— Eh bien, j'ai une mèche de cheveux d'une des onze mille vierges, glorieuses compagnes de sainte Ursule, qui, pour sauver leur pucelage de la luxure sacrilège des Huns, consentirent au martyre...

— Laquelle des onze mille ?

— La huit mille cinq cent vingt-huitième, seigneur roi. Le chiffre est attesté...

— Tu te moques de moi, l'évêque ! La grâce est trop diluée, la force opérante trop affaiblie. La Wisigothe est pieuse et connaît sur le bout des doigts la valeur efficace des choses saintes. Jamais elle n'acceptera un garant aussi chétif. N'as-tu rien de plus consistant ?

— Si fait, mais cela fait partie du trésor de cette église-ci.

— Et alors ? Le curé n'est-il pas sous ton autorité ? En quoi consiste cette mirifique relique ?

L'évêque se signe, joint les mains.

— En un morceau du manteau du grand saint Martin.

— De ce manteau qu'il coupa en deux pour vêtir un loqueteux ?

— Celui-là même.

— Peste ! En effet, voilà de belle et bonne relique. Eh bien, ne perdons pas de temps. Dis au curé d'ici d'apporter le reliquaire, fais prévenir les clercs, procure-toi parchemin, écritoire et tout ce qu'il faut pour les sceaux. Allons, que ça saute ! Et pendant que tu y es, ramasse toutes les reliques que tu peux trouver, plus il y a de saints, mieux ça vaut, on n'est jamais trop protégé contre le hideux parjure.

Le reliquaire où est pieusement conservé le morceau du manteau de saint Martin consiste en une boîte d'or massif où sont enchâssées de grosses pierres non taillées de diverses couleurs, parmi lesquelles des rubis, des émeraudes et des topazes. Le couvercle de cette boîte est en forme de toit à deux pentes, le tout d'un travail assez grossier, à la mode germanique. Une croix d'or le surmonte. Il ne sort de l'église

Le Sang de Clovis

qu'une seule fois par an, le jour de la fête du grand saint, qui tombe le onze de novembre, pour une brève procession tout autour du parvis, seule occasion où les fidèles peuvent voir et baiser la précieuse relique. Il est hors de question de faire prendre l'air à la châsse hors ce jour solennel, même pour le service du roi Chilpéric.

C'est donc dans l'église même, sous le regard soupçonneux d'une demi-douzaine de tonsurés promus à la garde de l'inappréciable trésor, que seront prêtés les serments successifs du roi, de son fils, de Brunehaut, et que seront enregistrées les attestations de l'évêque et des autres témoins.

L'instant est chargé de gravité.

Brunehaut, le calame à la main, hésite. Elle connaît la portée de la fourberie de Chilpéric. Elle connaît aussi celle de sa terreur de la damnation. Elle voudrait pouvoir prévoir laquelle de ces deux pulsions en sens contraire l'emportera. Et peut-elle répondre d'elle-même ? Elle interdit à sa mémoire d'évoquer Galeswinthe et Sigebert, mais le pourra-t-elle toujours ? Les sanglots qui lui serrent la gorge crient vengeance. Elle se raisonne, le devoir est là, tout tracé : reprendre ses filles, rejoindre son fils, gouverner en son nom, oublier tout ce qui n'est pas cela. La solennité du cérémonial et les précautions multipliées autour du serment la rassurent à moitié. C'est cependant sur un autre atout qu'elle mise : cette fascination qu'elle lit dans les yeux fuyants de Chilpéric cherchant sans cesse les siens malgré lui, lui confirmant l'étrange pouvoir qu'elle exerce sur lui... Enfin, elle signe. Son sceau est apposé.

Mérovée, lui aussi, n'a d'yeux que pour sa reine, mais son regard est d'adoration sans mystère comme sans retenue. Il signe tout ce qu'on veut, puisqu'elle a signé.

Chilpéric lance son paraphe d'un trait, comme un javelot, en homme à qui une signature coûte peu.

Le Sang de Clovis

L'évêque Prætextatus veut de toutes ses forces croire en la vertu des saintes reliques et des Saintes Écritures, qu'on a pris soin de placer sous le lutrin incliné sur lequel le parchemin est maintenu par des bandeaux plombés.

Lantéric, impassible, observe tout le monde, signe quand vient son tour, puis observe derechef.

Eh bien, voilà. C'est fait.

XX

Petit Loup, d'une poignée de paille, bouchonne énergiquement Griffon, qui a fourni une rude course sans rechigner à la tâche et apprécie qu'on ait pour lui les égards dus. Minnhild survient, chantonnant pour elle-même et dansant pour dégourdir ses cuisses écartelées par la croupe monumentale, comme si la vie n'était qu'ailes de libellules et pétales de roses. Elle tend, fière d'elle, à Petit Loup un bonnet rempli à ras bord de mûres des haies et de merises sauvages. Petit Loup jette un œil :

— Mon bonnet ! Il va être beau !

— Il va être rouge. Les mûres sont noires, mais leur jus est rouge. C'est un mystère de la nature.

— Tu devais aller aux nouvelles.

— J'en arrive tout droit. Ça n'empêche pas la cueillette. J'en ai mangé plein. Ça, c'est ta part.

— Merci. Alors ?

— Pas de quoi. Alors, ils se sont enfermés dans l'église Saint-Martin. Lieu d'asile. Tant qu'ils ne mettent pas le bout du nez dehors, ils sont hors d'atteinte. S'ils l'y mettent, dame...

— Le roi ?

— Le Chilpéric bisque et rage. Il parlemente à la porte, promet tout ce qu'on veut pourvu qu'ils consentent à sortir.

Le Sang de Clovis

— Qu'ils ne se laissent pas avoir, surtout !

— Pas si bêtes !

— C'est tout ce que tu rapportes ? Cela, on le savait déjà, ou on pouvait s'en douter. Nous ne sommes guère avancés.

— Tu as raison. S'il n'y avait que ça...

— Qu'est-ce que c'est que cet air malin ? Tu me fais bouil-lir ! Tu sais quelque chose !

— Tu n'es pas drôle. Tu ne joues pas le jeu. Pose-moi des questions. Je te dirai si tu brûles ou si tu gèles [1].

— Tu m'agaces, tu m'agaces !

— Pas de faux-fuyant. Première question.

— Grrr... Bon. Il s'agit de l'église ?

— Mm... Tiède.

— D'un moyen pour les faire évader ?

— Là, c'est plus chaud, mais avoue que ce n'était pas malin à deviner.

— Heu... Tu t'es prostituée au chef des sbires ?

— Glacé ! Dis donc, c'est l'opinion que tu as de moi ?

— C'est l'idée que je me fais de ton sens du devoir.

— Flatteur... Après tout, je n'y avais pas pensé. Mon sens du devoir pourrait bien aller jusque-là. Il est mignon, le chef des sbires... Je te rappelle que tu es pris dans un bloc de glace. Question !

— Oh, c'est pas dur : tu as trouvé une issue secrète.

— Toi, alors... Comment as-tu fait ?

— Est-ce que c'est chaud ?

— Tu es brûlé, rôti, cuit et archicuit !

— Bon. Raconte.

---

1. Cet épisode nous montre que le jeu de « cache-tampon », sous un autre nom, était connu des Romains, puis des barbares. Les exhortations enfantines « Tu brûles ! », « Tu gèles ! » étaient passées dans le langage courant.

Le Sang de Clovis

— Un paysan, genre plouc gallo-romain. Pas loin d'ici. Sa chèvre était tombée dans un trou. Un sacré trou, profond comme l'enfer. La pauvre petite bête bêlait à te fendre le cœur. Il la tirait par les cornes, il n'y arrivait pas. Je l'aide. Je descends dans le trou, je pousse. À nous deux, ça va. La chèvre gambade. Je demande au lourdaud pourquoi il ne comble pas cette saloperie de trou. C'est vrai, quoi, la chèvre aurait tout aussi bien pu se casser une patte. Il se penche vers moi, il me parle à l'oreille, tout bas...

— Et alors ? Qu'est-ce qu'il te dit ?

— Ah, ah ! Je t'intéresse, hein ? Écoute, je me demande si je vais te le dire ou bien si je vais faire le truc toute seule. Je me tâte, tu vois...

— Ça va ! Après tout, ce trou, tu l'as trouvé, je peux le trouver aussi. On perd du temps, c'est tout.

— Non, mais, quel grognon ! Allons, je te redis tout ce que m'a confié le gentil plouc. Voilà. Ce trou, figure-toi, c'est l'aboutissement d'un souterrain très très vieux qui a été creusé dans les temps anciens, tu sais, quand les Romains jetaient les chrétiens aux lions. Là où il y a maintenant l'église en bois, il y avait une espèce de grotte, bien cachée, les chrétiens s'y réunissaient en secret pour dire la messe, et ils ont creusé en douce ce souterrain qui mène loin dans la campagne pour pouvoir se sauver en cas de danger. Et devine où il aboutit, à l'autre bout, ce souterrain ?

— Sous l'église, pardi, puisqu'ils l'ont construite sur l'emplacement de la grotte.

— Ce que tu es intelligent ! C'est juste ça, sous l'église. Personne n'est au courant. Le paysan me l'a dit parce qu'il était tellement content, pour la chèvre, mais il ne faut pas le répéter. Je lui ai promis.

— Pour la chèvre, eh ? Seulement pour ça ?

— Oh, bien sûr, je lui ai permis un petit bisou, la moindre des choses. On n'est pas des sauvages.

Le Sang de Clovis

— Et, après tout, ce ne sont pas mes oignons[1]. Nous ne sommes en effet pas des sauvages, nous sommes des taupes. En avant !

Depuis que l'on a cessé d'engraisser les lions à la viande de chrétien, depuis que ce sont les païens que l'on jette aux fauves – Chacun son tour ! –, le souterrain a perdu de son utilité. S'il serpente toujours sous la verte prairie où paissent les beaux grands bœufs aux yeux de jeunes filles, son vide intérieur – sa raison d'être – s'est vu peu à peu obstruer par les exubérances de la ronce agrippeuse et les entrelacements des racines exploratrices.

Adèle avance en tête dans l'obscurité traîtresse, dégrossissant à grands coups fauchants un chemin sommaire que perfectionne Petit Loup de ses mains emmaillotées de chiffons et auquel Minnhild, trottinant en arrière-garde, apporte la touche finale, le bouquet de violettes de la bonne ménagère.

Griffon, en surface, suit paisiblement l'itinéraire que ses sens affinés repèrent à travers deux toises de terre et de cailloux.

De loin en loin, un trou d'aération, dont l'ouverture, sans doute, émerge au beau milieu de quelque buisson d'épineux qui la dissimule, laisse tomber un rond de lumière grise. Ainsi n'est-on pas dans le noir absolu. Minnhild bougonne :

— On aurait pu emporter une torche. Tout à l'heure, ton Adèle va me faucher le nez, je sens ça venir.

— Adèle voit clair dans la nuit, ne le sais-tu pas ? Une torche, dis-tu ? Pour nous faire repérer par les trous ? Et puis, cesse de te plaindre, voici un mur de pierres fort soigneuse-

---

1. L'oignon constituait, avec le pain, la base de la nourriture du paysan gallo-romain. D'où l'ancienneté de cette expression encore si vivace de nos jours.

Le Sang de Clovis

ment ajustées. Nous sommes sous l'église. Elle est en bois, mais ses assises sont en pierre.

Tous ont signé. Tous ont fait couler la cire sous la flamme et imprimé leur sceau – s'ils en ont un – dans la complaisante matière qui, déjà, durcit et porte témoignage pour l'éternité – en principe ! – des serments de pardon et d'amour échangés entre les parties concernées.

On se congratule. Chilpéric affiche la mine réjouie-larme à l'œil du père qui retrouve après une longue séparation un fils tendrement chéri. Brunehaut sourit comme sourit une reine craignant le guet-apens : des lèvres, l'œil aux aguets. Mérovée bée aux anges. L'évêque Prætextatus, qui ne fut pas inclus dans la distribution des indulgences, essaie de sourire mais le cœur n'y est pas. Lantéric s'épanouit : cette reddition est sa victoire.

Mais voilà que, sous les pieds des assistants, le sol bouge et s'ébranle. Voilà qu'une dalle de belle taille se soulève par un côté, précisément la dalle où se dresse le meuble bahut sur lequel reposent les Évangiles ainsi que les sacro-saints reliquaires, et qui supporte également le lutrin qui servit aux signatures. Elle semble prendre son élan, la dalle, et puis, d'un coup, elle bascule comme autour d'une charnière, envoyant promener par les espaces aériens tout ce qui se trouvait dessus, meuble, Évangiles, reliquaires, lutrin, parchemin... Ça, alors !

Il faut voir là, n'en doutons pas, l'effet du courroux divin. Il faut y voir le doigt du Ciel dénonçant l'impiété et l'ignominie de ces serments à coup sûr viciés d'avance par l'intention secrète du parjure. Prætextatus tombe à genoux. Chilpéric l'imite. Les clercs et tonsurés de moindre importance courent alentour, ramassant avec force signes de croix les reliquaires disloqués, les reliques éparpillées, les livres sacrés souillés. La reine, Mérovée et Lantéric, plus circonspects ou moins peureux, attendent la suite. La voici justement :

Du large trou carré plongeant vers les sombres abîmes que laissa la dalle sauteuse émerge un large visage surmontant un large torse.

— *Vade retro, Satana !* balbutie l'évêque.

— Un assassin ! Qu'on le pende ! ordonne Lantéric.

— C'est donc toi, Petit Loup ? demande la reine.

— Tiens, mais oui, c'est Petit Loup, constate Mérovée.

C'est Petit Loup, oui, Adèle au poing, et c'est aussi Minnhild, dont le museau se montre à ras de dallage. D'un coup d'œil, Petit Loup embrasse la scène. Le roi, la reine, l'évêque, Mérovée, ce parchemin, ces objets sacrés... Comment ne pas comprendre de quoi il retourne ? Il crie :

— Seigneur Mérovée, dame reine, j'arrive à temps, n'est-ce pas ? Vous n'avez pas signé ? Oh, non ! Dites-moi que vous n'avez pas fait cela ! Qu'il n'est pas trop tard !

Les deux interpellés baissent le nez. Trop éloquent silence. Eh, si, ils l'ont fait... Mérovée tente d'expliquer :

— Il a juré. Sur les Saints Évangiles. Sur le manteau du grand saint Martin. C'est signé, là. Rien, sur terre ou dans les cieux, ne peut délier d'un tel serment.

Brunehaut ne dit rien. Elle sait ce que vaut la parole donnée, elle, et de quels effets sont les salamalecs dont on l'entoure. Ce n'est pas sur le respect de cette parole qu'elle compte. Elle joue d'égale à égal, fourberie contre fourberie, fourberie du bon droit contre fourberie de la crapule. Voilà du moins ce qu'elle se raconte, Brunehaut.

Entre-temps, Chilpéric s'est repris. Il s'est enfin persuadé qu'il n'y a dans l'événement nulle intervention divine ou diabolique. Il hurle :

— Profanation ! Sacrilège ! Qu'on les empoigne !

Le Sang de Clovis

C'est bien facile à ordonner mais, dans la pratique, empoigner nécessite des empoigneurs, c'est-à-dire des sbires, des gardes, des soldats, des argousins, des antrustions, bref, des hommes en armes. Or, dans le lieu saint, point de cette engeance. L'ordre hurlé et redoublé reste donc, faute d'exécutants, sans le moindre commencement d'exécution. Les perturbateurs s'enfoncent dans les entrailles de la terre, non sans que Petit Loup, avant de disparaître, n'ait le temps de lancer ce cri d'amitié qui sonne comme une prophétie de mauvais augure :

— Tu auras besoin de moi, Mérovée ! Et ce jour-là, je serai là.

XXI

L'épisode terrifiant du gaillard jaillissant de terre en pleine église et disparaissant aussitôt pourrait être considéré comme de mauvais augure, d'ailleurs l'évêque reste sombre et préoccupé. Mais Chilpéric, tout à la joie de l'heureuse conclusion de son affaire, veut oublier tout souci. Pour fêter la réconciliation, il festoie en compagnie de son fils bien-aimé et de celle qu'il appelle désormais, sans la moindre gêne, sa bru. Tous se gobergent et boivent d'autant, puis entonnent en chœur au dessert un éclatant *Gaudeamus igitur* aux discordances vinassières.

L'insoucieux Mérovée boit et chante, chante et boit, les yeux rivés sur le merveilleux visage de l'adorée, dont un soupçon de rose avive les pommettes. Pourtant, la reine a bu avec retenue, et si elle mêle sa voix céleste au chœur viril, elle ne cesse pas pour autant d'épier, sur les traits échauffés de Chilpéric, l'indice fugitif de la dissimulation. N'y décelant rien d'autre que les frustes expressions d'une joie sans mélange, elle ose se rassurer, sourit à son époux, chante de meilleur cœur.

Tout a une fin, même les réjouissants repas d'une heureuse famille enfin réunie. Lantéric se charge de le rappeler par un signe discret adressé à son maître. Chilpéric se lève. Tous l'imitent. L'évêque vacille, oh, si peu... Le roi s'adresse aux jeunes mariés :

204

Le Sang de Clovis

— Ainsi donc, vous voilà sur le départ.

C'est Brunehaut qui répond ·

— Seigneur beau-père, nous prendrons la route d'Austrasie dès que j'aurai réglé certaines affaires pendantes que j'ai ici.

— Comme, par exemple, rassembler ton trésor, que tu as eu soin de répartir en diverses cachettes, ce qui est fort sage, les temps sont peu sûrs.

Brunehaut se raidit. Mais non, Chilpéric a dit cela d'un ton tout à fait bonhomme. Elle précise, guettant l'effet de ses paroles :

— J'en aurai besoin, là-bas.

— Je comprends. La guerre, ça coûte.

Là encore, pas trace de sous-entendu. Elle sourit :

— Quelle guerre, donc, seigneur roi ? Nous venons de jurer paix éternelle entre Neustrie et Austrasie. Je ne vois nulle autre possibilité d'ennemi. Cet or que ta générosité a bien voulu me laisser servira à la paix, à réparer les dommages des guerres passées.

Chilpéric, d'enthousiasme, fait chorus :

— C'est bien ainsi que je l'entends ! De mon côté, j'emploierai l'or que j'ai, en toute équité, récupéré sur toi, à rendre à mes sujets ce que ces guerres imbéciles leur ont fait perdre.

Brunehaut s'incline sans répondre. Mieux vaut quitter ce terrain par trop glissant.

Chilpéric passe un bras affectueux autour des épaules de son grand fils retrouvé.

— Il me vient une idée, garçon. Pendant que ta femme mettra en ordre ses petites affaires, pourquoi n'irions-nous pas, toi et moi, en vieux camarades, faire un saut jusqu'à Meaux, où sont les fillettes, afin de les ramener ici à temps pour le grand départ ? C'est une bonne idée, non ? Je te rappelle que ce sont tes filles, quasiment, puisque tu es le mari

Le Sang de Clovis

de leur mère. Et moi, je suis quelque chose comme leur grand-père, hé, hé...

Brunehaut a entendu. Elle intervient, tout sourires dehors :

— Seigneur beau-père, Meaux se trouve sur la route de Metz, pour qui part d'ici. Cela ne nous retardera pas de les prendre en passant.

— Ta ta ta ! Tu seras bien contente – et elles, donc ! – de les retrouver deux ou trois jours plus tôt. Ainsi pourras-tu veiller à ce qu'elles soient bien préparées pour le long voyage.

— Seigneur beau-père...

— Douterais-tu de moi ? J'y verrais offense.

Brunehaut, toujours souriante, réfléchit à grande vitesse. Le serment commun est tout frais, l'impression en est encore forte sur les esprits, à commencer par celui du bigot Chilpéric. Et puis, quel intérêt aurait-il à mettre en œuvre on ne sait quelle félonie ? D'ailleurs, Mérovée sera du voyage. Oui, mais, l'escorte ?

— Seigneur beau-père, c'est très généreux de ta part. Je n'y vois qu'un inconvénient : les antrustions de ta garde personnelle. Ce sont guerriers farouches, hérissés d'armes redoutables. Mes petites filles n'en supporteraient pas la présence. Ce sont des enfants fort timides, comme tu n'as pas manqué de t'en apercevoir lorsque tu les as fait enlever.

Tant pis pour la diplomatie ! Brunehaut estime qu'il n'est pas mauvais de rappeler certaines choses en temps utile. Chilpéric a-t-il perçu l'allusion ? Sa bonhomie n'en est en rien altérée :

— Antrustions ? Qui parle d'antrustions ? Nous partons à deux, bras dessus, bras dessous, mon bien cher fils et moi. Promenade de santé. Nous avons des tas de choses à nous dire. Le temps d'aller et de revenir, la route nous semblera bien courte... Allons, c'est dit ! Embrasse ta femme, et en selle, fiston !

206

Le Sang de Clovis

La route, en effet, semble bien courte. Surtout à Mérovée qui, passé les faubourgs de Rouen, se voit soudain entouré d'antrustions à cheval sortis on ne sait d'où, lesquels escogriffes, sans prononcer un mot, se saisissent de lui, lui appuient un fer affûté sur la gorge afin qu'il se tienne tranquille le temps qu'on lui fasse subir un saucissonnage serré et minutieux. On le jette ensuite par le travers de son propre cheval, et le voilà transbahuté comme un colis, la tête pendant d'un côté, les fesses de l'autre, parmi une petite armée aux montures fringantes, aux armes étincelantes.

La plaisanterie est excellente. Chilpéric, en tout cas, la trouve telle et rit de bon cœur.

Ce n'est pas sans une secrète appréhension que la reine Brunehaut a vu s'éloigner le père et le fils. Tous ses raisonnements rassurants ne tiennent pas contre cette angoisse sourde qui lui étreint la poitrine. Elle a fait venir Prætextatus afin qu'il l'aide à faire le point sur l'état actuel de sa fortune, débris dérisoire de ce que fut l'héritage de Sigebert, pécule néanmoins salvateur qui lui permettra de regagner Metz et d'y rallier autour de son fils Childebert la noblesse austrasienne.

Brunehaut, qui fut princesse wisigothe élevée dans la vénération de l'ancienne culture, sait lire et écrire – en latin, cela va de soi – et même passablement compter, bien que l'usage des chiffres romains ne soit pleinement accessible qu'à certains clercs spécialisés dits « calculateurs ». Elle ne possède pas la pratique de la multiplication ni de la division, qui relèvent de l'acrobatie, mais ici l'addition suffit, qu'elle exerce en s'aidant de ses doigts et en comptant à voix haute, cepen-

Le Sang de Clovis

dant que l'obligeant évêque prélève au fur et à mesure les pièces d'orfèvrerie dont il estime la valeur au plus près.

Ils en sont là quand un vacarme de ferrailles entrechoquées les fait sursauter. Des pas lourds martèlent l'escalier qui descend à la crypte, des jurons soulignent des heurts, une paire de jambes nues, à la romaine, des mollets sur lesquels s'entrecroisent des lanières de cuir, à la franque, apparaissent, puis un torse, puis une face goguenarde : Lantéric. Des estafiers le suivent, lance ou épée au poing. Il se campe sur le dernier degré, jambes écartées, poings aux hanches. Il parle :

— Dame, ne perds pas ton temps à compter. Nous nous en chargerons.

Il fait un signe. Les gens en armes s'avancent, entourent la reine et l'évêque.

— En avant vous autres !

Que dire ? L'évêque pleurniche. La reine se tait. Qu'on ne la touche pas ! Un sbire se risque à lui prendre le bras. Elle le regarde, bien en face. Il pâlit, bafouille, lâche le bras comme s'il le brûlait. Ce qu'elle a lu dans les yeux de l'homme : une immense envie d'amour.

Elle prend alors conscience d'une chose : Chilpéric n'a pas osé le faire lui-même. Il sait que, devant elle, il fond. Il a donc envoyé son Lantéric, ce peigne-cul insensible. Si Lantéric a envie d'elle, il la violera sans tant d'histoires, sans risquer de s'y brûler les ailes.

Chilpéric la fuit. Elle est perdue.

XXII

La petite armée de Chilpéric a pu parcourir sans encombre l'itinéraire qui l'amena de Rouen à Soissons, capitale du royaume de Neustrie. C'est aux environs de cette dernière cité que commencent les encombres.

Le pont sur la rivière d'Aisne qu'il leur faut absolument franchir est gardé par un fort contingent de gens de guerre qui ne veulent rien laisser passer, marchandises, bêtes ou gens. Et pour les rois ? Pareil. Et pour le roi de Neustrie, qui est ici chez lui et voudrait bien rentrer à la maison chausser ses pantoufles et prendre un bain de siège bien chaud car voici trois jours qu'il chevauche sur ses pauvres fesses qui n'ont plus vingt ans ? Pour lui, encore pis ! Figure-toi que c'est justement lui qu'on est venus taquiner... Ah, c'est toi ? Charmé, seigneur roi. En arrière, s'il te plaît ! Et dis à tes gougnafiers, là, de se calmer un peu... Non ? Alors, sonne du cor, Agéloric !

Esclave de la discipline, le nommé Agéloric embouche son cor, gonfle les joues et fait retentir de sinistres mugissements. À cet appel, voilà toute une armée bien équipée qui rapplique, qui enveloppe en professionnels connaissant la manœuvre dans les coins le petit contingent d'antrustions, tandis que survient, se dandinant d'un air avantageux et se frisant la moustache, un fier-à-bras en qui Chilpéric reconnaît...

Le Sang de Clovis

— Godewin !

C'est bien Godewin, en effet, le transfuge d'Austrasie, le leude félon qui, en compagnie de cet autre rat, Sigoald, trahit sans vergogne la cause sacrée de son seigneur le roi Childebert, fils de Sigebert et de Brunehaut, pour se vendre à Chilpéric, lequel à cet instant ne comprend rien à ce qui se passe, ou craint de trop bien comprendre. Le fier-à-bras confirme :

— C'est bien moi, seigneur roi. Bienvenue à toi.

— Que me dit-on ? Tu t'opposerais à mon retour dans ma ville ?

— On te dit vrai, seigneur roi. Ces braves que tu vois ici réunis, renforcés des braves de mon compère Sigoald, effectuent en ce moment même et dans les règles de l'art militaire le siège de ta ville de Soissons.

Chilpéric hoche la tête. Il n'est pas surpris. Trahison et changement de bord sont choses courantes. Un peu amer, tout de même.

— Vous avez tourné casaque, en somme ?

— On peut appeler ça comme ça, mais ce ne serait pas gentil. Je préfère dire que notre conscience tourmentée nous a rappelé où sont notre devoir et notre honneur.

— Votre conscience aurait-elle souffert de quelque atteinte à votre honneur ?

— Une conscience bien faite n'a besoin d'aucun autre stimulant que son sens inné de la droiture pour se décider à agir.

— J'entends bien. Je dis à tout hasard que si votre conscience s'estime, de mon fait ou de celui des miens, lésée en quoi que ce soit, je suis prêt à réparer. Je conçois d'ailleurs mal comment la reine Frédégonde, mon épouse, qui avait charge du royaume en mon absence, n'a pas tout mis en œuvre pour apaiser ces consciences et vous retenir, tout au moins jusqu'à mon retour, car, savez-vous bien, je suis grand expert en cas de conscience et tourments de l'âme.

Le Sang de Clovis

Godewin grimace un curieux sourire, comme s'il évoquait quelque souvenir mi-figue mi-raisin.

— En ce qui concerne la reine, rassure-toi, seigneur roi. Elle a fait tout ce qui était en son pouvoir, lequel, certes, est grand. Mais qui peut lutter contre une conscience incorruptible ?

Chilpéric, comme négligemment, fait sonner l'escarcelle qui pend à sa ceinture.

— Un connaisseur de l'âme humaine vraiment attaché à aider son prochain trouve toujours les arguments qui apaisent.

Godewin jette un œil alentour. Les gens de guerre font cercle, curieux comme des moineaux, ne laissant rien perdre du dialogue, approuvant de la tête aux répliques bien venues. Chilpéric comprend que le moment est mal choisi pour un examen de conscience. Il dit, de son ton le plus royal :

— Il faudra donc que je te passe sur le corps. Ce sera fait en temps voulu. À bientôt.

La reine Frédégonde, prévenue à temps, a pu fuir Soissons avant que les bandes austrasiennes des transfuges repentis Godewin et Sigoald n'aient investi la ville. Elle a trouvé refuge à Compiègne, petite cité neustrienne plus éloignée de la frontière d'Austrasie et donc moins exposée aux coups de main. De là, elle a eu tout le loisir de rameuter les leudes neustriens les plus proches dont les troupes font désormais écran entre sa précieuse personne et le danger qui vient de l'est.

C'est là que Chilpéric, faute de pouvoir entrer dans Soissons, se rabat à son tour. Les retrouvailles des époux sont empreintes d'une certaine gêne, chacun des deux ayant quelque chose à se reprocher : Chilpéric de n'avoir toujours pas

Le Sang de Clovis

envoyé Brunehaut rejoindre son mari là d'où l'on ne revient pas, Frédégonde de n'avoir pas su retenir les transfuges et même – Chilpéric le soupçonne – d'être cause de leur retournement et donc de la situation précaire où il se trouve de ce fait.

Le meilleur moyen pour se tirer d'une situation embarrassante est d'attaquer le premier. Tous deux le savent, mais Frédégonde est la plus prompte. Elle lance sans attendre, désignant le triste Mérovée, qui n'est plus ficelé, seulement entravé des pieds et des mains, et qui offre l'image accablante d'un désespoir sans fond :

— C'est tout ce que tu rapportes ? Au lieu de la tête de la louve dans un sac, le louveteau aux dents longues ? Et vivant ! Et plein de malfaisance !

Elle a tenté sa chance. Elle marque un point. Chilpéric, penaud, a baissé la tête. Mais voilà qu'il se reprend. Il tient à se prouver à lui-même que, dans son ménage, l'homme porte la culotte. Il redresse la crête, le prend de haut :

— C'est bien à toi de parler sur ce ton ! Toi à qui je laisse à gérer pour un petit instant un royaume prospère et victorieux et que je trouve, à mon retour, terrée en un trou comme un lapin peureux, tandis que ceux dont j'avais su faire des alliés ravagent mes terres, tuent mes gens et mettent à sac ma capitale ?

À Frédégonde de baisser la tête. Pas pour longtemps. Évidemment, les faits sont là. Comme il est hors de question d'expliquer par le menu à la suite de quelles circonstances les deux Austrasiens ont changé de camp, elle improvise, carrément, à la fortune du pot :

— Seigneur roi, il y a complot. Ces deux traîtres ne sont que des instruments. La maudite Wisigothe, que tu as laissée vivre, pour ton malheur, pour le mien et celui de nos enfants, dirige de loin les affaires d'Austrasie. C'est elle qui incite le Conseil de régence à t'attaquer, au nom du petit morveux,

Le Sang de Clovis

son fils, malgré la foi jurée. Elle trahit ses serments à peine les a-t-elle prononcés.

Cette fois, Chilpéric l'écoute. Tout ce qui peut alimenter sa peur maladive de la trahison l'émeut profondément. Lui qui trahit à tour de bras, lui qui assassine en grande allégresse, il vit dans une obsession abjecte d'être trahi et assassiné. L'évocation d'une Brunehaut traîtresse et avide de son sang le plonge dans les transes d'une douloureuse surprise. Il n'avait jamais pensé à elle sous cet angle... Un détail, cependant, le tracasse :

— Mais l'Austrasie est bien loin de Rouen. Comment aurait-elle pu faire ?

Frédégonde sent qu'elle tient son auditoire. Elle y va à fond :

— Rien n'est trop loin pour qui use de magie. Les Wisigoths, tu le sais, sont ariens. Tous ces hérétiques de la diabolique secte d'Arius ont commerce avec les démons, c'est d'eux qu'ils tiennent leur puissance. Ta Wisigothe comme les autres. Ses ordres voyagent dans les airs, sur les ailes des chauves-souris, qui sont les messagers de l'enfer.

Là, c'est quand même un peu gros. Un timide nuage de scepticisme freine la colère montante de Chilpéric. Il faudrait des arguments plus immédiats, plus palpables. Les voilà ! Frédégonde a tout ce qu'il faut :

— Tu doutes, seigneur roi ? Je te comprends. C'est tellement monstrueux. Mais vois donc comment cette magicienne a réduit ton fils à merci ! Ce qui l'attache à elle n'est pas amour, c'est fascination diabolique, c'est enchantement surnaturel, c'est maléfice, c'est magie et sorcellerie !

Chilpéric est ébranlé. C'est qu'il y a du vrai, là-dedans. Il l'a constaté sur lui-même. Pourquoi ne peut-il la tuer, hein ? Celle-là et personne d'autre. Pourquoi ne peut-il même sévir longtemps contre elle ? La magie, ça existe, et la preuve :

213

Le Sang de Clovis

l'Évangile dénonce les magiciens comme impies et sectateurs du démon. Voilà qui explique bien des choses.

Mérovée, lui, n'y peut plus tenir. Tout entravé qu'il soit, il se jette sur la calomniatrice et hurle :

— Mensonges ! Mensonges ! C'est toi la sorcière, putain ! Toi qui salis tout, car tu ne peux supporter qu'existent la beauté, la pureté, l'amour !

Frédégonde s'attendait à quelque chose de ce genre. Elle esquisse un saut en arrière. Mérovée, les jambes liées, tombe piteusement à ses pieds. La scène manque de pathétique. Chilpéric, qui a des lettres et le sens du tragique, en prend conscience. Il va pour redresser son fils, mais un regard de Frédégonde l'en dissuade. De son mignon petit pied elle envoie rouler le jeune présomptueux. Chilpéric entrevoit ce pied, qu'il connaît si bien, qu'il n'a pas vu depuis longtemps, dont son regard jamais ne se rassasie. De ce moment, il croira comme parole d'Évangile tout ce que dira ce petit pied. L'air de celui qui, ayant mûrement réfléchi, est enfin parvenu à la certitude, il énonce :

— Tu es envoûté. Je m'en doutais. Cette sorcière a fait de toi sa chose. Je ne peux plus avoir confiance en toi.

Ce qui excite le rire sans joie de Mérovée :

— Comme si tu avais jamais eu confiance !

Chilpéric se dresse, soudain illuminé par une révélation aveuglante.

— Je comprends tout ! Elle t'a envoyé ici pour m'assassiner, c'est bien ça ? Avoue !

Il semble bien que Chilpéric, emporté par la peur et la colère, perd de vue les circonstances. Il oublie que c'est lui qui a amené en ce lieu, contre son gré et par trahison grande, son fils Mérovée, ficelé comme un saucisson. Et il s'échauffe, Chilpéric, tout lui devient clair :

— L'homme jaillissant de terre en pleine église, c'était un coup monté, n'est-ce pas ? Pour m'assassiner ! Tu n'avais pas

Le Sang de Clovis

le cran de le faire toi-même, alors, toi et ta ribaude, vous avez payé un tueur pour faire le travail. Mais le coup a manqué. Cet imbécile n'avait pas prévu qu'il déboucherait sous le lutrin et tout le bazar. J'ai bien vu le signe qu'il t'a fait avant de disparaître, j'ai entendu ce qu'il t'a dit. Vous étiez de mèche ! Et c'est l'or que j'ai laissé, par pure charité, à ta putain qui paie mon assassinat ! Et qui paie aussi les transfuges félons ! Oh...

Chilpéric perd tout contrôle. Il n'est plus que peur panique, il ne voit partout autour de lui qu'assassins et maléfices, qu'universelle haine dirigée contre lui, il délire, il écume, il tire son épée, la brandit au-dessus de Mérovée.

— De toute façon, tu n'es plus mon fils. Un parricide, même s'il a manqué son coup, ne peut hériter de son père, Dieu ne le permet pas. Cette femme-ci (du menton, il désigne Frédégonde) m'a donné un fils selon mon cœur et m'en pondra encore bien d'autres.

Pour conclure, de toute sa rage, de toute sa peur, de toutes ses forces concentrées dans ses deux poings, il abat la lourde lame.

Mérovée, épouvanté, a beau se tortiller à terre, il n'évitera pas le terrible tranchant. Sauf...

Sauf si Frédégonde ne se hâte de faire ce qu'elle fait, justement : elle se jette, l'épaule en avant, contre le flanc de Chilpéric, qui chancelle sous le choc, rattrape son équilibre par un pas de côté, tandis que l'épée s'abat à grand fracas et coupe net en deux une dalle de granit qui n'avait pas mérité ça.

Pourquoi a-t-elle fait cela, Frédégonde ? Oh, une impulsion... Quelle impulsion ? C'est bien ce qu'elle se demande en se flanquant mentalement des coups de poing sur le nez. Elle analysera ses mobiles inconscients plus tard. Pour l'instant, il lui faut faire réponse aux questions de Chilpéric qui,

Le Sang de Clovis

coupé en plein élan, ne comprend pas et voudrait bien comprendre.

— Explique-moi. Je réalise enfin ton plus cher désir, tout au moins la moitié – l'autre moitié ne perd rien pour attendre –, et toi, toi... Hé, serais-tu contre moi, toi aussi ?

Aïe ! C'est le moment de jouer serré. Frédégonde, une fois de plus, improvise. Elle s'en tire avec brio. Elle commence à avoir de la pratique.

— Seigneur roi, ton fils !

— Mon fils, oui, je sais. Et alors, quoi, « ton fils » ?

— Tu ne peux pas tuer ton fils.

— Oh, que si ! Ce serait même déjà fait si... Enfin, bon, écarte-toi. Ce coup-ci sera le bon.

— La damnation, seigneur époux ! La damnation éternelle.

— On dit ça... De toute façon, j'ai déjà tué Galeswinthe, ma deuxième femme – pour tes beaux yeux, je te ferai remarquer –, alors, un peu plus, un peu moins...

— Galeswinthe n'était que ton épouse, celui-là est de ton propre sang.

— C'est lui qui a commencé. Il a voulu me tuer.

— En es-tu si sûr ?

— C'est toi qui viens de me le dire !

— J'ai supposé, seigneur époux, supposé seulement.

— Écoute, il faut savoir ce que tu veux. Je ne tue pas, tu me fais une scène. Je tue, tu m'en fais une pire.

— J'ai souci de ta gloire ici-bas et de ton salut là-haut, seigneur. Tue, soit, mais en temps et heure. Entoure-toi de circonstances. Aie l'air d'avoir été attaqué, de t'être défendu, tout ça devant témoins irrécusables. Ainsi, le pape t'absoudra et t'ouvrira les portes du Ciel. Autrement, tu risques l'interdit, voire l'excommunication. Tu n'aurais plus d'alliés, l'approche de la sainte table te serait déniée, nul ne t'obéirait, tout un chacun pourrait te tuer et gagner le Paradis.

Le Sang de Clovis

— Tu crois ?

— C'est toi, le théologien. Est-ce que je n'ai pas toujours voulu ton bonheur et ta fortune ? T'es-tu une seule fois repenti d'avoir suivi mes conseils ?

Mettant à profit cette controverse conjugale, Mérovée, rampant et se tortillant, est parvenu à gagner le mur le plus proche et à se coucher dans l'angle que forme ce mur avec le sol. Ainsi la lame homicide ne pourra-t-elle atteindre son cou sans heurter d'abord les pierres du mur, contre lesquelles elle s'ébréchera avec force étincelles. Ce ne serait, de toute façon, que reculer pour mieux sauter. Mieux vaut placer son espoir dans la dialectique de Frédégonde.

Dialectique qui semble décidément agir sur le courroux royal, puissamment aidée, il faut bien le dire, par la force persuasive irradiant de deux yeux pers et par le troublant arôme montant de l'échancrure généreuse d'un corsage prometteur de délices offertes tout autant que désirées.

Mais qu'est-ce qui lui a pris, à Frédégonde ? C'est la question qu'elle se pose, dans l'intimité de la chambre où elle gît, seule, sur un entassement de peaux d'ours, noirs, les ours, elle trouve que le noir va bien à une brune aux yeux vert-bleu. Quoique le blanc... Alors, elle change. Elle n'aime pas dormir auprès d'un homme. L'homme, c'est fait pour l'amour. L'homme qui dort ronfle. Ça tue l'amour. En tout cas, Chilpéric ronfle... Mais qu'est-ce qui lui a pris ? Qu'est-ce qui lui prend ? Frédégonde sait faire face. Surtout à elle-même. Elle est bien obligée de finir par reconnaître que l'espèce de viol qu'elle a fait subir à son beau-fils, pauvre agneau, a semé en elle certaines graines bien gênantes pour sa tranquillité d'esprit. Et certaines évocations font naître des vagues de frissons au plus profond d'elle... Allons, regarde les choses

217

Le Sang de Clovis

en face, ma grande : tu es amoureuse. Amoureuse ? De ce gamin ? De ce transi qui bée, pétrifié, devant l'autre blondasse prétentieuse, laquelle, entre nous, doit être fade comme un navet ? Eh, oui, que veux-tu, ce sont choses qui vous tombent dessus sans prévenir.

Ayant admis l'inadmissible, Frédégonde l'accepte. L'ayant accepté, elle fera ce qui doit être fait. Les mains sous la nuque, les yeux perdus dans le noir, elle trace son plan.

XXIII

La route de terre s'étrécit, se fait chemin cheminant par collines et vallées, frôlant au passage des monastères cossus bien barricadés de murailles de pierre, traversant des villages misérables où croupissent les attachés à la glèbe, contournant de loin des châteaux de rondins qui, du haut de leur butte de terre, dominent et tiennent à l'œil la racaille gallo-romaine et d'où peuvent saillir à tout moment des estafiers bardés de fer rançonnant l'imprudent qui voyage sans escorte.

Griffon va à son pas, qui est un petit trot de promenade. Petit Loup et Minnhild, l'un derrière l'autre, oscillent au rythme guilleret du trot. Petit Loup est songeur. Il se tait, ruminant on ne sait quoi. Minnhild aussi est songeuse. Elle, quand elle songe, c'est à voix haute. Ce qui donne ceci :

— Je me demande si tu ne fais pas une bêtise.

— Pourquoi « tu » ? Nous sommes deux, ou bien je me trompe ?

— Tu es l'homme. Tu décides.

— Mettons. Alors, la bêtise ?

— Le choix était : délivrer la reine ou délivrer Mérovée. Tu en es d'accord ?

— Hon, hon.

— Nous avons opté pour Mérovée. Nous y allons de ce pas. Eh bien, plus j'y pense, plus je sens que c'était le mauvais choix.

219

Le Sang de Clovis

— Mais c'est la reine elle-même...

— Tûtûtt... La reine laissait parler son cœur, pas sa raison. La reine tremblait tant pour son petit mari chéri qu'elle en oubliait de trembler pour elle-même. Juste avant qu'ils ne l'emportent pour l'enfermer dans cet affreux cachot, nous pouvions encore agir. J'avais le sachet de sable tout prêt. Je le balançais dans les yeux des deux sales types, et alors, toi, fort comme tu es, tu attrapais la reine, tu te la jetais sur l'épaule, on grimpait les marches quatre à quatre, on sautait sur Griffon, c'était gagné.

— Tu arranges les choses vite fait, toi ! Tu ne les as peut-être pas vus, alors je te signale qu'il y avait, là-dehors, prêts à nous sauter dessus, deux douzaines de costauds en armes qui n'attendaient que ça... Et, en admettant que nous leur ayons passé sur le ventre, qu'aurions-nous fait de la reine ? Tu pensais galoper d'un trait jusqu'à la frontière d'Austrasie ?

— Ça valait le coup d'essayer. Adèle nous aurait frayé le chemin.

— Adèle est la reine des haches, elle n'est pas pour autant une hache-fée, elle a ses limites. Et puis, il y a ce qu'a dit la reine. Qu'est-ce qu'elle a dit, la reine, hein ?

— Je n'ai pas bien entendu.

— Moi, très bien. Elle criait assez fort.

— Elle criait quoi ?

— Comme si tu n'avais vraiment pas entendu !

— Fais comme si. Répète pour moi.

— Elle criait : « Ne vous souciez pas de moi ni des petites ! Nous ne sommes pas en danger. Sauvez Mérovée ! Je vous en supplie, sauvez-le ! »

— C'est bien ce que je disais. L'amour lui fausse le jugement. L'amour rend bête, c'est bien connu.

— Qu'est-ce que tu connais de l'amour, pisseuse ?

— Là-dessus, je t'en apprendrais peut-être, puceau !

Le Sang de Clovis

— D'accord. Tu me donneras des leçons, dès que nous aurons réglé cette affaire.

— Qui est de délivrer ce grand benêt.

— Et vite, car il est en danger de mort.

— Peut-être est-ce déjà fait.

— Dans ce cas...

Petit Loup perçoit, dans son dos, quelque chose comme un reniflement. Il tourne la tête :

— Hé ! Tu pleures ?

— Il est si beau !

— Un peu délicat, pour mon goût. Mais... Tu es amoureuse, ma parole !

— Ça ne se commande pas.

— Et tu hésites à lui sauver la vie ?

— Justement. Le sauver pour une autre...

— Pour Brunehaut. Brunehaut n'est pas une autre.

— Brunehaut est Brunehaut, je sais... Et il n'y en a qu'une, je sais, je sais... Tiens, toi qui fais le malin, tu crois que je ne vois pas comme tu changes de couleur rien qu'à prononcer son nom ?

— Peuh... Et alors ?

— Alors, tu es amoureux, mon vieux ! Et sans espoir, tralalère !

— Comme toi.

— Comme moi. Deux cœurs blessés. Nous sommes bien à plaindre, toi et moi. C'est pourquoi il faut que nous soyons très gentils l'un pour l'autre, très prévenants. Surtout toi.

— J'essuierai tes larmes, promis. Nous approchons de Compiègne, ce n'est pas trop tôt.

— Compiègne ? Nous n'allons pas jusqu'à Soissons ?

— Pendant l'absence de Chilpéric, les Austrasiens lui ont fait la blague de mettre le siège devant Soissons.

— Alors, il s'est replié sur Compiègne ?

Le Sang de Clovis

' — Voilà. Il y a rejoint la reine Frédégonde, qui s'était réfugiée là juste à temps.

— Quelle époque ! Tu sors de chez toi pour faire pisser le chien, tu ne peux plus rentrer, des arsouilles te barrent la porte.

— Il faut dire aussi que Chilpéric court au-devant des ennuis. Qui sème le crime récolte la vengeance.

— Oh, c'est trop beau, ça ! Je le graverai sur mes tablettes.

— Tu sais écrire ?

— Nous autres, jeunes filles wisigothes de l'aristocratie, sommes éduquées dans l'amour et le respect de la culture... Mais toi aussi, tu sais écrire.

— C'est de tradition dans la famille.

— Ah, oui. Ton grand-père, le fameux Hun blond ? C'est un érudit, paraît-il.

— Homme d'étude par goût, d'épée par la force des choses... Bon. Il va falloir étudier notre coup. Déjà, savoir où Mérovée est enfermé.

— Et faire vite. Frédégonde ne laisse pas traîner les choses. Chilpéric risque d'avoir un mouvement de clémence pour son fils. Frédégonde, elle, ne se laissera pas attendrir.

Tandis que Petit Loup, Minnhild et Griffon se préparent à entrer dans Compiègne, à l'exact opposé, par la porte qui ouvre sur la route de Soissons, le roi Chilpéric quitte la ville. Il caracole, enseignes au vent, à la tête d'une petite armée piaffant du désir d'en découdre. Il a préparé son affaire avec soin. Échelonnés le long de la route, des contingents commandés par des leudes fidèles viendront grossir ses effectifs, si bien que, lorsqu'il tombera sur ces insolents Austrasiens qui osent assiéger sa capitale, il n'en fera qu'une bouchée.

Le Sang de Clovis

En effet. Il n'en a fait qu'une bouchée. Les troupes des deux transfuges doublement félons se sont débandées au premier choc. Soissons la belle est libérée. Chilpéric y entre en vainqueur, procède aussitôt à quelques exécutions sommaires, pour l'exemple, puis retrouve ses pantoufles et ses chères habitudes, parmi lesquelles une esclave slavonne à la blonde chevelure, au corps accueillant, aux yeux suffisamment bleus pour lui procurer une illusion de Brunehaut. Tout ce qu'il rêve de faire à l'inaccessible, il le lui fait, avec fougue d'abord, avec ennui ensuite. Il lui faut convenir que Brunehaut n'est pas qu'une chevelure, un regard, un corps soumis. Il y a autre chose, l'essentiel, qui manque ici. Il renvoie la Slavonne à ses tâches ménagères. Un accablement le saisit, comme toujours *après*, mais là, pis. Il se rattraperait bien le moral sur Frédégonde, Frédégonde aussi lui fait de l'effet, pas le même effet, mais ça soulage. Seulement, voilà, Frédégonde est restée à Compiègne, attendant que soit apaisé le tohu-bohu guerrier pour venir reprendre sa place.

Au matin, on lui annonce qu'une délégation austrasienne, précédée de porteurs d'enseignes de tissu blanc – ce qui, partout, signifie une demande de trêve –, sollicite la faveur d'être reçue par le puissant et glorieux roi de Neustrie. Le chef de la délégation a, paraît-il, des cadeaux à remettre au seigneur roi. Les cadeaux sont les politesses obligées entre plénipotentiaires. Chilpéric aime les cadeaux.

— Qu'ils entrent, mais sans armes. Et qu'on surveille leurs mains.

Paraît l'émissaire, un officier de haut grade qui, ayant décliné son nom et celui de son père[1] et précisé qu'il parle

---

1. L'histoire n'a pas retenu ces noms. C'est dommage. Nous aurions pu les inventer, mais la vérité avant tout.

Le Sang de Clovis

ici au nom de son seigneur, le puissant et glorieux roi d'Austrasie Childebert II, fils de Sigebert, fait signe qu'on fasse venir les cadeaux.

Deux soldats austrasiens entrent, l'un après l'autre, tirant par une corde, comme des paysans menant leur chèvre à la foire, les seigneurs Godewin et Sigoald, en chemise, pieds nus et baissant bien piteusement le nez.

Le sourire qui s'épanouit sur la royale face dit assez si ces cadeaux sont agréés. Quoique un peu d'or ne ferait pas mal non plus dans le tableau... Et justement, un troisième soldat tend au roi un court bâton délicatement ciselé et terminé par une gracieuse main de jeune fille grandeur nature, le tout en or massif et destiné à gratter le dos du roi quand une puce se permet de le démanger, chose dont même les rois ne sont pas à l'abri.

Chilpéric, ravi, joue un instant avec son gratte-dos. Il se demande s'il fera tout de suite couper la tête aux deux sacripants, et puis il décide de se les garder pour plus tard, et alors il procédera lui-même, en prenant son temps.

L'émissaire austrasien, sur un signe du roi, prend la parole pour présenter, au nom de son maître, le puissant et glorieux seigneur roi Childebert, ses excuses et son total désaveu concernant l'acte de guerre infâme et déshonnête commis à l'encontre de la personne et des biens du glorieux et puissant seigneur roi Chilpéric, à l'insu dudit seigneur roi Childebert, par les deux trublions malfaisants et irresponsables qu'il livre de présent à la juste vindicte dudit seigneur roi Chilpéric afin qu'il en soit fait selon ce qu'il décidera, assurant en outre ledit seigneur roi Chilpéric de sa parfaite innocence en ce forfait et de son désir très grand d'établir des liens d'amour et d'amitié indéfectibles autant qu'éternels entre nos deux grandes et glorieuses nations.

Le roi, ayant écouté avec attention, se lève, s'avance, bras écartés, vers l'envoyé de Childebert et l'embrasse fougueuse-

224

Le Sang de Clovis

ment, puis, les joues ruisselantes de douces larmes, l'assure que rien au monde ne pourrait lui faire plus plaisir, que sa joie est immense, car enfin c'en est fini des guerres fratricides tellement néfastes aux peuples et aux récoltes, que la paix est son unique désir, à lui, Chilpéric, et que, pour gage de son bon vouloir, il remettra tout à l'heure au cher ambassadeur, pour son maître, un cadeau d'une somptuosité telle que le roi comprendra combien est grand et sincère l'amour de son oncle. Car, ne l'oublions pas, je suis son oncle, à ce cher enfant !

L'émissaire se garde soigneusement de faire remarquer que cet oncle plein d'amour a fait assassiner le père du cher enfant et que si le cher enfant lui-même est en vie, ce n'est pas la faute à l'oncle. Dire cela ne serait pas diplomatique.

Eh bien, voilà. La bonne humeur règne. Le roi Chilpéric commande qu'on fasse venir tout ce qu'il faut pour rafraîchir les gosiers méritants. On trinque – « Hoch ! Hoch ! Hoch ! » – à l'amitié avec de l'hydromel, au pardon des offenses avec du vin des coteaux de Burgondie, à la paix avec de la bière douce, à la prospérité avec de la bière amère, aux belles femmes avec du lait de jument fermenté (recette héritée des Huns), à l'amour avec du poil autour avec un mélange d'un peu tout ça.

On est émus, très émus, et gais, très gais. Il faut vraiment l'être pour oser formuler, même avec les courbettes diplomatiques d'usage, la requête que formule le plénipotentiaire austrasien :

— S... seigneur roi, glo... glorieux et p... puissant, il s... serait ag... agréable au sei... seigneur roi Chil... Childebert, m... mon maître, que tu l... laissasses la dame r... reine Bru... Brunehaut, s... sa maman, r... revenir l... librement auprès de l... lui, car le s... seigneur roi Ch... Childebert, m... mon maître, est en... encore un p... petit enfant qui p... pleure la nuit et ap... appelle sa maman. V... voilà. C'est dit. Hips.

Le Sang de Clovis

Chilpéric a écouté avec patience. Il est moins gai que l'ambassadeur, pourtant il a bu davantage. Son premier mouvement est de faire couper la tête à l'ambassadeur. Et puis il se souvient à temps que c'est un ambassadeur, justement, couvert par les plis du drapeau blanc. Ce qui lui donne le loisir de passer au deuxième mouvement, lequel est de se dire qu'il y a peut-être une idée, là-dessous. En effet, que pourrait-il bien faire de cette emmerdeuse, sinon la tuer de ses mains ou la faire étrangler par un autre (dommage !) dans son cachot ? Or... Or... Eh bien, oui, à cette pensée un spasme le prend aux entrailles, appelle ça comme tu voudras, il ne peut pas, il ne peut pas ! Par contre, eh, eh, s'il la renvoie à son merdeux, telle qu'il la connaît et tel qu'il connaît l'entourage du mioche d'après ce que ses espions lui en ont rapporté, la survenue de l'ambitieuse Wisigothe va déclencher la grande pagaille, la bagarre à couteaux tirés, les assassinats en série, avec un peu de chance le petit roi lui-même... Bref, la fin de l'Austrasie, tout au moins sa mise à genoux, et lui, Chilpéric, prêt à bondir. Surtout s'il a fait ce qu'il faut pour aider les événements... Enfin, bon, c'est ce que Chilpéric se raconte à lui-même, peut-être même y croit-il, en tout cas c'est ce qu'il tâchera de faire avaler à Frédégonde.

Car, ça y est, il est décidé. À l'ambassadeur qui commence tout juste à se rendre compte de l'outrecuidance où l'ont poussé les trop généreuses rasades et qui, soudain dégrisé, attend, verdâtre, l'ordre qu'on lui sépare la tête du tronc, il adresse un sourire plein de bonhomie et, avec une tape dans le dos qui manque le faire choir, il annonce :

— J'y pensais justement, camarade. Tu as su m'émouvoir On ne fait pas en vain appel à mon bon cœur. C'est dit, je la relâche. Tu peux l'annoncer au petit Childebert, de la part de son tonton.

XXIV

Adèle, cela va de soi, est de l'expédition. Collée à plat contre le vaste dos de Petit Loup, le fer bien calé sur l'omoplate, elle dort. D'un œil, comme les chats. Vienne le moment où elle doit entrer dans la danse, elle bondit, son manche vient se mouler aux paumes qui l'épousent étroitement, et c'est l'éclair d'acier.

Griffon, lui, n'en est pas. Il a fallu lui expliquer qu'il est trop volumineux pour passer par un soupirail. Il a levé un coin de lèvre maussade, a secoué la crinière, tourné le dos et lâché un paquet de crottin qu'il devait garder en réserve pour l'occasion. Et puis il s'est mis à brouter l'herbe tendre, faisant exprès d'enfourner des touffes de primevères aux ravissants coloris pour bien donner à comprendre qu'il n'était pas content, au cas où l'on ne s'en serait pas aperçu.

Les voilà dans le noir dédale souterrain. Ils ont fait le raisonnement suivant : Mérovée est captif, donc enfermé dans une prison. Le palais est une ancienne villa gallo-romaine. Toute villa comprend un ergastule, qui est la prison destinée aux esclaves désobéissants. Donc, Mérovée est enfermé dans l'ergastule. Action : trouver l'ergastule. Après, on avisera.

Ils cherchent, de cave en cave, tombent sur des réserves de bûches, sur des empilements d'amphores, sur des débarras hérissés de ferrailles rouillées, se cognent à des choses angu-

Le Sang de Clovis

leuses, retiennent des cris de douleur, entendent des voix...
Hé là ! Entendent des voix ! Se figent sur place. Se guident à
l'oreille. Parviennent, à tâtons, à une lourde porte. Qui
devrait être fermée. Qui ne l'est pas. L'ergastule ? L'ergastule. Petit Loup risque un œil. Un filet de jour bien malade
filtre d'un soupirail que clot un volet de bois muni d'une
fente fort mince. C'est là qu'on parle.

Il faut un certain temps à l'œil pour deviner deux formes,
humaines peut-être, c'est tout ce qu'on peut en dire. L'une
est assise, dans une attitude d'accablement, sur ce qui pourrait être une sorte de bat-flanc scellé au mur. L'autre silhouette se tient, elle aussi, assise sur le même siège, mais son
attitude offre l'aisance de qui se trouve là parce qu'il l'a bien
voulu, n'a pas de souci immédiat concernant sa liberté et, à
mieux regarder, se meut avec une élégance de gestes, une
grâce dans le maintien qui ne peuvent être que féminines...
Féminines, parfaitement ! Ce que confirme la voix qui en
émane, car c'est ce personnage qui parle.

Petit Loup jouit d'une ouïe particulièrement affinée. Minnhild n'a pas non plus à se plaindre sur ce point. La créature
féminine couvre sa voix, mais un phénomène acoustique dû
à la voûte en plein cintre conduit indiscrètement cette voix
assourdie jusqu'aux oreilles attentives des deux libérateurs de
prince consort en détresse. Voici ce que discernent ces
oreilles :

— Seigneur prince, il faut me croire. J'ai grand regret du
mal que je t'ai causé. Je ne te connaissais pas, alors. Je te
haïssais. Je croyais te haïr. Je t'ai forcé à commettre avec moi
l'acte de chair. C'était méchanceté pure. Je voulais te salir,
introduire en ton âme les tourments horribles du sacrilège
commis, de la damnation fatale. J'ai éveillé tes sens, malgré
ton horreur. Je t'ai fait crier ton plaisir. Car tu as crié, et
crié ! Et moi aussi j'ai crié, comme jamais auparavant, comme
jamais plus ensuite... Puis j'ai ricané, je t'ai craché au visage

Le Sang de Clovis

ma joie de ta chute, je me suis repue de ton désespoir... J'étais folle, j'étais aveugle, je ne savais pas voir clair en moi. Par la suite, ces instants n'ont plus quitté ma mémoire, et ce n'est pas le triomphe qui emplissait mon cœur, mais le regret qu'ils eussent été si courts, l'horrible certitude qu'ils ne reviendraient plus et, par-dessus tout, le désir insensé de les faire renaître, de les faire durer toujours, toujours, dans tes bras, mon amour, dans tes bras.

Au fil du propos une exaltation gagne cette voix, lui faisant peu à peu négliger toute prudence. Les derniers mots vibrent de passion.

Petit Loup se sent indiscret. Gêné, aussi. La pudibonderie n'est pas son fait, cependant il déteste surprendre autrui en position de suppliant d'amour. Il trouve cela humiliant. Il est vrai qu'ici c'est une voix de femme qui supplie, c'est davantage dans l'ordre des choses. Minnhild n'a pas de ces scrupules. Elle raffole des idylles. Celle-ci lui est échue en cadeau inattendu, elle s'en emplit les yeux et les oreilles.

Un aveu aussi passionné s'accompagne de mouvements appropriés. Aussi les spectateurs non désirés voient-ils la silhouette présumée féminine s'approcher de l'autre silhouette, que l'on peut raisonnablement supposer masculine, et d'où part ce cri :

— Arrière, serpent !

Cri bien faible, en vérité. Cri d'oisillon près de succomber, cri qui n'arrête en rien le rapprochement des silhouettes, lesquelles n'en forment bientôt qu'une, qui bascule sur le bat-flanc tandis que s'exhale un ultime et résigné « Arrière... », aussitôt étouffé par ce qui est incontestablement un baiser. S'ensuivent divers bruits et gesticulations, soupirs, succions, gémissements et « Non, c'est mal ! » pas très convaincants qui laissent supposer que la dame a pris la situation en main, jusqu'au paroxysme triomphal qui confirme en tout point les assertions de ladite dame : tous deux crient, crient

Le Sang de Clovis

très fort, très longtemps et bien ensemble, ce qui, entre nous, n'est pas prudent du tout.

La petite main de Minnhild serre le bras de Petit Loup, ses dents mordent sa lèvre, un gros soupir soulève ses seins menus au moment de l'apothéose. Petit Loup lui souffle à l'oreille :

— Eh bien...

Sa voix est un peu rauque. Elle répond :

— Oui, n'est-ce pas ?

Ils n'applaudissent pas les artistes, mais le cœur y est.

S'ensuit l'accalmie qui suit l'orage des sens. De l'amas affalé sur le bat-flanc émerge un visage sur qui tombe le pâle rai filtrant du soupirail aveuglé. Pour la seconde fois, Minnhild serre le bras de Petit Loup au point d'y enfoncer les ongles.

— Mérovée !

— Et Frédégonde, je présume.

— Pauvre petit !

— Je ne le trouve pas tellement à plaindre.

— Tu ne comprends pas.

— Ce qu'il y a à comprendre, elle l'a parfaitement expliqué.

— C'est une goule, une dévorante, un succube ! Elle veut le damner. Elle l'a pris de force. Tu as vu ? De force ! Oh, la sale bête !

— Le péché commis sous contrainte ne compte pas.

— Ce n'est pas tout. Elle veut le détacher de sa Brunehaut.

— Impossible. On ne se détache pas de Brunehaut.

— Comme tu as dit cela ! C'est toi que Brunehaut devrait aimer.

— Alors, tu ne me plaindrais plus. Ça me manquerait. Tu plains très bien.

— Chut !

Le Sang de Clovis

Répercutée jusqu'à eux par l'arcature propice, là-bas la conversation, réduite en fait à un monologue, a repris. La sensuelle voix de la femme, dont l'assourdissement volontaire ne parvient pas à affadir les troublantes inflexions, susurre :

— Tu es l'homme qu'il me faut. Je suis la seule femme qui sache te satisfaire. Nous sommes prédestinés l'un à l'autre, de toute éternité. Je le sens. Je le sais. Ne nous quittons plus, mon bel amour ! J'ai pour toi des projets, des projets immenses, des projets fous, que seuls toi et moi, unis, pouvons mener à bien. Tu es mon roi, je veux te faire roi par-dessus les rois. Oublie la Wisigothe. Tu as cru l'aimer. Amour d'enfant, amour de dents de lait ! Elle est froide comme du veau froid, cela se voit. Tout dans la tête. Obsédée par ses vengeances. Tu n'as été pour elle qu'un instrument, le moyen d'approcher Chilpéric, le meurtrier de sa sœur Galeswinthe et de son époux Sigebert, à qui elle ne pardonnera jamais, pas plus qu'à moi-même, d'ailleurs. Tu es aussi un petit coq ardent qu'il est bon d'avoir sous la main, pour une veuve à la vertu rigide. Le pape arrangera ça, nous ferons valoir l'inceste. Il est vrai qu'il y aura nouvel inceste lorsque tu m'épouseras, mais tout s'arrange quand Frédégonde s'en mêle.

— T'épouser ?

— Quand le gros Chilpéric aura débarrassé la place, bien entendu.

— Tu...

— Je, parfaitement. Mais le poignard, c'est toi qui le plongeras dans ses tripes pourries.

— Hé !

— Il le faut, mon chéri. Nous devons être égaux dans l'acte décisif. Si tu veux, je lui tiendrai les bras. Ou, tiens, encore mieux : tu viens par-derrière et tu lui tranches la gorge pendant qu'il me fera ce qu'il ose appeler l'amour. Je l'immobiliserai solidement, compte sur moi.

Minnhild souffle :

Le Sang de Clovis

— Il ne va pas se laisser faire, quand même ?

— Chut ! Écoute.

La voix féminine, après un temps de silence pendant lequel, sans doute, elle attendait une réponse qui n'est pas venue, reprend :

— Tu ne dis rien ? Tu m'aimes, tu ne peux le cacher, c'est éclatant. Pas assez cependant pour faire le grand saut avec moi ? L'avenir que je t'ai fait entrevoir est trop grandiose ? Ton imagination ne peut le concevoir ? Tu veux du temps pour y penser ? Je pars pour Soissons dans deux jours. Chilpéric m'y attend. Tu seras du voyage, dûment enchaîné dans une cage de fer. Emploie ces deux jours à bien peser mes paroles. À mesurer la grandeur de mon amour. De notre amour, car, tu ne le sais pas encore, tu m'aimes aussi follement que je t'aime, seulement ta petite âme timide renâcle devant l'évidence. Si tu ne sais pas saisir ta chance, je laisse Chilpéric te faire couper la tête. J'y veillerai même personnellement.

« Ne t'avise pas de raconter tout cela à Chilpéric, il ne te croirait pas, il ne croit que moi.

« Que Dieu te donne le courage de faire le bon choix. Ta mort me causerait un chagrin terrible, je ne peux pas imaginer la vie sans toi, j'en crèverais sans doute, mais tu l'aurais voulu.

« Je te quitte, mon amour. Fais en sorte que ce ne soit pas un adieu.

Elle s'en va. Minnhild et Petit Loup s'écrasent contre le mur. Ces paroles dérobées, condamnation à mort pour qui les a entendues, s'il est pris, les ont fait se serrer l'un contre l'autre, et même dans les bras l'un de l'autre, et maintenant les laissent un bref instant sans voix. C'est bien sûr la petite qui, la première, questionne :

— Il ne peut pas l'aimer, dis ? C'est impossible ! Elle est sincère, tu crois ? À mon avis, c'est encore un de ses pièges.

Le Sang de Clovis

— Tout est possible. C'est une passionnée. Elle n'avait jusqu'ici trouvé nul objet digne de sa capacité de passion. Il est d'autre part certain qu'elle est ambitieuse jusqu'à la démesure, que Chilpéric n'aura été qu'un marchepied vers des desseins plus hauts et que, Chilpéric mort, les fils premiers-nés, dont fait partie Mérovée, accéderaient à sa succession de préférence à ceux qu'il aurait de Frédégonde. Son amour est sincère ou bien il n'est qu'une ruse. Ou bien encore il est sincère mais de la nature des feux de paille. Elle se laisse facilement leurrer par son emballement du moment. Dans tous les cas, passion sincère, caprice ou ruse, ses amours et son ambition coïncident dans un même but. Le calcul est habile : Mérovée serait accepté par les leudes sans trop de mal et porté sur le pavois. On n'approfondirait pas trop l'enquête sur la mort de Chilpéric. Quant au mariage, aux questions de répudiation et d'incestes en cascade, le pape en effet couvrirait tout ça de l'autorité du pontificat suprême, il a trop besoin de la force des Francs pour le protéger des Lombards et autres rapaces qui grignotent ses malheureuses provinces.

— De toute façon, nous, on est venus pour le délivrer, on le délivre. Les histoires de famille, ça ne nous concerne pas.

— Tout à fait d'accord. Je pense que la dame reine est partie, et bien partie. Ce serait peut-être le moment, hum ?

— J'ai entendu cliqueter de la ferraille. Suppose qu'il soit entravé et enchaîné au mur ?

— Adèle avisera. Allons !

Leur élan est stoppé net. Une ombre s'est détachée de derrière la colonne trapue qui supporte l'autre retombée de la voûte et, rasant le mur, s'est faufilée par la porte du cachot, cette porte que la visiteuse a laissée ouverte en s'en allant, ce qui tendrait à confirmer que le prisonnier, solidement enchaîné, ne requiert nullement l'usage de verrous.

Petit Loup a bondi, sans un bruit. Minnhild le suit. Parvenus sur le seuil, ils braquent leurs regards dans l'ergastule, et ils voient.

Le Sang de Clovis

Devant un Mérovée livide, effectivement enchaîné à son bat-flanc, se tient un homme, un Franc à n'en pas douter, un Franc de haute caste, le poignard à la main, l'invective à la bouche :

— Toutes des putains ! Et celle-là plus putain que toutes ! Alors, comme ça, ce n'est plus moi qui liquiderai le gros père ? C'est toi, maintenant, blanc-bec ? Qu'est-ce que tu as de plus que moi ? Tu la fais crier plus fort, à ce qu'il paraît ? Moi aussi, je l'ai fait crier plus fort que personne avant moi, il fut un temps. C'est ce qu'elle disait. Chaque fois pareil : tout nouveau, tout beau. Et c'est qu'elle y croit ! Chaque fois elle a déniché l'oiseau rare, le seul, le vrai ! Elle veut rétablir pour lui l'Empire des Césars, rien que ça ! Elle en serait l'impératrice, cela va sans dire. Dans ton cas, il y a un plaisir de plus, un truc suprême, le sommet du vice : tu es le fils. C'est ton propre père que tu tuerais. Un régal de gourmet, non ?

« Et moi, dans tout ça ? Oh, moi, j'ai fini de servir, je suis usé, si je deviens emmerdant, un coup de couteau dans un coin noir, on n'en parle plus... Et tu crois que je vais laisser faire ?

« Une chance que je l'aie vue se faufiler dans les soubassements. Je me méfiais, je sentais du relâchement dans ses abandons, des cachotteries dans ses confidences. Elle ne me parlait plus du grand projet... Je comprends pourquoi, à cette heure. Elle s'était entichée de toi. Elle t'a violé, ça elle me l'a raconté, j'ai trouvé la chose amusante. Il paraît qu'elle y a pris goût.

« Eh bien, mon garçon, je suis navré, au fond je ne te veux aucun mal, tant que tu ne me gênes pas. Mais, là, vois-tu, tu me gênes, et grandement. Je vais te sortir le cœur de la poitrine, gentiment, ce sera vite fait si tu ne gigotes pas trop, et puis je l'offrirai à dame Frédégonde, ma bien-aimée, elle pourra vérifier si, comme elle le proclame, ce cœur bat à l'unisson du sien. Elle m'en voudra sur le moment, mais je

234

Le Sang de Clovis

la connais, elle a du ressort. Et le papa Chilpéric, c'est Lantéric qui l'occira, comme prévu initialement.

Minnhild sursaute :

— Lantéric !

Petit Loup pose un doigt sur ses lèvres.

— Chut !

En effet, ce n'est guère le moment de se perdre en exclamations et commentaires. Lantéric – puisque c'est lui – s'approche du malheureux Mérovée, qui tire en arrière sur ses chaînes mais se trouve vite à bout de course, et lance en avant son bras que prolonge la lame exquisément affûtée pour, par un mouvement tout à la fois plongeant et circulaire, procéder à l'extraction annoncée.

C'est alors que dame Adèle, s'abattant sur ce bras, fait échouer la démonstration. Elle aime trop intervenir à l'ultime ultime moment, Adèle. Elle prend des risques. Un jour, cela lui jouera un tour. Elle est arrivée à pas de loup – à pas de Petit Loup, hihi ! –, son manche bien calé dans les deux poignes jumelles, et elle a frappé, sans vaine brutalité, du talon de la lame, juste là où ça fait très mal parce que la peau est si près de l'os. Elle aurait tout aussi bien pu couper le bras homicide, Adèle, elle aurait pu, oui. Mais Adèle est bonne fille, elle croit à la rédemption du pécheur.

Le pécheur, en l'occurrence le seigneur Lantéric, ne peut retenir un cri de douleur, lâche son poignard et, se méprenant, dans l'ombre, sur le nombre des intervenants, prend la fuite en se tenant le bras.

Sans se préoccuper de lui davantage, Adèle s'attaque joyeusement aux anneaux scellés dans la muraille à quoi sont fixées les chaînes de Mérovée. C'est fait en un clin d'œil. Le jeune homme est libre de ses mouvements autant qu'on peut l'être quand chacun d'eux fait tintinnabuler une clinquaille sonore et, il faut bien le dire, assez pesante. On réglera cela plus tard, dehors. D'abord, sortir de là. Vite !

Le Sang de Clovis

Petit Loup, du noble geste dont un patricien romain s'enveloppe du pan de sa toge, envoie tout le paquet, soit Mérovée et ses ferrailles, sur son épaule gauche, attrape Minnhild par la main, et les voilà courant vers ce qu'ils estiment être la direction du soupirail par où ils sont entrés.

Tirée par la poigne impitoyable, Minnhild, sur ses petites pattes à ressort, fait six bonds là où Petit Loup développe deux enjambées. Le grand garçon bougonne :

— Allonge, tu nous retardes !

Elle halète :

— C'est toi qui nous retardes ! Où tu crois aller, là ? Tu tournes le dos, niguedouille ! À droite, à gauche, et puis tout droit ! J'ai peut-être des petites pattes, mais j'ai le sens de l'orientation, moi.

C'est bien vrai. En moins de rien ils aperçoivent devant eux la ligne droite qui mène à l'endroit par où ils ont pénétré dans la crypte. Ce n'est pas trop tôt. Mérovée, même aggravé de ses chaînes, ne pèse pas trop à l'épaule musculeuse de Petit Loup, mais la mélopée gémissante qu'il lui débite à l'oreille est à la limite du supportable :

— Vous savez, ce n'est même pas vrai, ce qu'elle raconte. N'allez pas croire. Je ne l'aime pas. Pas du tout. Elle m'a pris de force, je le jure. Je criais parce qu'on ne peut pas s'empêcher, dans ces moments-là, vous devez savoir ce que c'est. Mais, vrai, je ne l'aime pas du tout du tout. Et puis, tuer mon père... Non, mais, pour qui elle se prend ? Je sais bien que, dans certains cas, c'est le seul moyen, mais moi, je ne veux pas être roi du monde. Je veux seulement vivre avec Brunehaut. Je l'aime, Brunehaut, moi...

Au bout de la ligne droite, le soupirail, mais... Mais qu'est-ce que cette soudaine lumière qui entre à flots, qu'est-ce que cette porte qui s'ouvre à deux battants, porte basse prolongée par un plan incliné destiné sans doute à faire rouler les bûches qui alimentent le foyer souterrain de l'hypocauste

Le Sang de Clovis

chauffant toute la demeure ? Cette porte ouverte si à propos n'inspire pas confiance. À juste titre car, de chaque côté, luisent les lames frétillantes d'une escouade de lascars résolus appostés là, visiblement, pour accueillir les fugitifs, ce que confirme la présence à leur tête du seigneur comte Lantéric, qui guette le trou noir, ses beaux traits crispés sur une grimace de douleur, la main gauche soutenant le bras droit.

— Tiens ! N'est-ce point là le diable qui jaillit de l'enfer par les trappes dans les églises ?

Lantéric a la mémoire des visages.

Petit Loup, ébloui par la lumière du jour, marque une pause, le temps d'évaluer la situation. Il regarde Minnhild. Minnhild le regarde. Elle dit :

— Ben, oui, hein.

Petit Loup, d'un coup d'épaule, remonte Mérovée, le cale au mieux entre cou et omoplate. Adèle comprend qu'on a besoin d'elle. Elle saute dans la main prête à l'accueillir, et en avant !

C'est la course de côte éperdue, la pente de la rampe est abrupte, les chaînes cliquettent, les mollets gémissent mais se bandent à éclater, Petit Loup et compagnie émergent, pleins de feu, parmi les estafiers féroces. Adèle entre en transe, le moulinet infernal redresse les nez, rabat les mâchoires, enfonce les panses, ploie les dos dans le mauvais sens... Mérovée, ardent à se rendre utile, du haut de son perchoir fait merveilles à coups de chaînes par le travers des trognes. Minnhild joue de sa petite taille : tête baissée dans les basventres, c'est ça qui fait mal, tiens ! Mais fais donc attention, Minnhild, tu vas te faire assommer... Aïe ! C'est fait. Elle gît face contre terre, la vaillante petite. Un grand brutal lève son javelot pour la clouer au sol. Petit Loup, preste malgré ses handicaps, se baisse et, d'une seule main, hop, ramasse la mignonne et se l'envoie sur l'épaule (l'autre). Adèle se remet à tracer son chemin, elle fonce vers la lumière, elle va y arri-

237

Le Sang de Clovis

ver, elle y arrive... Mais, qu'est cela ? Un sbire plus malin que les autres, comprenant que la prise importante est Mérovée, s'est glissé par-derrière et, usant habilement d'une espèce de grappin muni d'un croc, croche dans le paquet de chaînes pendouillantes et tire à lui. Mérovée choit lourdement.

Aussitôt, la meute tout entière des estafiers, délaissant les autres fugitifs qu'environnent Adèle et son étincelant tourbillon, se jette sur lui, l'entraîne à l'intérieur et disparaît, stimulée par Lantéric.

Seule s'entend la voix désespérée de Mérovée hurlant ces mots d'adieu qu'amplifient les voûtes sonores :

— Ne vous occupez pas de moi ! Courez ! Courez ! Allez lui dire que je vis ! Que je ne vis que pour elle, que je l'aime à tout jamais et que nous serons bientôt réunis, s'il plaît à Dieu.

La voix s'amenuise et s'éteint à mesure que le crieur s'éloigne dans les profondeurs souterraines. Un dernier écho, très affaibli, réussit à grand'peine à franchir l'espace obscur pour venir mourir aux oreilles de Petit Loup :

— Inutile de lui parler de la chose avec Frédégonde...

Lantéric, flanqué de deux ou trois sbires, est resté en arrière, l'épée au poing, afin de prévenir toute tentative de Petit Loup. Il ricane :

— Chante, bel oiseau. Tu chanteras moins demain.

À quoi Petit Loup se sent obligé de répondre par cet avertissement solennel :

— S'il arrive malheur à Mérovée, le seigneur roi Chilpéric apprendra ce qu'il en est de tes rapports avec la reine ainsi que de tes secrètes ambitions. Ainsi, veille avec grand soin sur sa santé. Ta tête en répond.

XXV

Le roi Chilpéric parle :

— Si je t'ai bien suivie, femme – et, certes, te suivre n'est pas chose aisée, tant tu ondoies et zigzagues en tes entrechats et volte-face ! –, tu ne veux plus que je punisse ce traître, ce bâtard, cette fausse couche de Mérovée (il crache) comme il le mériterait, c'est-à-dire par la mort. Tu as tes raisons, tu me les as longuement exposées, j'avais plus ou moins compris sur le moment, je crois que depuis j'ai un peu oublié tout ça. Peu importe. Ce ne peuvent être que de bonnes raisons, puisque ce sont les tiennes. Et c'est tout naturel : tu m'aimes, tu m'es attachée plus qu'à ta vie même, tout ce que tu fais est pour mon bien, si je ne t'avais je serais perdu en ce monde de traîtres, de parjures et d'assassins.

Une larme coule le long de la joue du roi, une autre suit l'arête de son nez puis, arrivée au bout, pend dans le vide, telle une perle très précieuse. La reine tire de son sein un carré de soie de Chine et, pieusement, recueille ces humides témoignages de la tendresse royale. Émue à son tour, elle se laisse tomber à genoux aux pieds de son seigneur afin de baiser avec passion la main qu'il lui abandonne.

Le comte Lantéric, debout, bras croisés, s'emplit l'âme de l'édifiante scène conjugale. Il sent qu'il va, lui aussi, se mettre à pleurer. Ces Mérovingiens sont d'une sensibilité extrême.

Le Sang de Clovis

Chilpéric laisse filer quelques instants consacrés à l'émotion douce, puis il enchaîne :

— Tu as, ai-je dit, chère épouse, tes raisons, qui, même s'il m'arrive de ne pas les comprendre entièrement, n'ont pour objet, j'en suis bien assuré, que ma sauvegarde, ma gloire, mon bonheur en ce monde et mon salut en l'autre, pour cela je te fais tout à fait confiance, quand on aime on ne doute pas.

« Tu as, donc, tes raisons, que j'admets. Par réciproque et amour commun, il faut donc que tu admettes les miennes. Je prends un exemple. Tu m'as détourné de faire occire l'infâme Mérovée, le méchant enfant. Bien qu'il m'en coûtât, j'ai acquiescé à ton désir, puisque c'était ton désir. À mon tour, je te fais savoir que mon désir, à moi, est de ne pas laisser occire sa mère. En cela, bien que j'aurais du mal à m'en expliquer, n'ayant pas reçu en don ton agilité d'esprit ni ta rigueur dans la rhétorique, en cela je n'ai en vue que ton bonheur, ta sécurité et ton salut, comme bien tu peux penser, car moi aussi je t'aime d'amour ardent.

Frédégonde a un frémissement. Son regard durcit. Vite, elle baisse les yeux. Si Chilpéric a vu, son bon sourire n'en est en rien altéré.

Le silencieux Lantéric prend mentalement note de ces aimables propos et se demande ce qu'il peut y avoir d'intéressant à glaner pour lui là-dedans. Bah, on verra en temps utile. Le roi poursuit :

— Nous laisserons donc la reine Brunehaut aller à sa guise, nous lui rendrons ses filles chéries...

Frédégonde, c'est plus fort qu'elle, intervient :

— Et son or ?

— Ne soyons pas chiens. Nous le lui laissons. Pour ce qu'il en reste...

— À peine libre, elle courra à Metz.

— J'y compte bien !

Le Sang de Clovis

— Ah, oui ?

— Brunehaut à Metz, c'est la fin de l'Austrasie.

— Tu t'avances beaucoup.

— Aurais-je compris quelque chose que tu n'as pas encore compris ? Moi, esprit infirme ? Allons, tu te moques. Tu me fais marcher.

— Pas du tout. Je ne demande qu'à m'instruire.

— Alors, écoute bien. Le petit morveux est en ce moment entre les griffes rapaces des grands chefs de clans, qui dépècent le royaume, pillent le trésor, n'ont aucune envie de relancer la guerre contre moi. Ils haïssent tout ce qui vient d'ailleurs. Quand la Wisigothe leur arrivera dessus comme tombant du ciel et qu'elle prétendra régner au nom du mioche, je la connais, tout nettoyer, tout remettre en ordre et, surtout, reconstituer l'armée pour me rentrer dedans, car elle ne pardonnera jamais, jamais, plutôt crever... je te laisse imaginer le travail. L'Austrasie sera vite à feu et à sang, bonne à cueillir comme une fraise bien mûre.

Frédégonde a un regard presque admiratif.

— Tu as trouvé ça tout seul ?

Chilpéric s'efforce à une contenance modeste. Mais Frédégonde se renfrogne. Une inquiétude lui est venue. Elle fronce le nez :

— Dis donc, toi, tu es bien sûr que c'est là ta seule raison pour faire grâce à la Wisigothe ? Il n'y aurait pas un brin de fumet de blonde coincé dans un repli de tes narines... ?

Elle n'attend pas de réponse, elle la fournit elle-même :

— Mais non, tu es trop paresseux de la tête pour aller imaginer un truc aussi tordu, aussi compliqué, pour une histoire de cul.

— Comme tu me connais bien, mon ange !

Le Sang de Clovis

Plus tard. Le comte Lantéric est allé vaquer aux devoirs de sa charge, quels que puissent être ces devoirs. Les époux royaux sont seuls, à part les esclaves de service, bien sûr, mais tient-on compte des ustensiles ? Ils prennent une collation légère mais reconstituante. Frédégonde demande, comme négligemment, tout en grignotant une cuisse de volaille :

— Au fait, le petit Mérovée, qu'en faisons-nous ?

Chilpéric prend son temps. Il tend son gobelet. L'esclave dont c'est la charge y verse l'hydromel, boisson des dieux et des rois. Il boit, avance les lèvres afin que l'esclave prévu pour cela les lui essuie avec la délicatesse requise – sinon, la tête roule dans la poussière ! –, rote avec élégance, parle :

— Ma très belle, tu l'as voulu vivant. Il est à toi. Jusqu'à un certain point, s'entend. Mort, il n'eût pas fait problème. Vif, il nous faut le tondre.

— Ses beaux cheveux...

— Qu'est-ce à dire ? Tondu, il t'intéresse moins ? N'y a-t-il pas, là-dessous, quelque chose dont je devrais prendre ombrage ?

— Tu ne vas pas te mettre à être jaloux de ton fils ?

— Eh, eh... Il semble que le coquin ait un petit quelque chose, un certain charme dont les dames veuves semblent raffoler. Or, pour devenir veuve, il faut déjà être mariée, première condition. Tu es mariée, c'est un fait. La deuxième condition, je préfère ne pas l'évoquer.

— C'est horrible, ce que tu dis là. Tu vas me faire pleurer. Rien qu'à imaginer que tu puisses... C'est trop dur !

— Je plaisantais, ma colombe. Tu n'es pas près d'être veuve, si cela ne tient qu'à moi ! Tiens, ce parricide, cet incestueux, ce culbuteur de veuves dans la paille, on le tond et on le fourre dans un monastère bien sévère, avec défense qu'il en sorte jamais. C'est dit. N'en parlons plus.

242

Le Sang de Clovis

— Pour un ratage, c'est un ratage.

— Nous y étions presque...

— Presque et zéro sont frères jumeaux.

— Peut-être aurions-nous dû nous en tenir à l'autre possibilité.

— La reine ?

— La reine. En tout cas, nous n'avons plus le choix. Mérovée ne risque rien, Frédégonde tient trop à lui et Chilpéric tient trop à Frédégonde. Ce qui peut lui arriver de pis, c'est qu'on le tonde, afin qu'il ne puisse plus prétendre succéder à son père. Seul peut régner un chevelu.

— Je comprends mal Frédégonde.

— Frédégonde dit ce qui l'arrange, ce qui sert ses plans à longue portée ou ce qui l'excite sur le moment, quitte à dire le contraire dès le lendemain. Sait-elle elle-même quand elle ment, et pourquoi ? D'ailleurs, elle ment toujours, ainsi ne risque-t-elle pas de se tromper.

— Donc, nous ne tentons plus rien pour Mérovée ?

— Non. Plus tard, nous verrons. Consacrons-nous dorénavant au deuxième élément du couple.

— La reine.

— Direction : Rouen. En selle !

Ils ont décidé de faire un détour par Meaux, afin de libérer les deux fillettes de ce monastère où, de par la volonté de Frédégonde, on les tient enfermées. Ainsi arriveront-ils à Rouen les mains pleines de ce beau cadeau. Quand ils auront délivré la reine – Comment ? On avisera ! –, ils feront escorte à la petite famille jusqu'à Metz en Austrasie où les accueillera – Qui en douterait ? – une réception triomphale.

Le Sang de Clovis

Meaux. Le monastère dresse ses murs à quelque distance de la cité, dans un faubourg qui s'est construit autour de lui. C'est un monastère opulent, ses possessions sont vastes, ses terres riches, les paysans qui en dépendent ont de bonnes joues, des vêtements qui ne sont pas des loques et même des souliers aux pieds. La mère abbesse appartient à une famille alliée au clan royal, ce qui explique bien des choses.

Loup et Minnhild, sur Griffon, doivent faire halte avant d'être parvenus devant le portail. Une foule barre le chemin. Un groupe d'hommes en armes, à cheval, escorte un chariot bâché de riche allure que suivent d'autres véhicules, plus rustiques, où s'entassent coffres et ballots clos avec soin. Derrière le dernier chariot, les portes massives se ferment avec fracas. Petit Loup, perplexe, essaie de comprendre :

— On dirait bien que...

C'est alors que, parvenu à leur hauteur, le chariot de tête s'arrête. Une blanche main écarte la bâche formant rideau à l'avant. Une voix qu'il serait impossible de ne pas reconnaître s'écrie :

— Minnhild ! Te voilà donc, petite !

Minnhild saute à bas, court au chariot, grimpe en trois bonds, plonge derrière la bâche.

— Dame reine ! Tu es donc libre ?

— L'ordre vient d'en arriver. Le roi Chilpéric me fait grâce – grâce de quel crime ? –, c'est trop aimable à lui, et me fournit une escorte qui m'accompagnera jusqu'à la frontière d'Austrasie.

Petit Loup s'est approché.

— Tes filles, dame reine ?

— Elles sont là-derrière, dans le chariot. J'ai eu permission de les prendre au passage.

— Eh bien... Nous venions pour les faire sortir d'ici, par la ruse ou par la force, suivant opportunité. Serions-nous arrivés quelques heures plus tôt, quel galimatias !

244

Le Sang de Clovis

— L'intention t'en sera comptée. Tu es... attends que je me souvienne...

— Petit Loup, fils d'Éméric, etc., pour te servir, dame reine.

— Petit Loup, mais bien sûr ! Petit Loup à qui nous devons tant, le roi mon fils et moi-même !

— À propos, dame reine, le seigneur Mérovée...

Elle pâlit, son sourire s'efface, l'angoisse altère le beau visage.

— Sur ce sujet, j'en sais certainement plus que toi, qui ne peux avoir couru la route aussi vite que les courriers royaux. Le messager qui m'apporta la grâce de Chilpéric me fit part en détail des derniers événements. Mon époux bien-aimé a échappé à la mort, de par un caprice de Chilpéric – de sa Frédégonde, plutôt –, mais fut tondu puis expédié dans un monastère de sûreté au régime barbare pour le reste de ses jours... À moins qu'un autre caprice de cette méchante femme ne le voue au poignard, au lacet étrangleur ou au poison... Tout est, hélas, toujours possible. On m'a conté ce que tu as tenté, avec ma Minnhild, pour le tirer des griffes des deux assassins.

— Nous avons échoué.

— Vous auriez pu y laisser la vie. Ce ne sera pas oublié non plus.

— Sais-tu où se trouve ce monastère-prison ?

— Je le sais. C'est en un lieu nommé Saint-Calais, à une journée de la cité du Mans.

— Sont-ils en route depuis longtemps ?

— Je ne saurais dire. Ils n'avaient en tout cas pas encore quitté Soissons quand en est parti le messager qui m'a jointe à Rouen. Ils vont forcément beaucoup moins vite. Ils chevauchent en ce moment quelque part entre Soissons et Saint-Calais. Pourquoi donc t'inquiètes-tu de cela ?

— J'ai mon idée. Tu me jugeras aux résultats.

Sur quoi, l'on se quitte.

XXVI

L'escorte avance à pas pesants sous le soleil d'août. La fatigue fait dodeliner les têtes, la poussière assèche les gorges... Sale corvée ! Saleté de Frédégonde... Chut !

Celui que l'on mène à son lieu de réclusion chevauche une mule, bête sans noblesse qui sied aux gens d'Église. Sur la mule, accablé, Mérovée. Un Mérovée à peine reconnaissable sans les boucles dorées qui cascadaient sur ses épaules, croulaient plus bas que ses reins. Un Mérovée cachant sa honte et son désarroi sous la capuche baissée de sa robe de moine.

Car, non content de le tondre, le roi Chilpéric l'a fait ordonner prêtre, bien qu'il n'eût pas reçu au préalable les ordres mineurs ainsi qu'il est prescrit.

Double précaution. L'ordination, en effet, change la nature profonde de qui la reçoit, fait d'un homme quelque chose de plus, un être intermédiaire recelant une parcelle de divinité, un tabernacle d'où rayonne le dieu vivant... et un exclu à tout jamais. On devient prêtre, on ne peut cesser de l'être, c'est un acte magique à sens unique, une chaîne invisible plus efficace que les lourdes chaînes de fer.

On a hissé le prêtre malgré lui sur une mule, on l'a confié à une demi-douzaine d'estafiers que commande un vétéran des guerres contre les Burgondes, et fouette cocotte, en route pour Saint-Calais, qui est un monastère situé sur le vert coteau bordant la jolie rivière d'Anille.

246

Le Sang de Clovis

Comme le prince déchu passait le sombre porche menant à la cour où l'attendaient mule et escorte, une femme voilée, quelque souillon de cuisine qui avait rabattu son fichu de tête devant son visage, avait effleuré son bras, lui murmurant à l'oreille :

— Le bois est encore vert. Les feuilles repousseront.

Mérovée, tiré de ses sombres pensées, avait tressailli. À cause du message, d'abord. C'étaient les paroles mêmes qu'avait prononcées un neveu de Clovis privé de sa chevelure, voulant signifier par là que la tonsure ne dure qu'un temps et que la dignité royale repousse avec le cheveu, propos imprudent qui, aussitôt rapporté à Clovis, valut la mort au neveu trop bavard.

Ensuite à cause de la voix qui prononçait ces paroles. Car, même étouffée, cette voix, il n'en pouvait douter, c'était la voix de Frédégonde.

Tant qu'à tendre une embuscade, autant le faire dans le confort et la commodité. C'est ce qu'ont pensé Petit Loup et Minnhild avant de tendre la leur. Ils se sont installés fort judicieusement à un coude de la route qui, à partir de cet endroit, n'est plus guère qu'un chemin de terre à peine moins étroit qu'un sentier, se hérisse d'échines de caillasses agressives et tord-chevilles, se creuse de nids-de-poule à faire broncher le cheval et trébucher le fantassin. Ils comptent sur ces circonstances pour ralentir le train de l'escorte, semer quelque pagaille dans l'ordre de marche et distraire la vigilance des estafiers. Une belle embuscade, rien à dire.

Ils attendent donc, contents d'eux-mêmes, confiants en l'avenir, en croquant des noisettes qui, justement, abondent aux rameaux complaisants du buisson derrière lequel ils se dissimulent, bien au frais, ayant de quoi boire.

Le Sang de Clovis

Ce sont des débutants dans l'art subtil de l'embuscade de grand chemin. Ils ne savent pas que l'embuscade s'accommode mal du trop d'aises. Car les aises mènent au relâchement, le relâchement au sommeil, et c'est tout juste ce qui leur arrive. Minnhild la première s'est assoupie, la tête calée sur le torse de Petit Loup, lequel, troublé plus que de raison par l'innocent effluve s'exhalant de la blanche nuque wisigothe, a préféré se réfugier dans un petit somme, sans quoi il ne répondait plus de rien.

Heureusement, il reste Griffon. Qui ne s'endort pas, lui. Sa vaste silhouette placée en sentinelle un peu en avant, cachée derrière un taillis haut et épais en proportion, il entend venir ces gens qu'il ne faut surtout pas manquer. Risquant un œil, il les voit, ce qui confirme que le moment est venu.

Un cheval ne marche pas volontiers à reculons. Cependant, quand faut y aller, faut y aller. En faisant la grimace, Griffon, sur la pointe des sabots, recule sans qu'une feuille ne bouge jusqu'au lieu propice où sont censés veiller ses acolytes. Leurs ronflements à deux voix l'indignent mais ne le surprennent pas. Ses grosses lèvres se retroussent, ses grandes dents s'écartent, il se demande brièvement s'il cédera à la gourmandise de pincer la si tentante peau de Minnhild, et puis il se dit qu'elle hurlera, il connaît les femmes, Griffon, alors il se résigne à pincer Petit Loup, juste là où il faut, juste ce qu'il faut, et en effet Petit Loup s'éveille, sursaute, mais ne crie pas.

Aussitôt éveillé, aussitôt sur pied, aussitôt dans le vif du sujet. Un gentil coup de botte, du bout de l'orteil, pour tirer la petite de ses rêves bleus, et les voilà tous deux sur le dos de Griffon, plantés au milieu du chemin, de pied ferme, Adèle au poing, ne pouvant être vus qu'au tout dernier moment, tourné le coin du buisson de noisettes.

Comme prévu, les deux estafiers cheminant en tête de colonne ont la surprise. Butant presque du nez contre l'immense Griffon, ils lèvent haut la main afin de prévenir ceux

Le Sang de Clovis

qui les suivent qu'un obstacle imprévu exige l'arrêt. Le vétéran responsable de l'expédition vient voir ce qui se passe. Petit Loup le lui explique :

— C'est toi qui commandes, ici ? Alors ne nous oblige pas à user de la force. Remets-nous de bon gré ton prisonnier, j'ai nommé le seigneur Mérovée, fils du roi Chilpéric, que j'aperçois d'ici faisant piteuse figure sur une mule, bête utile mais sans noblesse.

Le vieux soldat examine en connaisseur Griffon, Petit Loup, Minnhild et Adèle. Il hoche la tête. Un sourire écarte jusqu'à ses oreilles où tintinnabulent des pendeloques de pacotille les deux pans de sa moustache en broussaille. Ayant pris le temps de la réflexion, il répond posément :

— Vous êtes à cheval – et quel cheval ! – nous sommes à pied – mis à part celui-ci qui se prélasse sur la mule pour la honte de la chose, non par souci de ses aises –, nous sommes six bien aguerris, je ne suis pas certain que nous viendrions à bout de vos forces réunies ni, surtout, de votre détermination qui me paraît grande, cependant cela vaudrait la peine d'essayer, ne serait-ce que pour mettre un peu d'animation dans ce voyage jusqu'ici bien fastidieux. Mais nous n'en ferons rien, trop heureux de céder à la force et de nous laisser arracher ce noble captif qu'à grand regret et cuisant chagrin nous convoyons jusqu'à l'ecclésiastique prison où il est censé croupir dans l'opprobre et la contrition jusqu'à ce que s'achèvent ses tristes jours.

Petit Loup s'étonne :

— Je n'ose comprendre...

— Ose, camarade, ose ! Nous sommes de Neustrie, certes, mais notre cœur saigne quand nous voyons comment notre roi Chilpéric traite son propre sang. Sa seule excuse est qu'il n'agit que manipulé par son épouse Frédégonde, or, nous, Frédégonde, nous ne l'aimons pas. Mais nous sommes des militaires et les ordres sont les ordres.

Le Sang de Clovis

— Donc...

— Donc nous venons de vous livrer un furieux combat, au cours duquel nous fûmes battus à plate couture et délestés de notre précieux dépôt, à savoir le seigneur prince Mérovée sur sa mule d'infamie, lequel seigneur vous délivrâtes et emportâtes au loin avec vous comme butin honorablement conquis et glorieuse prise de guerre. Quant à nous, honteux et tremblants à l'idée de nous présenter devant le roi Chilpéric, notre seigneur, qui ne manquerait pas de nous occire de ses propres mains sous les terribles yeux de la reine Frédégonde, nous désertons et passons résolument à l'ennemi, avec, comme dit la formule, armes et bagages. Suis-je assez clair ?

— Je crois que oui. Dois-je, en votre qualité de prisonniers de guerre, vous lier les mains et vous entraver les pieds de façon à ce que vous puissiez marcher mais non courir, ainsi qu'il est d'usage ?

Le fin sourire du vétéran fait, cette fois, à peine frémir la moustache.

— J'ai dit « désertion ». Je n'ai pas dit « reddition ». Nous sommes des transfuges, des traîtres, des félons, des mutins. Pas des prisonniers. Ordonne, nous obéirons. N'est-ce pas, vous autres ?

Les autres, d'une seule voix, émettent cet acquiescement enthousiaste :

— Hoch pour Mérovée ! Et trois fois merde pour la Frédégonde !

S'ensuit un triple « Hoch ! » qui dit bien ce qu'il veut dire, appuyé par un triple hennissement de Griffon.

Mérovée, descendu de sa déshonorante monture mais ne pouvant celer davantage sa déshonorante tonsure, fait contre mauvaise fortune bon visage et salue cet hommage spontané. Puis il serre Petit Loup sur sa robe de bure en versant les chaleureuses larmes de la gratitude. Minnhild, rougissante,

250

Le Sang de Clovis

reçoit sa part des effusions. Galamment, Petit Loup offre au jeune prince de prendre sa place sur Griffon, ce sont choses qui se font, mais Mérovée a le tact de refuser l'offre courtoise, sentant bien que Petit Loup et Griffon forment un tout indissociable dont Minnhild constitue un appendice surajouté tout juste tolérable.

Après tout, vêtu comme il l'est en moine moinant et tonsuré à l'avenant, autant chevaucher une mule, si cela flétrit le guerrier cela honore le clerc, et cela harmonise le tableau. Il se hisse donc derechef sur la mule, au grand bonheur de celle-ci, qui semble s'être prise pour lui d'une tendre affection.

Constatant que l'affaire se règle décidément dans la paix et la bonne humeur, Adèle retourne se blottir en ronronnant sur le dos de Petit Loup. Minnhild, de sa main légère comme l'oisillon, frappe l'épaule du grand garçon, qui, aussitôt, tourne la tête :

— Oui ?

— Il est libre, bon. Et maintenant, qu'est-ce qu'on en fait ?

— C'est pourtant vrai ! Nous aurions dû y penser.

— Il n'est pas trop tard pour s'y mettre.

— D'accord. Tu commences.

— Ça me paraît évident : il faut aider Mérovée à gagner Metz où il retrouvera son épouse la dame Brunehaut qui, à cette heure, doit être arrivée et règne en reine régente bien-aimée de son bon peuple.

— Oui, mais Metz est bien loin. Il nous faudra traverser toute la Neustrie, que les sbires de Chilpéric lancés à nos trousses vont sillonner et scruter sans relâche...

Le vétéran, qui, jusqu'ici, a écouté en silence, lève la main. La parole lui est accordée.

— Nous sommes ici tout près de la frontière de Burgondie. Franchissons-la. Piquons droit à l'orient. Tenons-nous sans cesse loin de la frontière de Neustrie, car Chilpéric n'a

Le Sang de Clovis

cure des frontières. Nous traversons la vallée de la Loire, puis celles du Loing, de la Seine, de l'Yonne, et nous gagnons l'Austrasie et Metz sans quitter les terres burgondes. Le roi Gontramn de Burgondie n'est pas en guerre contre l'Austrasie, il n'a donc aucune raison de nous chercher noise, et, d'autre part, Chilpéric tient à sa neutralité. Donc, gagnons la Loire, passons-la, et droit à l'orient. Voilà ce que je propose.

Petit Loup, le menton sur la paume, gravement opine :

— Cela me semble judicieux. Qu'en penses-tu, Minnhild ?

— Oh, tu sais, moi et la géographie... Si tu dis que c'est bien, c'est bien. Quand est-ce qu'on mange ?

Le vétéran semble choqué. Il dit pourquoi :

— Tu prends avis d'une femme ?

— Je prends avis de mon cheval, aussi.

— Et mon avis, à moi ? dit Mérovée.

Tous s'entre-regardent, et rougissent. Il continue, un peu triste :

— Vous avez tellement pris l'habitude de me considérer, les uns – il salue le vétéran – comme un colis à livrer, les autres – il salue Petit Loup – comme un objet à récupérer, que vous oubliez que j'ai voix au chapitre, et même doublement voix puisque c'est de mon destin qu'il s'agit.

Il n'a que trop raison. Tous baissent le nez, fort confus. Mérovée estime que la leçon suffit. Il ne veut pas les attrister davantage. Il s'esclaffe :

— C'était juste pour vous faire toucher du doigt. On ne va pas rejouer l'*Iliade*[1] ! Ceci dit, je me rallie tout à fait au projet du vétéran. Au fait, quel est ton nom, vétéran ?

— Dracaric, fils d'Elmo, pour te servir, seigneur.

— Dracaric, tu commanderas une armée.

On a beau savoir ce que valent promesses de princes, ça fait quand même plaisir sur le moment. Dracaric se redresse.

---

1. Ce petit Mérovée a des lettres.

Le Sang de Clovis

On fait comme ça. D'abord, passer la Loire. La Loire, c'est droit au midi. En avant !

Ils parcourent environ une demi-lieue gauloise, et c'est l'embuscade. Une autre.

Celle-ci surgit tout à la fois des deux côtés de la route, en avant de la petite troupe mais aussi en arrière, barrant avec soin toute possibilité d'échapper. Ce sont gens vêtus et armés en guerre, tous très jeunes et menés par le plus jeune d'entre eux, un adolescent aux allures impérieuses monté sur un fort beau cheval. Le reste de la bande est à pied, ce sont visible-ment des mercenaires stipendiés pour l'occasion. Tout cela mène grand hourvari, criant : « Tue ! Tue ! » et : « Vivat ! »

Rien ne peut surprendre un vétéran des guerres burgon-des. En un clin d'œil et trois ordres brefs, les gars de Dracaric sont en formation de combat, groupés autour de Mérovée toujours juché sur sa mule.

Ayant non moins promptement estimé l'urgence de la situation, Griffon s'est, de lui-même, judicieusement placé en bastion avancé, divisant de la masse de son poitrail le flot des assaillants, qui arrivent ainsi en front désuni à portée des fantassins de Dracaric.

Aux premiers émois, Adèle a sauté dans les mains de Petit Loup qui, stoïque, attend que pleuvent les coups à parer. Minnhild, de la voix, encourage les combattants mais, ne les connaissant pas par leurs patronymes, se contente de crier de toute la vigueur de ses poumons mignons :

— Pour Mérovée ! Noël ! Noël !

Ce qu'entendant, le meneur de l'assaut, cassant net son élan, s'enquiert :

— Que cries-tu là, pisseuse ?

— Je crie : « Pour Mérovée ! » puisque je me bats pour Mérovée et, ne t'en déplaise, morveux, je crierai : « Méro-

Le Sang de Clovis

vée ! » jusqu'à plus soif, et bien m'as-tu nommée pisseuse car je te pisse à la face !

Elle le fait. Et, certes, il faut que la male rage la patafiole jusqu'au tréfonds des os pour qu'elle l'incite à se dresser debout sur la croupe, vaste, il est vrai, de Griffon et, de là, troussant ses cottes et pliant l'échine, projette en arrière un jet aussi précis que puissant qui frappe le prétentieux droit sur l'œil, ce qui est exploit peu commun.

Au même instant, du haut de sa mule sacerdotale, Mérovée lance aux échos ce cri aux accents joyeux :

— Gaïlen !

Ce doit être le nom du chef de bande puisque celui-ci, écartant de son front ses cheveux dégoulinants, répond en grand enthousiasme :

— Mérovée ! Oui, c'est moi, Gaïlen ! Ton ami, ton frère d'armes ! Je viens t'arracher à cette racaille frédégondesque, mon Mérovée !

Puis, s'adressant à ses hommes de main qui, charmés, s'oubliaient à écouter ce touchant dialogue :

— Sus, vous autres, sus ! Démolissez-moi cette engeance ! Tue ! Tue !

Minnhild, qui, ses cottes rabattues, s'est rassise en correcte position, touche l'épaule de Petit Loup :

— Il me semble que je suis sur le point de comprendre quelque chose...

— Moi, je crois que je vais bientôt entrevoir comme une lueur...

Ce doit être aussi le cas pour Dracaric, dont le front se plisse tandis qu'il dirige vers Petit Loup un regard incertain. Mérovée, lui, a tout compris. Il crie :

— Arrêtez ! Arrêtez tout ! Il y a maldonne !

Ce qui ne calme en aucune façon le bouillant Gaïlen, qui braille de plus belle, l'épée haute :

Le Sang de Clovis

— Sus, mes braves ! Pas de quartier ! Pour Mérovée, en avant ! Tue ! Tue !

Il faut que Mérovée en personne saute à bas de la mule, écarte les rangs de ses défenseurs, coure à l'enragé, le saisisse à bras-le-corps et le baise à pleines lèvres pour que celui-ci consente à l'écouter.

Le malentendu est enfin dissipé. Il suffisait de s'expliquer. Gaïlen ne pouvait deviner que Mérovée était déjà délivré à son arrivée et que la troupe qui l'entourait était à sa dévotion. On rit très fort de la méprise, on déplore un peu d'être privés d'une revigorante empoignade, on se console en vidant force pintes dont le prévoyant Gaïlen n'a pas omis de se munir.

Gaïlen dit :

— Mon Mérovée, tu as bien piteuse mine dans cet accoutrement. On va arranger ça. Ôte-moi ces frusques de marmonneur de patenôtres et endosse celles-ci, plus dignes de toi.

Ayant dit, il tire d'un vaste sac de cuir de quoi équiper de pied en cap un prince franc en guerrier victorieux, depuis la légère tunique de lin, le court gilet de fourrure d'ours sans manches, les chaussures de peau souple aux courroies lacées sur le mollet jusqu'à la longue et forte épée – la spatha – avec son baudrier de cuir repoussé et doré et au court scramasaxe pour le combat rapproché.

Cela ne déride pas Mérovée. Il passe ces riches vêtements sans sembler y prendre plaisir. Il soupire :

— C'est louable à toi, Gaïlen, mais, vois-tu, vêture de guerrier et tonsure de moine ne vont pas ensemble. Je suis plus ridicule encore qu'auparavant. De plus, j'ai l'air d'un religieux qui a jeté son froc aux orties, ce qui est scandaleux, sacrilège et ne manquera pas d'attirer l'attention mauvaise des clercs et des sbires.

Gaïlen, sans répondre, plonge le bras dans un autre sac, plus petit, et, l'œil sur Mérovée, prenant son temps, en fait

jaillir enfin un éblouissement de boucles blondes : une perruque !

— Que dis-tu de ça ? Voilà de quoi te rendre le sourire,
j'espère !

Il arrange la perruque sur la tête de Mérovée, en répand
les ondes somptueuses sur ses épaules. Content de son
œuvre, il demande :

— Et maintenant ?

— C'est mieux. Mais, sais-tu, je suis prêtre, réellement prêtre. J'ai été ordonné. C'est irréversible.

— Faux ! Il y fallait ton consentement. As-tu consenti ?

— Oui, hélas. Bien obligé. Le couteau sur la gorge.

— Consenti du fond du cœur ?

— Eh bien, sur le moment...

— Vœux arrachés par force n'engagent en rien. As-tu au
moins croisé les doigts dans ton dos en récitant la formule ?

— Tu sais, on est allongé, face contre terre...

— Bref, ça ne compte pas. Quand nous serons à Metz,
nous arrangerons cela avec le seigneur pape. Car, de ce pas,
nous allons à Metz, ou bien je me trompe ?

— En quel autre lieu pourrais-je aller ?

— C'est bien ce que je pensais. Mais, cher ami, il te faut
une monture. Non point une mule de curé, mais un destrier
bel et bon. J'ai apporté ce qu'il faut. Çà, qu'on avance le
cheval du seigneur Mérovée !

À peine a-t-il dit qu'un bélître sort du bois, menant par la
bride un étalon fougueux, noir comme le cul du diable et
piaffant des quatre. Mérovée l'enfourche en voltige. Gaïlen
prend la tête du cortège. Il lève le bras :

— À mon commandement, vers Metz ! En avant !

Minnhild n'aime pas la tournure que prennent les événements. D'un poing impérieux elle attire l'attention de Petit
Loup.

Le Sang de Clovis

— Hé là ! On nous vole notre libéré, il me semble ! De quoi avons-nous l'air, je te le demande ?

Petit Loup non plus n'est pas trop satisfait. Il opine :

— Ce gandin sorti d'on ne sait où nous ravit le mérite de la chose. Mais l'important, après tout, n'est-il pas que le seigneur Mérovée soit délivré et parvienne jusqu'à Metz où l'attendent ses amours ?

— Te voilà bien accommodant ! Je dis, moi, que nous avons fait tout le travail, pris tous les risques, et que ce blanc-bec en aura tout l'honneur. C'est pas juste ! Déjà, Mérovée nous délaisse, nous oublie dans notre coin. Et vois comme Dracaric et ses estafiers se sont docilement rangés en queue de colonne ! C'est pourtant bien à nous qu'ils se sont vendus, ces déserteurs ! Ce sont nos recrues à nous, nos trophées de guerre, merde[1] ! Hé, toi, Dracaric ! Sache que c'est à nous, c'est-à-dire au seigneur Petit Loup et à nul autre, que tu dois obéissance !

Dracaric ricane en tordant vilainement la gueule, ce qui déforme sa moustache d'un seul côté, chose déplaisante à voir. Il laisse tomber du haut de son dédain :

— Transfuges, ai-je précisé. Pas prisonniers. Un transfuge, par nature et par définition, appartient à la catégorie des déserteurs, des traîtres, des félons, des lâcheurs, des tricheurs, des salauds, des girouettes, et j'en passe... La fidélité n'est pas ce qu'on attend de lui, mais bien qu'il se vende au plus offrant. Un seigneur couvert d'or et de perles, comme voilà ce Gaïlen, qui offre des chevaux de grand prix comme tu offrirais des pois chiches, ne peut que se révéler plus offrant qu'un rustaud juché sur un gros percheron de labour. Considère-toi donc dès cet instant comme ignominieusement trahi

_____

1. Voilà comment s'altère le langage d'une jeune fille wisigothe de l'aristocratie au contact de ces Francs rugueux et mal embouchés !

257

Le Sang de Clovis

et abandonné par moi et mes hommes. Si tu veux, tu peux cheminer derrière nous.

Que répondre à cela ? Rien. Petit Loup, le bec cloué, baisse sa tête alourdie de pensers amers et se laisse porter au pas placide de Griffon. Dans son dos, Minnhild rage, frappe de ses petits poings les omoplates puissantes, exhale son dépit :

— Puisque c'est comme ça, pourquoi restons-nous avec ces gens ? Qu'irions-nous faire à Metz, qui est un sale pays au bout du monde, chez des sauvages qui, à ce qu'on dit chez nous, dans l'Espagne jolie, se nourrissent de racines crues et de missionnaires irlandais qui vont là-bas chercher le saint martyre ?

À quoi répond, patiemment, Petit Loup :

— Fillette, j'ai accepté une mission sacrée. J'ai fait serment à la reine Brunehaut que je délivrerais son époux bien-aimé et que je l'amènerais, sain et sauf, en sa ville capitale de Metz. Je n'ai jusqu'ici rempli que la moitié de ma tâche. Il me faut maintenant mener la seconde à bien. Que des paltoquets m'en dérobent l'honneur et le mérite, qu'importe ? J'ai ma conscience pour moi, et ça, vois-tu, c'est quelque chose, non ?

Minnhild, si l'on en juge à sa mine boudeuse, n'a pas l'air absolument convaincue. Elle dit, du bout des lèvres :

— Mouais... J'ai déjà entendu ça, ou à peu près. J'avais rencontré un type, un certain sire Lancelot du Lac, un chevalier de l'île de Bretagne qui traîne par le monde, cherchant je ne sais quoi...

— Le Graal ! C'est cela qu'il cherche partout ! La sainte quête du Saint-Graal... J'en ai entendu l'histoire de la bouche de mon grand-père.

— Le fameux Hun blond ?

— Lui-même. J'aimerais être un héros, comme Lancelot.

— Tu sais, moi, les héros...

Le Sang de Clovis

Un pas après un pas, on avance. Les gens de pied vont à pied, les gens de cheval vont à cheval. À cheval, on voit plus loin. Sur un très grand et très gros cheval, on voit encore plus loin, surtout si l'on a l'œil en alerte. Petit Loup a tout cela. C'est donc lui qui, avant tout le monde, s'écrie :

— Embuscade en avant !

Il précise :

— À trente toises[1].

Gaïlen lève le bras. Tous se figent. Minnhild rouspète :

— Encore une ! À ce train-là, nous ne sommes pas rendus à Metz !

Cette embuscade-là présente une particularité : au lieu que les embusqués se tiennent accroupis de chaque côté de la route, invisibles sous le couvert verdoyant, ils sont plantés au beau milieu, visibles avec ostentation, et même, mais oui, voici qu'ils marchent, qu'ils se mettent en route pour venir à la rencontre de leurs victimes. Un cavalier plein d'arrogance chevauche en tête.

Gaïlen, fronçant le sourcil, remarque :

— Voilà qui est étrange, par ma foi.

Il a du retard. Petit Loup s'est dit cela depuis belle lurette et, conséquemment, le soupçon lui est venu que l'étrange embuscade n'en est pas vraiment une mais, comme les deux précédentes, une amicale tentative d'aide à l'évasion de Mérovée. Confirmation en est donnée quand, sur un signal de l'homme à cheval, les nouveaux venus hurlent bien ensemble :

— Pour Mérovée ! Hoch ! Hoch ! Hoch !

Minnhild, oubliant ses rancœurs, regarde de tous ses yeux. Elle souffle à Petit Loup :

— Cet homme, sur le cheval, il me semble bien qu'il est tondu, sous son capuchon. Et cette robe dont il a troussé

---

1. Une toise équivaut à peu près à deux mètres.

Le Sang de Clovis

le bas qu'il maintient dans sa ceinture m'a une allure bien ecclésiastique. Qu'est-ce que ça veut dire ?

— Faut voir.

On se rejoint. On s'explique. L'homme à cheval rejette en arrière son capuchon, découvrant une tonsure tout ce qu'il y a de clérical. Il se présente :

— Je suis Rikulf, fils de Rikulf. Je suis sous-diacre à la basilique Saint-Martin de Tours, sous l'autorité du saint évêque Grégoire. J'ai été prévenu de ce que le seigneur Mérovée faisait route pour Saint-Calais afin d'y être enfermé à tout jamais. J'ai pour ami le puissant seigneur Gontramn Bose, poursuivi, lui aussi, par la vindicte du roi Chilpéric et bénéficiant actuellement du droit de plein asile dans les bâtiments de notre basilique, laquelle, vous ne pouvez manquer de le savoir, est fameuse par toutes les Gaules pour la rigueur extrême avec laquelle notre évêque Grégoire fait respecter ce droit d'asile, malgré l'acharnement du roi à vouloir le violer. Averti par cet ami, j'ai réuni ce petit contingent de compagnons résolus afin d'intercepter l'escorte du seigneur Mérovée et de rendre la liberté à ce cher seigneur.

Gaïlen part d'un rire moqueur :

— Tu arrives trop tard à la cueillette, sous-diacre ! Vendanges sont faites !

— Je le constate avec joie. Je n'aurai donc pas à en découdre, ce qui, je le confesse, n'eût guère convenu à mon état.

— Il ne te reste donc qu'à faire demi-tour pour regagner ta basilique tourangelle. Prie pour nous, car la route est longue d'ici à Metz en Austrasie, et féconde en périls.

Minnhild serre les poings.

— Non, mais, qu'est-ce qu'il se croit, ce mirliflore !

— Chut ! Ce n'est pas fini.

En effet, le sous-diacre, puisque sous-diacre il y a, ne fait pas mine de tourner bride. Il dit, l'air soucieux :

260

Le Sang de Clovis

— Justement. Il ne faut pas que vous preniez la route de Metz.

— Tiens donc ! C'est toi qui en décides ?

— Je ne fais que vous avertir. Sachez que la reine Frédégonde, prévoyant que maints vaillants hommes se dévoueraient pour arracher le seigneur Mérovée à son triste destin, a obtenu du roi qu'il fasse minutieusement ratisser tout le territoire entre Saint-Calais et la frontière d'Austrasie, et ce d'une façon tellement serrée qu'une souris n'y pourrait échapper.

Petit Loup intervient :

— Y compris en terre burgonde ?

— Bien entendu. Le roi Gontramn, préoccupé par-dessus tout de ne pas entrer en conflit avec son terrible frère, a consenti à tout, même à ce que des patrouilles neustriennes pénètrent en Burgondie.

Gaïlen, moins faraud, se gratte le menton, se tortille la moustache, enfin se tourne vers Mérovée.

— Cela donne à penser. Frédégonde veut vraiment ta peau.

— Je sais ce que veut Frédégonde.

Rikulf fils de Rikulf se fait convaincant :

— Laisse passer l'orage. Cette vigilance ne saurait durer longtemps. Viens à Tours, ce n'est pas loin d'ici, Saint-Martin te tend les bras. Tu y seras en absolue sûreté.

Mérovée, amèrement :

— L'histoire de Rouen qui recommence, mais, cette fois, sans ma bien-aimée, par la grâce de qui cette soupente fut le Paradis.

— Seigneur prince, ce n'est que pour un temps. Le seigneur évêque Grégoire plaidera ta cause auprès de ton père le roi. Tu es libre, c'est l'essentiel. Ne va pas tout gâcher par trop d'impatience.

Le Sang de Clovis

Minnhild, écartelée sur la croupe de Griffon, trépigne et fulmine :

— C'est folie pure et poltronnerie infecte ! Il faut foncer. Droit sur Metz. Ce sous-diacre de mes fesses ne me dit rien qui vaille. Pourquoi tient-il tant à l'emmener à Tours ? Dis donc quelque chose, toi ! Ne les laisse pas faire !

— On ne m'a pas demandé mon avis.

On finit quand même par le lui demander, comme aux autres participants de l'équipée. Pour Metz ou pour Tours ? Le sous-diacre est pour Tours. Gaïlen, après hésitation, aussi. Dracaric est pour le moins loin, donc pour Tours. Mérovée se rangera à l'avis de la majorité. Minnhild n'a pas le droit de vote. Griffon non plus. Petit Loup, seul, est pour Metz. Trois voix pour Tours, une pour Metz, un bulletin nul. On ira à Tours.

XXVII

En brûlant les étapes, aller de Saint-Gervais à Tours prend une grande journée de marche. La petite troupe – plus si petite que ça ! – soutient l'allure en chantant à pleine gueule de bons vieux chants de guerre teutons. Griffon se traîne en queue de peloton, maussade et le faisant savoir. Il n'aime pas les hymnes de tuerie, et puis le poids de la mauvaise humeur de Petit Loup lui écrase le tempérament. C'est un cœur sensible, Griffon, qui vibre à l'unisson des états d'âme de son très cher ami Petit Loup. Ajoutons que les monologues rageurs de Minnhild n'arrangent rien.

Afin de maintenir le train, ainsi que le moral des troupes, à une hauteur optimale, il est fait généreusement usage d'amples rasades d'un charmant vin de Loire dont Gaïlen a eu la prévoyance de se munir. Les bornes milliaires défilent, le niveau baisse dans les cruchons, l'optimisme croît sous les casques. Seuls, Petit Loup, Minnhild et Griffon s'abstiennent. D'ailleurs, on ne leur a rien offert.

Mérovée, depuis trop longtemps réduit au pain sec et à l'eau claire qui siéent à un pénitent, boit sans mesure et, c'était à prévoir, éprouve quelque peine à se tenir en selle quand on passe les murailles de la noble cité de Tours. Or il a le vin triste et querelleur, Mérovée. C'est de mauvais présage.

Tours, en ce jour, fête son saint patron. C'est par les rues décorées de guirlandes de fleurs et de bannières proclamant

Le Sang de Clovis

la gloire du grand saint Martin que le cortège titubant se dirige vers la basilique.

Toutes les portes de la vaste nef sont grandes ouvertes. Mérovée met pied à terre et, suivi de Gaïlen, de Dracaric et de toute la joyeuse bande, franchit d'un pas incertain le portail principal. À l'autel officie l'évêque Grégoire. Dans le chœur, parmi d'autres prélats, se trouve l'évêque métropolitain de Paris, venu, à l'occasion de ce jour faste, rendre visite à son collègue.

C'est le moment où, après la communion, les diacres procèdent à la distribution du pain bénit parmi les fidèles. Voyant l'état de Mérovée, qui pérore à voix avinée, ils passent au large, afin de n'avoir pas à lui présenter la corbeille où chacun puise. Mérovée s'aperçoit de la manœuvre, hurle, fait un esclandre, fend la foule et, par l'allée centrale, marche droit à l'évêque en vociférant, envoyant dinguer les diacres qui prétendent l'arrêter. Grégoire termine posément, prononce le *Ite missa est* puis vient à Mérovée, qui n'a quand même pas osé profaner l'autel.

Petit Loup veille au grain. Il s'était effacé lors de l'entrée fracassante. Il est soudain là, au côté de Mérovée, face à l'évêque.

Les ors des vêtements sacerdotaux semblent impressionner Mérovée. Dégrisé, il se tient coi. Petit Loup va pour expliquer la situation. L'évêque sourit :

— Ne me dis rien. Je sais tout. Je lui pardonne ses blasphèmes, ce ne sont que conséquences de son état présent, et je sais trop bien ce qu'il a dû souffrir. Quant à ces sacrilèges horribles que sont son mariage incestueux avec sa tante et son reniement du saint sacrement de l'ordination, il devra en répondre devant un tribunal d'Église.

Grégoire soupire.

— Je connais cet enfant. Je l'ai vu grandir. Je sais de quelles haines il est poursuivi, quel terrible sort l'attend s'il est

Le Sang de Clovis

repris. Il est venu ici quérir le droit d'asile, je ne puis – ni ne veux – le lui refuser. Tant qu'il sera dans ces murs, nul ne pourra l'atteindre, sbire, roi ou empereur.

— Crois-tu donc, seigneur évêque, pouvoir résister à la fureur du roi Chilpéric, qui ne manquera pas de faire pression sur toi et enverra des gens de guerre pour forcer tes portes ?

— Pour les pressions, je m'en arrangerai. Quant aux gens de guerre, il ne trouvera aucun chrétien pour se risquer à cet acte impie qui l'enverrait tout droit en enfer. Le droit d'asile est sacré. Si le roi s'obstinait, je le déclarerais interdit et, s'il persistait malgré cela, j'obtiendrais contre lui du seigneur pape l'excommunication majeure.

La Loire paresseuse s'étire entre les bancs de sable hérissés d'herbasses piquantes où nichent les oiseaux d'eau. Vautré sur la berge verdoyante, Petit Loup lance rêveusement des petits cailloux dans l'eau. Cela fait des ronds qui vont s'élargissant et puis s'entremêlent en figures gracieuses. Assez fascinant, il faut reconnaître. Minnhild, cottes troussées jusqu'au menton, prend un bain de siège là où ce n'est pas trop profond mais assez quand même pour l'usage qu'elle en fait. L'échine de Griffon, bien que dodue et rembourrée, présente certaines saillies osseuses qui agressent vilainement les fesses de qui voyage sans selle. Elle rit aux anges. C'est si bon, l'eau fraîche, sur les talures de la peau martyre ! Tout en faisant, du plat de la main, sauter en gerbes les gouttelettes, elle constate :

— Tu n'es pas bavard, camarade.

— Je réfléchis.

— Je me disais aussi... Et tu réfléchis à quoi, si l'on peut demander ?

Le Sang de Clovis

— À la même chose que toi, pardi.

— Tiens donc ! Voyons un peu ça.

— Eh bien... D'une part, j'ai totale confiance en l'évêque Grégoire. Il se laisserait tuer sur place plutôt que de céder, si peu que ce soit, sur son droit d'asile.

— Une bonne chose. Mais, d'autre part... ?

— D'autre part, je n'ai nulle confiance en ce Rikulf qui est cause que Mérovée s'est enfermé ici, et encore moins en ce Gontramn Bose qui, je le soupçonne, est le véritable maître du jeu, Rikulf n'étant qu'une marionnette dont il tire les fils. J'aimerais comprendre quel intérêt peut avoir ce seigneur de haute mine à la présence de Mérovée, lui-même bénéficiant du droit d'asile attaché à Saint-Martin en tant que persécuté par le roi Chilpéric à qui, se vante-t-il, il aurait fait naguère un affront mortel. Cet homme pue la trahison, voilà. Je ne comprends pas son dessein, je pressens seulement de vilaines choses. Mérovée m'apparaît de plus en plus comme un enfant vaniteux, capricieux et crédule. Or, le voici livré à lui-même parmi ces oiseaux de proie. Je n'aime pas cela.

— Tu ne peux pas être tout le temps derrière lui. Tu n'es pas sa nourrice.

— D'autant que je quitte les lieux.

— Tu pars ? Nous partons ?

— Je pars. L'évêque Grégoire me prie d'escorter jusqu'à Soissons un diacre chargé d'annoncer au roi Chilpéric l'asile accordé à son fils en même temps que la signification qu'il ait à respecter cet asile accordé, lui, roi.

— Pourquoi fait-il ça ?

— Il paraît que c'est la règle. L'asile doit être déclaré aux autorités, et, sur Tours, l'autorité directe, c'est le roi. Je pense que le diacre en profitera pour plaider la clémence. Moi, cependant, l'ayant laissé à Soissons, je pousserai jusqu'à Metz où je transmettrai à la reine Brunehaut un message de son époux bien-aimé et tâcherai de voir avec elle s'il n'y aurait

Le Sang de Clovis

pas moyen de s'arranger pour obtenir de Chilpéric qu'il renonce à occire son fils moyennant l'abandon entre ses vilaines griffes d'une ville ou deux, voire d'une province. La mesquinerie sied mal à l'amour.

— C'est bien vrai. Quand partons-nous ?

— Moi, tout de suite. Toi... Tes fesses ?

— Elles vont beaucoup mieux. Elles sont, pour ainsi dire, comme neuves. Cette eau de Loire, quel beaume ! Quel élixir ! Allons, en selle !

Le roi Chilpéric, sur sa chaise de sénateur romain, reçoit l'envoyé de l'évêque de Tours, de ce Grégoire dont il voudrait la peau pour s'en torcher. La reine Frédégonde, debout, s'appuyant tendrement de la main à l'auguste épaule, écoute tout au long ce qu'a à dire le diacre messager. Quand celui-ci a terminé, le roi marque un temps de réflexion, puis prend la parole :

— Tu ne m'apprends rien que je ne sache ou que je ne devine, diacre. Cet assassin que tu oses nommer « mon fils » s'est réfugié sous la robe de l'évêque Grégoire. Ça ne me surprend pas. Couard autant que félon. Sa mère Audovère n'a pondu que des fausses couches. Je prends donc bonne note de ce que tu m'annonces, puisque c'est, paraît-il, la règle. Quant à pardonner moyennant certaines... euh... concessions, il faut voir. Ça devient de la politique, là. Supposons que la reine mère d'Austrasie...

— Rien du tout !

Ça, c'est Frédégonde, ça. L'œil étincelant de méchanceté, elle coupe la parole au roi – au roi ! – en pleine audience, tant la brûle la haine.

— Pardonner, dis-tu ? Le laisser rejoindre sa Wisigothe qui triomphe là-bas, chez ses sauvages, et nous fait la nique, grâce

267

Le Sang de Clovis

à toi, d'ailleurs, pauvre con – elle traite le roi de pauvre con ! –, à toi qui renifles en secret le petit linge intime que tu lui as dérobé à Rouen. Si tu crois que je ne le sais pas... Jamais, entends-tu, toi, le tonsuré, jamais il ne la rejoindra !

« Tant de haine, pense le diacre, doit celer un furieux amour ! »

Il semble que la reine ait dit ce qu'elle avait à dire. Le roi conclut l'entrevue :

— Tu as rempli ta mission, diacre. File en rendre compte à ton évêque. File avant que je ne change d'avis et ne te fasse couper le cou ainsi que j'en meurs d'envie !

Les écuries du palais royal de Soissons ne sont pas éclairées, la nuit. Pourquoi le seraient-elles ? Les messagers, courriers, envoyés et autres coureurs de chemins pour le compte des rois, évêques et autres puissances terrestres usant de telles gens, qui dorment là, sur la paille fraîche, comme le veut la coutume avaricieuse de par ici, n'ont nul besoin de lumière. Et d'abord, tout lumignon y est interdit, par risque d'incendie. C'est donc à tâtons que la reine Frédégonde se dirige en ces lieux ténébreux.

Un cheval frappe du pied, un autre – peut-être le même ? – fait « Brrr » avec ses grosses lèvres. La petite Frédégonde n'a pas peur des chevaux, la petite Frédégonde n'a peur de rien. Elle siffle doucement, sur deux notes, fort mélodieuses, ma foi. Un sifflet répond au sien, sur les mêmes deux notes, mais fausses, quoique pleines de bonne volonté. Frédégonde se dirige au son. Ses mains errantes rencontrent un objet : une courge tiède bordée de poils de brosse. Son esprit vivace décrypte : tonsure ecclésiastique. Elle murmure :

— C'est toi, diacre ?

— C'est moi, dame reine.

268

Le Sang de Clovis

— Pas de nom !

— Ce n'était pas un nom, dame...

— Pas de titre, imbécile !

— Rien du tout, alors ?

— Voilà...

Pas fière, la reine s'affale dans la paille, près du diacre
- puisque diacre il y a –, à le toucher. Elle dit :

— « Diacre », c'est un peu sec. Tu as un nom ?

— Rikulf, dame...

— Encore !

— Je ne le ferai plus.

— Tu as compris mon signe, tantôt. C'est bien.

— Je l'ai compris. Je ne suis donc pas parti, ainsi que me
l'avait ordonné le roi. Je suis resté, ainsi que tu me l'ordon-
nais, toi. Je risque ma tête.

— Parfait. Tu es un bon Rikulf. J'ai un message à te
confier.

— Confie.

— Tu es l'ami de Gontramn Bose, n'est-ce pas ?

— Le seigneur Gontramn Bose m'honore de son estime,
bien que je ne sois que sous-diacre.

— Voici ce que tu diras à ce seigneur. Écoute bien.

— J'écoute.

— « Qui tu sais doit sortir. Qui tu sais doit être repris et
remis à qui tu sais. »

— C'est peu clair.

— Il comprendra.

— Si tu le dis...

— Tu ajouteras ceci : « Amnistie et fillettes. »

— C'est tout ?

— C'est tout.

— Je pars sur-le-champ.

— Il n'y a pas le feu.

Le Sang de Clovis

— Non, il n'y a pas le feu. Il y a le seigneur roi qui, s'il me trouve encore dans les parages au matin, me fera arracher la peau tout vif.

— Si je veux.

— Et... Tu ne voudras pas ?

— Cela dépend de toi, Rikulf. Tu es très fort, Rikulf. Tous les sous-diacres sont aussi forts, dans ton pays ?

— Dame...

— Pas de titre !

— Frédégonde...

— Pas de familiarités !

— Alors, comment dois-je m'adresser à une femme qui m'a ôté ma robe de diacre et qui maintenant s'attaque à la ceinture de mes culottes ?

— Tu ne t'adresses pas. Tu agis. À moins que... ?

— Tu parles ! Une reine, ça ne se refuse pas !

Dans la lumière pâlotte du petit matin, Griffon, d'excellente humeur, lève la queue et lâche trois beaux crottins bien formés sans pour autant ralentir son petit trot guilleret. Petit Loup, visiblement, n'a pas cette légèreté d'esprit. Il dit, secouant la tête :

— Ce diacre que nous avons dû convoyer jusqu'à Soissons...

— Ce *sous*-diacre.

— Exactement. Ce Rikulf. Je n'aime pas ça. Pas du tout.

— Il n'a pas desserré les dents de tout le voyage.

— C'est un fourbe, un agent de ce Gontramn Bose que je soupçonne fort de desseins tortueux. Il a su se faufiler dans la confiance de l'évêque.

— Trop confiant, l'évêque !

— Qui sait ce qu'il peut manigancer avec ce triple fourbe de Chilpéric ?

270

Le Sang de Clovis

— Et avec cette reine des fourbes de Frédégonde ?
Minnhild n'aime pas se tourmenter d'avance. Elle conclut :
— Nous verrons bien.
— Oui, mais que verrons-nous ?
— Ça...

XXVIII

— Dame reine, le seigneur évêque Grégoire, qui te tient en grande estime et montre, envers le seigneur Mérovée, ton époux, les sentiments d'un père attentionné, est, tout bien examiné, parvenu à cette proposition : offrir au seigneur roi Chilpéric d'échanger la vie et la liberté de ton seigneur époux contre l'abandon définitif de la souveraineté du roi ton fils sur ces villes d'Aquitaine qui te furent attribuées en dédommagement de la mort de ton premier époux, le seigneur roi Sigebert.

La reine Brunehaut laisse voir quelque amertume.

— L'assassinat de Sigebert, tu veux dire ? Et ces villes, attribuées en *Wehrgeld*[1] par jugement et condamnation légitimes, l'assassin les a reprises depuis, par violence et trahison. C'est lui offrir ce qu'il possède déjà !

— Dame reine, il les occupe, ainsi que tu viens de le rappeler, par violence et trahison. Un bon traité lui en assurerait la souveraineté légitime et incontestable en bonne et due forme.

— C'est dérision ! Qu'importent les formes à cette bête de proie ? Pour lui, possession vaut titre.

Petit Loup sort seulement alors son deuxième argument, ainsi que l'évêque Grégoire l'y a incité :

---

1. *Wehrgeld* : le prix du sang, selon la loi salique.

Le Sang de Clovis

— Dame reine, si cette offre, faite tout d'abord, devait ne pas suffire, il te reste la possibilité d'ajouter prudemment une, puis plusieurs autres villes de tes domaines.

— Ce ne sont pas mes domaines, mais ceux de mon fils. Je ne puis disperser à l'encan son patrimoine pour sauvegarder mes amours. Et je dois compter avec les grands de ce royaume, qui me méprisent en tant que femme et me disputent la régence, si bien qu'il me faut lutter âprement jour après jour pour faire avaliser la moindre de mes décisions.

Petit Loup se gratte la tête.

— Nous devrons donc opérer par la force ? Je n'aime guère cela. Et puis, la basilique ainsi que ses dépendances sont assiégées par l'équivalent d'une armée. Cela ne se fera pas sans remue-ménage.

— Ce serait acte de guerre. Chilpéric serait trop heureux de saisir l'occasion pour nous envahir, d'autant que son frère Gontramn, roi de Burgondie, se verrait obligé, de par leur traité d'alliance, de joindre ses forces aux siennes.

— Mais, si tu n'as plus rien à offrir...

Un sourire sans joie court furtivement sur les lèvres de Brunehaut.

— Au contraire. J'ai en réserve la seule chose qui puisse tenter Chilpéric au point de le faire fléchir.

Elle se tait, mystérieuse comme tout. Il est évident qu'elle n'a pas l'intention de dévoiler ce qu'est cet argument suprême. Petit Loup, discret, n'insiste pas. Minnhild, elle, semble avoir compris de quoi il s'agit. Affaire de femmes, il faut croire.

Un garde se présente à l'huis. La reine s'enquiert :

— Qu'est-ce, Thibert ?

— Un cavalier, dame reine. Il arrive de loin. Il m'a dit d'où, mais je retiens mal les noms. Il a un message pour toi.

— Son nom ?

Le Sang de Clovis

— Eh bien... Quelque chose comme Païlen, fils de... J'ai oublié. Ah, oui : il se dit frère d'armes de ton seigneur époux, dame reine.

Déjà Petit Loup a passé la porte, il serre Gaïlen dans ses grands bras, l'amène devant la reine.

— Dame, c'est Gaïlen. Je t'ai conté comment il a concouru à la délivrance de Mérovée. Mais, Gaïlen, je te croyais enfermé dans la basilique, à Tours ?

— J'en suis sorti.

— Tu arrives donc de Tours ?

— Non, d'Auxerre.

— Voyez-vous ça ! Le seigneur Mérovée ?

— C'est toute une histoire.

Brunehaut voudrait bien reprendre le fil de l'interrogatoire. Ce Petit Loup n'a décidément aucun sens des préséances ! Elle dit :

— Eh bien, seigneur Gaïlen, conte-la-nous, cette histoire. Avant tout, donne-moi des nouvelles de mon époux. Comment est-il ? Se languit-il de moi ? Allons, parle !

Dans son impatience, elle oublie de lui offrir un siège. Minnhild y pourvoit : elle glisse derrière lui un tabouret de fer aux pieds croisés. Gaïlen, exténué, s'y laisse choir. La petite lui tend un gobelet d'hydromel mousseux. Il aurait préféré de l'eau, ça désaltère mieux, mais, bon, l'auditoire est pendu à ses lèvres, la reine tremble d'appréhension... Il commence :

— Le seigneur Mérovée, dans l'enceinte inviolable des bâtiments et des dépendances de la basilique de Tours...

Brunehaut l'interrompt :

— A-t-il de quoi manger à suffisance ?

— Dame reine, le manger non plus que le boire ne manquaient. Protégés par le droit sacré d'asile, rôtisseurs, gâte-sauce et sommeliers nous livraient d'abondance vivres frais et vins vieux. Nous avions grand choix de ménestrels, jongleurs

274

et garces bien mignonnes pour nous aider à endurer notre triste sort.

La reine s'est à demi dressée :

— Garces ?

Aïe ! Gaïlen se mord les joues.

— Garces, eh oui, dame reine. Pour nous autres, pauvres célibataires, qui n'avions pas le doux soutien d'un amour au cœur, hélas, comme le seigneur Mérovée qui, lui, tout plein de ton souvenir, se retirait solitaire en sa chambrette et pleurait la nuit entière, soupirant ton nom, à moins que, mû par la fureur de ton absence, il ne poussât des hurlements à faire frémir, ne donnât des coups d'épée dans la muraille ou ne rossât quelque diacre... Nulle femme au monde n'a jamais été aimée comme tu es aimée, dame !

Il ajoute, galamment :

— Et comme tu mérites de l'être.

Brunehaut se rassérène. Elle n'était pas vraiment inquiète, l'amour de Mérovée ne peut être qu'à la mesure du sien, qui est immense. Un nouveau souci vient plisser son front :

— Gaïlen, tu parles au passé, t'en rends-tu compte ? Qu'est-ce à dire ? Que dois-je comprendre ? C'est des défunts qu'on parle au passé, Gaïlen ! Es-tu donc venu m'annoncer...

Gaïlen rit de façon tout à fait rassurante :

— Dame reine, aucunement ! Je parle au passé de la vie qui fut la nôtre à Tours parce que le seigneur Mérovée n'est plus à Tours.

— Plus à Tours ? Où est-il, alors ?

— À Auxerre.

— Qu'a-t-il à faire à Auxerre ? Pourquoi n'est-il pas ici, avec toi ?

— C'est justement là ce que je vais te conter, si tu le permets, dame reine, en commençant par le commencement.

— Je t'écoute.

Le Sang de Clovis

— Sache donc que, parmi la foule des bénéficiaires du droit d'asile qui vivaient enclos dans l'ombre protectrice de Saint-Martin – et certes ils grouillaient, depuis les mauvais gueux et bandits de grand chemin en rupture de potence jusqu'aux hauts seigneurs en querelle avec le roi en passant par les déserteurs, les charlatans, les infanticides et les prêtres apostats –, il se trouvait, dis-je, un dénommé Gontramn Bose, seigneur assez considérable que, selon lui, le roi Chilpéric poursuivait d'une implacable haine. Cet homme puissant était en particulière amitié avec un clerc, un diacre nommé Rikulf.

— Sous-diacre, rectifie Minnhild.

Petit Loup précise :

— Je connais l'oiseau. Nous l'avons convoyé jusqu'à Soissons, où il avait une mission à remplir auprès du roi Chilpéric, tandis que nous poussions jusqu'ici.

— À Soissons ? Chilpéric ? Tout s'explique ! Quand il fut revenu de cette mission, son ami – son maître, plutôt – confia au seigneur Mérovée qu'il avait décidé de s'évader le soir même, que des hommes à lui l'attendaient hors les murs et qu'il lui proposait de profiter de l'occasion, vu la grande amitié qu'il ressentait pour lui et la grande pitié où il était de le voir ainsi languir d'amour.

« Ainsi firent-ils, à la nuit tombée, avec la plus grande facilité, fait qui, à lui seul, eût dû me donner à penser. Je me joignis à eux, n'étant, moi, en aucune façon poursuivi par la justice du roi Chilpéric et pouvant aller et venir à ma guise.

« Autant te le dire tout de suite : c'était un traquenard. Gontramn Bose et Rikulf n'avaient eu pour but que d'attirer le seigneur Mérovée hors la protection du droit d'asile. Nous marchions gaiement dans la nuit lorsque nous nous vîmes soudain environnés de sbires formidablement armés devant lesquels les hommes de Gontramn Bose ne firent même pas un simulacre de résistance. C'était là trahison mûrement pré-

Le Sang de Clovis

parée. Je sus par la suite que Gontramn Bose, pour ce bel exploit, avait reçu promesse d'amnistie pleine et entière et qu'il avait pu récupérer ses deux fillettes, qu'il chérissait par-dessus tout et qu'il maintenait cachées en un lieu secret.

— Ceci, donc, s'est passé aux environs de Tours ?

— Oui. La campagne alentour était tout illuminée par les incendies, car, dans sa rage de ne pouvoir venir à bout de la résistance de l'évêque à propos du droit d'asile, le roi Chilpéric a fait mettre à feu et à sang les faubourgs de la ville ainsi que toutes les terres dépendant de l'évêché.

« On nous donna des chevaux, puis, étroitement entourés, nous galopâmes toute la nuit et le jour suivant. Au crépuscule, nous arrivâmes en une ville où s'érige une basilique, nous pûmes savoir, à ce qui se disait, que c'était la ville d'Auxerre et sa basilique vouée à saint Germain. Nous entendîmes nos ravisseurs requérir le droit d'asile, qui leur fut accordé.

La reine, des deux mains, lui fait signe d'arrêter.

— Attends, attends... Tu me parles bien de la cité d'Auxerre, sur la rivière d'Yonne, cité qui se trouve en Burgondie, chez le roi Gontramn ?

— C'est bien cela...

— Alors, s'il te plaît, explique-moi ce que font ces hommes d'armes appartenant au roi Chilpéric sur les terres de Gontramn ?

— Voilà justement tout le mystère ! Je constate, je relate, je n'explique pas.

— Voyons un peu. Si je t'ai bien suivi, Mérovée est prisonnier d'une bande de Neustriens qui, d'eux-mêmes, se sont refugiés en Burgondie sous le régime du droit d'asile ? Quel casse-tête est-ce là ?

Petit Loup, depuis un moment plongé dans des réflexions intenses, estime le moment venu de mettre son grain de sel :

Le Sang de Clovis

— Tout se passe comme si ces Neustriens – ou soi-disant tels – agissaient au nom du roi Chilpéric mais, en fait, n'en faisaient qu'à leur tête. Ou à la tête de qui les commande.

La reine, lentement, opine :

— Il y a quelque chose, là. Mais ça nous mène à quoi ?

— Je ne sais pas. Pour l'instant, je me contente de mettre les choses l'une à côté de l'autre. On verra ce que ça donnera. Qui peut être assez puissant et sûr de l'impunité pour détourner des hommes d'armes de l'armée de Chilpéric et monter le traquenard de l'enlèvement de Mérovée, violer insolemment la frontière de Neustrie et demander l'asile à Saint-Germain d'Auxerre au nez et à la barbe du roi Gontramn ? Alors qu'il aurait été si simple de remettre le seigneur Mérovée à Chilpéric ?

Minnhild lève le doigt :

— Quelqu'un qui veut se garder Mérovée pour soi tout seul.

— Tu brûles ! Et qui peut bien vouloir le seigneur Mérovée pour soi tout seul, sans avoir à le partager avec le roi Chilpéric ?

Tous, d'une seule voix :

— Frédégonde !

Foudroyée par l'éclatante révélation, Minnhild balbutie :

— Mais bien sûr ! Elle veut se le torturer dans son coin, pour son vilain plaisir à elle toute seule ! Le faire souffrir bien bien ! Le fouetter, le piquer, le déchirer, le découper, l'écorcher vif, lui enfoncer des choses pointues sous les ongles, lui brûler la plante des pieds, le châtrer... Il ne faut pas la laisser faire !

Brunehaut, sombre, aperçoit d'autres sinistres perspectives :

— Le torturer ? Oh, je ne crois pas. C'est moi qu'elle veut détruire à travers lui. Il y a un moyen plus efficace – et plus agréable pour elle – d'y parvenir.

Minnhild ne se laisse pas égarer par de telles subtilités. Elle donne du poing sur la table :

— Quoi qu'il en soit, on ne peut pas la laisser faire !

XXIX

Une reine, ça voyage en litière. Qu'est-ce qu'une litière ?
Une voiture sans roues. Une espèce de plate-forme prolongée
par deux paires de brancards, une en avant, une en arrière.
Entre ces brancards prennent place de robustes chevaux hon-
gres, au pied sûr, à la démarche douce et égale, au balancement voluptueux. La plate-forme est donc suspendue dans
l'espace, plaisir de roi. À chacun des quatre angles se dresse
un poteau plus ou moins joliment sculpté. Ces poteaux supportent un toit, un dais, plutôt, fait de peaux de buffles tendues et bien huilées, ornées de pendeloques pour faire joli.
Le plateau de la litière est jonché en abondance de coussins
très beaux et bien rembourrés destinés à amortir les heurts
que, malgré toute leur bonne volonté, les chevaux ne parviennent pas toujours à éviter. Voilà ce qu'est une litière.

La reine Brunehaut n'est pas reine à voyager en litière.
C'est une chevaucheuse de haut parage. En pays wisigoth,
l'éducation des princesses royales comprend l'initiation aux
arts équestres. Brunehaut la très altière ne dédaigne pas de
puer la sueur de cheval. Elle sait dompter les poulains sauvages et s'en faire aimer. Nul étalon ne reste longtemps rétif si
elle se mêle de son débourrage. Elle monte de présent une
blanche haquenée aux longs cils, bête robuste et dure à la
peine sous ses dehors délicats. Elle monterait aussi bien un

Le Sang de Clovis

destrier crachant le feu. Elle s'est entichée de cette porcelaine.

La haquenée va l'amble, ainsi qu'il sied à ses congénères, ce qui agace Griffon, qui, lui, avance un seul pied gauche et un seul pied droit à la fois, comme tout honnête cheval de bonne race, enfin, quoi !

La litière suit comme elle peut, un rustaud d'écurie assis, jambes pendantes, sur un des brancards de devant.

Pourquoi cette litière inutile ? Parce que la reine ne pouvait quitter son palais de Metz en petite tenue, le cul sur la selle, comme pour une promenade de digestion. Une reine qui s'absente pour plusieurs jours doit avoir une bonne raison. Une raison qui touche au bien de l'État. Brunehaut est donc censée aller rendre une visite officielle à son voisin et beau-frère le roi Gontramn en son royaume de Burgondie. Elle s'y rend en pompe modeste, sans y mettre la solennité qui eût nécessité escorte chamarrée, musiciens, porte-gonfanons et dignitaires en tenue d'apparat. Pour un simple conciliabule diplomatique en tête à tête, ainsi qu'elle s'en est expliquée, la majesté émanant naturellement de sa personne suffira bien. La litière est un minimum, elle y a consenti.

À peine tourné le coin, elle a sauté à bas de la litière et de ses coussins, a envoyé promener la dalmatique aux plis lourds, le pectoral et le diadème, s'est troussée en jeune centaure, a noué ses cheveux si beaux en bouquet de persil, a sauté sur la haquenée, et yahou... ! En avant, Cocotte !

Au fait, pas si inutile que ça, la litière. À bien regarder, l'amas de coussins s'effondre en son milieu, forme un creux, comme un édredon où un chat s'est lové. C'est à peine plus gros qu'un chat : c'est Minnhild, qui geint de bonheur et n'en finit plus de féliciter ses fesses pour leur heureux sort.

Du haut de l'immense Griffon, l'immense Petit Loup laisse tomber :

Le Sang de Clovis

— Tu prends de bien mauvaises habitudes, Minnhild. Plus dure en sera la croupe, quand il te faudra la retrouver !

— Tais-toi, vilain oiseau ! J'ai sur chaque fesse une épaisseur de corne qui ne s'en ira plus. On pourrait les ferrer, mes pauvres fesses, comme les pieds des chevaux, les clous y mordraient fort bien. En attendant, laisse-les donc savourer un peu de joie dans la douceur.

On chemine. Brunehaut, comme un enfant lâché dans la verte nature, quitte le chemin, profite du moindre espace libre pour faire galoper sa haquenée, virevolte, rue, saute les ruisseaux qui, par ici, courent en tous sens, poussant des cris de pucelle échappée à sa duègne.

C'est si beau... ! Petit Loup en reste béat. Minnhild, le nez à ras de coussin, applaudit. Griffon, la lippe pendante, n'a pas assez de mépris pour ces jeux de fillette gâtée. La haquenée – n'a-t-elle donc pas de nom ? Mais si : Brunehaut la flatte de la main, lui disant à l'oreille, pleine de tendresse : « Ma toute belle ! Ma Trudi ! » –, Trudi, donc, que ses bonds, ses voltes et ses zigzags ont, voyez-vous ça, amenée tout près de Griffon, passe sa tête sous le col du cheval colosse, la relève en se frottant à sa mâchoire, fait mille petits sauts gracieux autour de lui, le mordille, enfin se comporte en jeune personne amoureuse. Petit Loup remarque :

— Ta haquenée, dame reine, se tient fort mal.

— Ma haquenée est une dame. Elle n'a pas honte de ses sentiments. Elle les affirme à la face du monde. Elle ne s'est jamais conduite ainsi. Sans doute a-t-elle reconnu en ton Griffon un cheval de noble lignage et de haut mérite. Elle ne se commettrait pas, sache-le bien, avec n'importe qui. Par contre, ce grand dadais de Griffon fait bien le dédaigneux. Il n'est pas hongre, au moins ?

— Dame reine, je suis d'une famille où l'on ne coupe ni les chevaux, ni les hommes.

281

Le Sang de Clovis

— Dans ce cas, ne te plains pas quand parle la nature. L'amour ne t'a-t-il donc jamais touché, jouvenceau ?

— J'en ai senti le besoin. Je n'ai pas trouvé ma haquenée.

— Les yeux fermés, il est malaisé de voir. Ouvre-les. Peut-être n'est-elle pas loin.

Petit Loup, tout en chevauchant, pense à voix haute :

— Auxerre est un lieu fort bien choisi. À égale distance de la frontière de Neustrie et de celle d'Austrasie. Ensuite, Saint-Germain d'Auxerre offre un asile aussi réputé, aussi inviolable que Saint-Martin de Tours. Il est certain, d'autre part, que le roi Gontramn n'aurait pas permis à des gens en armes appartenant à Chilpéric de pénétrer aussi profondément sur ses terres et de s'y enfermer dans un de ses lieux d'asile, en y enfermant avec eux ce Mérovée qui est la chose au monde que Chilpéric poursuit avec le plus d'acharnement. Il est, c'est vrai, assez veule, mais pas à ce point. Un seul être est capable de l'avoir fait consentir à cela, par la peur et par autre chose aussi.

Minnhild a l'oreille fine. Du fond de son amas de coussins, elle a suivi le monologue. Elle complète :

— Eh, pardi, Frédégonde ! On l'a déjà dit.

— Frédégonde, oui. La cruelle, la rouée, mais aussi la séductrice, l'incomparable, la fascinatrice, celle qui hante les rêves des hommes avant même qu'ils ne l'aient vue, et qui se révèle plus merveilleuse que leurs rêves mêmes quand enfin ils la voient...

— Comme tu la connais bien ! Tu me donnes à penser.

— J'essaie de comprendre. Je ne connais rien aux femmes, mais je pressens. Je pense que mes désirs inassouvis m'aident à imaginer comment ça se passe. Frédégonde, ce n'est pas une femme, c'est LA femme, tu vois ? Tout ce qu'un homme peut mettre dans ce mot. Le besoin d'aimer, de se donner,

Le Sang de Clovis

le besoin d'avoir peur. Le besoin de refuge et le besoin de s'engloutir, d'être dévoré. La volupté, bien sûr, mais ça, on peut l'avoir avec toute femme, surtout si elle y est habile. Frédégonde, c'est bien au-delà de la volupté, du plaisir... C'est l'inquiétude entretenue, c'est l'espoir jamais mort... Sa rouerie même attire. Elle est noire de cheveux, on l'imagine noire de toison. Ambrée de peau. Odorante, puissamment, jusqu'au vertige. Une bête fauve. Désir et peur, peur et désir. L'inconnu flamboyant. Le poison délectable. La mort entre deux cuisses de bronze...

Minnhild résume :

— En somme, tu n'aimes pas les blondes.

La reine en oublie de veiller à Trudi, qui fait mille grâces et agaceries au placide Griffon. Elle dit :

— Seigneur Petit Loup, pour un puceau, tu as une prescience des choses... Qu'en sera-t-il quand tu y auras goûté ?

Petit Loup secoue la tête, contrarié d'être si mal compris.

— Il ne s'agit pas de cela. J'essaie d'imaginer par quelle diablerie cette femme parvient à ses fins. Comment elle a pu subjuguer, faire se traîner à ses pieds des hommes tels que Chilpéric, Gontramn, les assassins du roi Sigebert, tant d'autres...

— Mérovée ?

Brunehaut a dit cela. Elle a pu le dire. Se l'arracher. Ils ne répondent pas. Ils y pensaient, eux aussi. Sans le savoir. C'était tapi au profond d'eux. Ça n'osait pas faire surface. Eh bien, voilà. C'est là, devant eux. Il faut bien en tenir compte, non ?

Petit Loup se décide :

— Mérovée, oui. Quelle proie ! Quelle victoire ! Et toi à travers lui.

— Moi, moi surtout.

— Qui peut savoir ? Des deux victoires, quelle serait la plus triomphale ? Des deux plaisirs, quel le plus enivrant ? Peut-

Le Sang de Clovis

être la fusion des deux fait-elle plus qu'ajouter ? Peut-être multiplie-t-elle la jouissance jusqu'à l'inouï, jusqu'à l'inconcevable ?

Brunehaut, interdite, fixe le jeune homme comme si elle le découvrait :

— D'où te vient cette connaissance de choses dont tu es censé tout ignorer ? Hélas, tout ce que tu viens d'évoquer n'est que trop vrai. Je me le suis dit, cela me hante jour et nuit. En ce moment, elle est auprès de lui, peut-être. Et ce n'est pas la première fois. Oui, j'ai peur. J'ai peur de ces séductions que tu viens si bien d'évoquer. À croire que, toi-même... J'ai peur. Je me dis que c'est fait. Qu'elle l'a fasciné...

Minnhild n'en peut plus. Elle dresse ses petits poings.

— Ce ne sont que maléfices et envoûtements ! Tours de sorcière, magie noire ! Morte la bête, mort le venin ! Allons, sus, sus !

Brunehaut a un pauvre sourire.

— Non, petite, nulle magie là-dessous.

Elle se tourne vers Petit Loup, infiniment lasse.

— Tu es très fort. Tu comprends presque tout. Mais pas tout.

Elle lève vers lui ses yeux qu'emplit une soudaine, une terrible certitude :

— C'est pire que tout. J'en suis sûre, maintenant. Elle l'aime, Petit Loup. Comprends-tu ? Elle n'a jamais aimé. Elle l'aime.

Elle s'abat en sanglots.

XXX

Le droit d'asile, privilège sacré du clergé, est attaché à un sanctuaire, en principe à tout lieu de culte. Primitivement limité à l'église elle-même et à son porche, il s'étend, sous les rois barbares, de par l'influence grandissante des évêques, à tous les bâtiments, parvis, cours, jardins et dépendances diverses situés à l'intérieur des murs de l'enceinte. L'ensemble peut couvrir une superficie considérable, qu'évêques et moines tentent sans cesse d'augmenter en empiétant sur l'espace alentour.

Le droit d'asile, en principe exceptionnel, est devenu bien vite une source de profit pour le clergé du sanctuaire, non qu'il se fasse rémunérer pour sa protection, ce qui serait péché de simonie, mais par la dîme, les loyers et redevances de toute sorte qu'il prélève sur les artisans, boutiquiers, coursiers et diverses gens de petits métiers qui ouvrent boutique dans l'enceinte même ou à proximité. La réputation d'un lieu d'asile s'étend au loin. Quiconque prépare un mauvais coup s'arrange pour, en cas d'échec, avoir un lieu d'asile tout proche. La juridiction du roi s'arrête à la porte de l'asile. Ni sa police ni ses gens d'armes n'y peuvent entrer.

Il arrive qu'un monarque tout particulièrement acharné déploie des moyens détournés pour traquer un réfugié spécialement visé. En faisant, par exemple, murer portes et fenê-

Le Sang de Clovis

tres, en empêchant les fournisseurs d'introduire les vivres, en enfumant le sanctuaire, en menaçant de mort les membres de la famille du proscrit restés dehors... Mais ce sont là actes hautement sacrilèges entraînant les foudres de l'Église et pouvant aller jusqu'à l'excommunication par le pape.

La pièce est nue, mais pas sordide. Un peu petite, peut-être. Une cellule de moine améliorée. Un lit sommaire mais fort convenable en occupe un angle. Une table de bois brut, quelques tabourets grossiers complètent le mobilier. Sur la table, une cruche, un gobelet d'étain. Sur deux tabourets, de part et d'autre de la porte, deux solides gaillards, bras croisés, vêtus en guerre mais sans armes. Sans armes apparentes, du moins : nous sommes en lieu d'asile.

Assis au bord du lit, Mérovée, coudes aux genoux, tête basse, bouillonnant, accablé. Il a questionné les deux cerbères, demandé ce qu'on attend de lui. Ils sont restés muets, gueules de pierre. C'est donc une consigne. Mérovée s'est mis à arpenter la cellule dans les deux sens afin de mater une envie furieuse d'aplatir à coups de poing le mufle des deux brutes. Il sait qu'ils se laisseraient battre, cela doit faire partie de la consigne. Il s'est abstenu, cependant, de crainte, une fois déchaînée sa rage incontrôlée, de se briser bêtement les phalanges, or il aura besoin de ses mains en bon état pour s'évader d'ici. Il s'est calmé. Il ronge son frein. Il attend.

Un pas léger sur les dalles du corridor, un ordre bref, les deux sbires quittent les lieux, elle entre.

Ce n'est pas vraiment une surprise. Elle est derrière tout ça, ce ne peut être qu'elle. Quand on ne comprend pas, c'est elle. On comprend après, quand il est trop tard.

Elle se tient devant lui, sans un mot. Elle attend qu'il lève la tête, tout en sachant qu'il ne le fera pas. Il ne veut pas lui

Le Sang de Clovis

donner le plaisir de la défaite inscrite sur ses traits. Elle sourit. Elle lit en lui. Il est attendrissant. Un petit garçon têtu. N'empêche que son cœur, à elle, cogne dans sa poitrine. Pour lui ? Pour ça ? Oui. Pour ça. Ne cherche pas à comprendre. Laisse-toi aller, petite Frédégonde. C'est une découverte. Un plaisir nouveau. Qu'elle se dit. En fait, elle sait bien, ne veut pas savoir, qu'il y a là tout autre chose qu'un plaisir. Elle entrevoit un gouffre où se perdre, délicieusement, elle qui, jamais, ne s'est perdue.

Bon. Le sale gosse, enfermé dans sa bouderie, ne parlera pas. C'est donc elle qui se lancera. Une banalité fera l'affaire :

— Te voici donc, seigneur Mérovée.

Il ne lève pas la tête. Surtout ne pas la contempler dans sa splendeur, la maléficieuse ! Il ne peut éviter de voir ses pieds lacés de perles, adorables dans leurs sandales, qui dépassent de la dalmatique brodée d'or – elle s'est mise en frais ! – et ces pieds, déjà, l'affolent. Ne pas lever les yeux, ne pas voir plus haut !

Oui, mais elle lui prend le menton, le lève de force, il résiste, elle insiste, que d'énergie dans cette petite main, il prend conscience de la futilité de sa bouderie, il cède, il est happé par les yeux dévorants. Il se noie. Il cherche une banalité à dire pour faire la paire. Il bafouille :

— Fuir l'asile de Tours pour s'enfermer dans l'asile d'Auxerre, quel progrès !

Elle rit. Son rire !

— Énorme, le progrès. À Tours, tu étais traqué par Chilpéric. Ici, tu ne l'es plus.

— Je suis ton prisonnier. C'est pire.

— Prisonnier ? Tu es mon hôte. Mon hôte choyé, dorloté. Je suis ta servante.

— En ce cas, laisse-moi aller. Un hôte ne se retient pas de force.

Le Sang de Clovis

— Je ne te retiens pas de force. Je te protège. Hors ces murs s'étend le royaume de ton oncle Gontramn. Qui n'aurait qu'une hâte : te livrer à ton père. Gontramn est un pleutre, il n'aime pas les complications. J'ai dû déployer tous mes moyens de persuasion pour l'amener à fermer les yeux. Encore faut-il que tu restes sous ma protection. Je suis ton garant, comprends-tu ?

— Je comprends surtout que, sans la trahison de cet infect Gontramn Bose – un de tes amants ? –, je serais en ce moment à Metz, auprès de ma femme la reine, et que je régnerais avec elle.

— Tu serais vidé de ton sang, la gorge ouverte, allongé sur les dalles de Saint-Martin de Tours.

— Gontramn Bose ?

— Il avait l'ordre de te liquider s'il ne parvenait pas à te décider à fuir avec lui.

— Ton ordre ?

— Mon ordre. Tu seras à moi et à nulle autre, bel enfant. C'est ainsi. Note que, s'il avait fallu en venir là, j'en serais probablement morte aussi.

— Toi ?

— Moi. Crois bien que j'en suis la première stupéfaite. Il paraît que ça ne se commande pas. Je comprends maintenant ce qui te meut, ce qui meut ta Wisigothe, ce qui meut tous ces bêlants qui s'accrochent à moi... Quelle violence ! Quels émois ! Quels doutes ! Quelles extases !

« Seulement penser à toi me comble comme rien au monde jusqu'ici. Ce que j'ai tant cherché sans le trouver dans les bras des hommes – ce qu'eux trouvaient dans les miens – je le trouve rien qu'à me rappeler tes yeux, le pli au coin de tes lèvres, ton geste pour rejeter tes cheveux en arrière... Une gosse, une bécasse, une pucelle travaillée par la puberté, voilà ce que je suis. À mon âge, hein ? Après tout ce que j'ai vécu ! Quelle conne ! Mais c'est si bon, d'être conne ! Je déguste

Le Sang de Clovis

bien à fond, je n'en laisse rien perdre... Et te voilà ! Tu es là.
À moi. Je te garde. Gare à qui veut te prendre !

On a beau aimer ailleurs de toute son âme, un tel aveu,
fait avec une telle passion par une femme d'une telle puissance de séduction, ne peut manquer d'éveiller un trouble
où les sens ne sont pas seuls en cause.

Mérovée s'abandonne au vertige. Elle s'est rapprochée,
s'est agenouillée à ses pieds, s'est emparée de ses mains
qu'elle couvre de baisers et, mais oui, de larmes. De vraies
grosses larmes, brûlantes, qui coulent à travers ses doigts et
tombent à terre. L'émotion la fait balbutier :

— Chilpéric n'est rien. Un gros sac de bêtise et de
méchanceté. Un porc. Je suis la reine. Tu seras mon roi. Je
régnerai pour toi. Je conquerrai des royaumes. Je mettrai à
genoux le triste Gontramn, ce couard. La Wisigothe se traî-
nera à mes pieds. J'annexerai Burgondie, Austrasie et Aquitaine. Je reconstruirai l'empire de Clovis, Gaule et Germanie
réunies. Pour toi, mon bel amour, pour toi !

Elle entoure de ses bras les jambes de Mérovée, y presse sa
joue. Il reste coi, secoué d'émotions contraires, déconcerté
par cette exaltation, touché au cœur par cet amour. Ses
mains, d'elles-mêmes, descendent vers ce visage, ses paumes,
bien doucement, encadrent ces joues ruisselantes. Elle lève
vers lui des yeux d'esclave consentante. Il ne lutte plus. Elle
comprend qu'il se donne, qu'il se laisse cueillir, plutôt, mais
aussi elle sent sa peur. Elle veut le rassurer :

— Chilpéric, je m'en charge. Tu n'en sauras rien. Tout
sera terminé, tu seras roi, puisque tu es le fils. Ton mariage
ne vaut rien, tu le sais. Le mien ? Je prouverai que ton père
n'a jamais pu assumer l'acte de chair. L'impuissance entraîne
nullité ! Ainsi n'y aura-t-il pas inceste entre toi et moi. Inassouvie, je rôdais par les écuries, ce n'est même pas péché
d'adultère. Ainsi pourrons-nous nous marier. Ne dis rien.
Laisse-moi faire. Maintenant, je sais pour qui je le fais.

Le Sang de Clovis

Peut-on aimer deux femmes, les aimer très fort, aussi fort l'une que l'autre, mais différemment, car elles sont l'exact opposé l'une de l'autre ? Tel est le tourment de Mérovée, qui ne peut plus se cacher qu'une Frédégonde ruisselante de larmes a su en un clin d'œil le réduire à merci, là où la Frédégonde superbement lascive n'éveillait que sa jeune sensualité.

C'est de l'amour, mais oui, de l'amour. Un amour qui n'efface ni n'atténue celui qu'il voue à Brunehaut, mais qui s'y superpose. Évoquer Brunehaut le transporte. A-t-il vu pleurer Brunehaut ? L'a-t-il jamais entendue délirer d'amour ? Non. L'amour de Brunehaut n'a nul besoin de signes extérieurs. Il s'impose par son évidence même. C'est ainsi. L'amour rayonne de Brunehaut, clair et lumineux comme elle-même.

Le comte Lantéric, l'ombre de la reine, n'a pas assisté à l'entretien. Frédégonde l'a tenu à l'écart, chose impensable, chose inquiétante. C'est pourtant lui, Lantéric, qui a organisé dans ses détails la fausse évasion puis l'enlèvement de Mérovée par Gontramn Bose, lui qui a veillé à ce qu'il bénéficie du droit d'asile en terre burgonde sans révéler qui il est. Il se demande maintenant s'il n'a pas bêtement travaillé contre ses propres intérêts, lesquels se confondent avec ses amours. Quand on est beau gosse, autant que ça serve.

L'inquiétude est chose pénible pour qui n'y est pas habitué. Lantéric veut en avoir le cœur net.

La reine Frédégonde s'est retirée en sa cellule, laquelle, comme par hasard, jouxte celle de Mérovée. Lantéric note cela. Il a ses entrées chez la reine, nul besoin de se faire annoncer. Il hésite à frapper à l'huis, décide de s'en abstenir.

Le Sang de Clovis

Elle procède à sa toilette, dos tourné, aidée par une petite esclave rousse occupée à défaire le haut chignon. Lantéric fait signe à l'adolescente qui, connaissant leur intimité, s'empresse de filer sur ses pieds nus. Il prend la suite, plonge les doigts dans la fluide chevelure, l'étale amoureusement sur les épaules admirables.

Frédégonde a fort bien senti le changement de doigté. Elle n'en laisse rien paraître, elle d'habitude si sensible aux câlineries, si prompte à y répondre. Ce n'est que lorsque Lantéric, n'y tenant plus, effleure de ses lèvres la trop tentante épaule, qu'elle dit, un agacement dans la voix :

— Tu choisis bien mal ton moment, Lantéric.

— Il y a donc des moments propices, d'autres non ? C'est nouveau !

— C'est comme ça. Je suis contrariée.

— Je crois savoir ce qui te contrarie.

— Crois ce que tu veux, mais laisse-moi.

Lantéric va pour répondre, ravale sa réplique et, à reculons, quitte la place. Ses soupçons se précisent.

XXXI

— Seigneur évêque, j'ai quelque inquiétude au sujet de ces quémandeurs à qui tu accordas le droit d'asile, il y a quatre jours de cela.

— Tu veux dire ceux qui sont arrivés ici avec le seigneur Gontramn Bose et le diacre Rikulf ?

— Ceux-là tout juste, seigneur évêque.

— Et pourquoi cette méfiance, diacre ? Rikulf s'en porte garant. N'est-il pas lui-même diacre en la basilique Saint-Martin de Tours ?

— Sous-diacre, seigneur évêque.

L'évêque sourit.

— Sous-diacre, soit. Eh bien, ont-ils causé quelque scandale ? Troublé l'exercice du culte ? Rançonné les autres réfugiés ?

— Rien de tout cela à ma connaissance, seigneur évêque.

— Alors ?

— Une impression. Fausse, peut-être, mais...

— L'asile est l'asile, Philémon. Il s'accorde ou se refuse, mais ne se mesure pas. Nous n'avons pas à sonder leur passé, ni à prévenir leurs desseins. Ceci est l'affaire de la justice des hommes, dont nous n'avons pas à nous soucier. Ici, Dieu seul est juge.

— Nous n'en devons pas moins signaler aux agents du roi la présence des réfugiés.

Le Sang de Clovis

— Ne l'avons-nous pas fait ?

— Pas encore. Le décompte est fait une fois la semaine et le nombre communiqué au seigneur comte.

— Eh bien, en quoi y a-t-il lieu de s'inquiéter ?

— Déjà en ceci que je ne sais au juste si ces gens sont huit, en comptant la suite du seigneur Gontramn Bose, ou bien douze, en y incluant les quatre nouveaux arrivés, lesquels semblent bien ne faire qu'un groupe avec ceux-là, vu qu'ils sont toujours ensemble et mettent toutes choses en commun.

— Tu as cru remarquer cela ?

— Oui. J'ai remarqué aussi qu'un des premiers arrivés, un jeune homme de haute mine, semble bien n'être pas libre de ses mouvements. Je me risquerais même à avancer qu'il est captif des autres, comme une espèce d'otage, de prisonnier à rançon, je ne saurais mieux dire.

— Que vas-tu chercher là ? Lieu d'asile n'est point antre de receleurs. Ce serait faire acte de complicité dans le mal. Autre chose ?

— L'un des derniers arrivés a beau se donner vêture et allure de cavalier, j'y ai bien cru déceler appas de fille durement serrés et moustaches postiches.

— Eh, eh... Où est-il, le temps où les diacres étaient eunuques ? Tu as humé odeur de femelle, donc ? Après tout, si elle ne cause pas scandale...

— Seigneur évêque, je hume une autre odeur, celle du complot. Ce sont là gens qui touchent aux puissances, ou je me trompe fort. Je ne pense pas qu'il soit bon de laisser la politique entrer ici.

Le tour que prend la conversation semble décidément agacer l'évêque.

— Diacre, il est des choses qui ne sont pas de ton ressort. N'y aventure pas ton grand nez. Notre roi Gontramn en personne m'a donné aval pour ouvrir nos portes à ces gens. Je

Le Sang de Clovis

n'ai pas à t'en dire davantage. Sache seulement que tout est tel que ce doit être.

Le diacre s'incline, baise l'anneau de l'évêque. Il lui faudra bien se contenter de cela. Il croit toutefois devoir mentionner, avant de se retirer :

— Seigneur évêque, de nouveaux fugitifs sont venus demander l'asile.

— Eh bien, bon. Tu le leur as accordé ?

— En ton nom, seigneur évêque.

— Combien sont-ils ?

— Trois. Une espèce de bûcheron colosse, deux freluquets, eux aussi d'allure à les faire prendre pour autres qu'ils ne sont.

— Tu veux dire que tu as encore décelé une odeur de femelle ? Décidément, Philémon, la chose te travaille ! Il te faut trouver à me soulager ça. Peut-être justement avec une de ces prétendues femelles, pourquoi pas ? Je t'absoudrai après. Va.

Dans la cellule du cloître de Saint-Germain d'Auxerre qu'il s'est adjugée, le seigneur Gontramn Bose achève ses préparatifs de départ. Le sous-diacre Rikulf entre sans frapper, l'air soucieux :

— Seigneur, je viens d'apercevoir, sans être vu, les nouveaux quémandeurs d'asile.

— Eh bien ?

— Ça ne sent pas bon. Ils sont trois. L'un d'eux est une espèce de bûcheron géant, un autre un gringalet. Ces deux-là, je ne les ai que trop bien reconnus. Le troisième est un adolescent de fière allure qui dissimule son visage sous un capuchon.

— Et alors ? En quoi cela me concerne-t-il ?

Le Sang de Clovis

— En ceci que le colosse est tout dévoué à Mérovée. S'il s'est introduit ici, ce ne peut être que pour tenter de le faire échapper.

— C'est bien possible.

— C'est tout ? Cela ne t'inquiète pas ?

— Écoute, Rikulf. Je me suis engagé auprès de la reine Frédégonde à lui livrer le godelureau, sauf et en bon état. L'ai-je fait ? Oui. En a-t-elle pris livraison ? Oui. J'ai donc rempli mon contrat. Ai-je été payé ? Oui : je suis libre, mes petites filles aussi, et je n'ai qu'une hâte, les emmener loin des lieux que peut atteindre le bras de Chilpéric. Tu me suis ?

— Je te suis, seigneur.

— Alors, je te le demande, pourquoi irais-je me tourmenter au sujet de ce qui peut, à partir de cet instant, arriver au chéri de ces dames ? Ce n'est plus mon affaire. Allons, fais seller mon cheval. Je vais prendre congé de l'évêque.

Dans le corridor parfaitement obscur, trois morceaux de ténèbres avancent, rasant le mur. Un bruit sourd. Petit Loup a heurté de la tête une arcature surbaissée qu'on n'aurait pas attendue là. Minnhild se fige, attend le juron. Il n'y aura pas de juron. Petit Loup est à tout moment prêt à la souffrance imprévue et la subit en silence. Il murmure seulement, tout contre l'oreille de la petite :

— C'est par là, tu es sûre ?

— Pour qui me prends-tu ? J'ai vérifié.

La troisième ombre ne dit rien.

Minnhild compte mentalement ses pas. Elle s'arrête, prend la main de Petit Loup, pose cette main contre une surface de bois poli. C'est donc là.

La porte se ferme de l'intérieur par un loquet de bois que commande un bout de corde passant par un trou. Petit Loup, en tâtonnant, trouve le gros nœud par quoi se termine ce bout de corde, l'empoigne, tire doucement. De l'autre côté, le loquet cède et se soulève avec à peine le frôlement du bois sur le bois. La porte se laisse pousser sans faire plus de bruit, tournant sur ses gonds de bois.

Les voilà dans la place. L'obscurité y est adoucie par le très pâle halo bleuté que laisse entrer une mince et haute fenêtre ouverte sur la nuit du dehors. Pour leurs yeux faits au noir absolu du corridor, tout devient soudain net. Le lit sommaire dans son coin, le corps allongé, la tonsure monacale émergeant de la couverture, la blonde perruque tombée au pied du lit.

Petit Loup s'immobilise. Un doigt sur les lèvres, il jette un coup d'œil circulaire. Il avise la porte basse qui, à ce qu'il semble, donne sur la cellule voisine. Une simple ouverture, sans même de panneau. Il la désigne du doigt, va s'y camper en sentinelle. Minnhild referme l'huis par où ils sont entrés, soufflant à l'oreille du troisième élément du trio :

— Dame reine, c'est ton visage qu'il doit voir en s'éveillant.

Brunehaut, à gestes contenus, met un genou à terre, se penche sur Mérovée. Si, à ce moment précieux, il balbutiait dans son sommeil le nom chéri, ce serait trop beau. Il n'en fait rien, bien sûr, on ne voit de telles choses que dans les histoires que content les vieilles aux fillettes aux yeux pleins de rêve, Brunehaut le sait bien. Un peu déçue, quand même, elle contemple le cher visage. Elle n'est plus qu'adoration. Elle oublie tout.

Heureusement, Petit Loup et Minnhild sont là, qui, eux, ne perdent pas le sens des réalités. Il faut agir, et vite. Minnhild tire sur la tunique d'homme qui dissimule la trop évidente féminité de la reine. Brunehaut fait « Oui » de la tête, s'arrache à son extase et se met en devoir d'éveiller le dormeur bien-aimé sans risquer un sursaut bruyant. Dans une telle circonstance, ce qui vient spontanément à l'esprit de

Le Sang de Clovis

toute femme amoureuse, c'est le réveil par un doux baiser. Amoureuse, oh, oui, elle l'est, Brunehaut ! Elle se penche, effleure de ses lèvres les lèvres de Mérovée, qui sursaute, ouvre la bouche pour un cri strident – mais Minnhild veille au grain : elle applique aussitôt sa paume sur cette bouche, réduisant le cri à un couinement étranglé avant même de naître –, ouvre enfin les yeux, sourit... Que ne les ouvrît-il en premier, les yeux, cela eût évité l'embryon de cri qui, pour embryon qu'il fût, n'en eut pas moins effet, et un effet regrettable.

Au couinement étranglé a répondu, dans la seconde même, venu de la cellule conjointe, le froissement de draps brusquement rejetés, en même temps que le rectangle de la porte communicante s'illuminait de la lumière jaune d'une lampe à huile jusque-là masquée.

Et qui donc apparaît, dressée dans la jaune lumière ? L'affolante silhouette, éclairée par-derrière, de la plus désirable des femmes que jamais modela le Créateur, belle de la beauté parfaite et funeste qui fut celle de cette Lilith que, selon certains grimoires hébreux rongés des rats, Dieu, lui-même abusé par sa ténébreuse splendeur, donna tout d'abord à Adam, bien avant cette lourde bécasse d'Ève dont la crédule naïveté devait se révéler plus meurtrière infiniment que les noires délices de Lilith aux yeux pers.

Tous se taisent. Et que dire ? Pris la main dans le pot, comme voleurs de confitures ! La culpabilité les submerge. Pas longtemps. Juste le temps qu'ils se rappellent que ce sont eux les bons, qu'ils s'adonnent à la tâche méritoire de rendre la liberté à l'innocente victime d'un rapt, et que, s'ils agissent en tapinois, c'est par pure nécessité tactique.

Frédégonde prolonge le silence. Elle goûte l'avantage que lui donne la surprise. L'ombre où se perdent ses traits ne laisse rien voir de son sourire. Cet instant, elle l'a souhaité. Elle savait que, tôt ou tard, il lui faudrait l'affronter. Elle y

Le Sang de Clovis

est prête. D'un geste agacé elle rejette par-dessus son épaule un pan du drap dont elle s'est enveloppée. Ce faisant, elle couvre l'épaule mais dénude le sein. Elle n'en a cure. Peut-être l'a-t-elle voulu. Elle fait un pas en avant. L'étoffe s'écarte sur une cuisse insolente, révèle brièvement la toison diaboli-que. Plus belle que nue. Magie d'un bout de chiffon jeté comme négligemment.

Brunehaut s'est dressée. La lumière la frappe de face. Elle apparaît, vêtue en cavalier, la chevelure enfouie sous le capu-chon grossier. Elle aussi prête à l'affrontement. Tranquille-ment sûre d'elle dans la sérénité de son amour. Qui parlera en premier ? Brunehaut. Ce n'est pas à Frédégonde qu'elle s'adresse. Elle ignore Frédégonde. Elle ne connaît ici que Mérovée. Elle lui dit, épouse venue chercher l'époux attardé :

— Viens. Rentrons à la maison.

Mérovée s'assied au bord du lit. Petit Loup lui présente ses vêtements, qu'il enfile posément. Trop posément. Ne traîne-t-il pas en longueur ? Ne cherche-t-il pas à gagner du temps ? Pour quoi faire ? Qu'espère-t-il ? Pourquoi ne saute-t-il pas au cou de Brunehaut, pourquoi ne la serre-t-il pas à l'étouffer, elle, l'adorée, la lumineuse, l'ange porteur de liberté ? Petit Loup se pose ces questions. Brunehaut ne semble pas s'en inquiéter.

Frédégonde, enfin, parle. Il faut bien que quelqu'un s'y mette. Elle laisse tomber, sans passion aucune :

— Tu fais une bêtise, Wisigothe. Une très grosse bêtise.

Brunehaut ne daignant répondre, elle précise, elle martèle :

— Il est à moi. À tout jamais. Tu n'y peux rien. Tu n'en auras que les restes. Il te fera l'amour en regrettant que tu ne sois pas moi. Il cherchera mon odeur dans les replis de ta peau blême et ne trouvera que fadeur. Il ne se plaindra pas, mais il dépérira. Chaque fois qu'il te pénétrera, je le sentirai, et je saurai qu'en esprit il sera avec moi, dans mes bras, et je gémirai avec lui, nous ferons l'amour à travers toi, à travers ton corps docile qui ne sera qu'un intermédiaire entre nous, un pauvre trou à remplir.

Cette fois, quelque chose, en Brunehaut, a été touché. Elle vient à Mérovée, prend son visage entre ses mains, le force à soutenir son regard.

— Est-ce vrai ?

Il la serre à pleins bras, convulsivement, enfouit son visage dans l'océan de boucles blondes soudain libérées du capuchon rabattu. Il crie :

— Je t'aime, je t'aime ! Je t'aime à tout jamais !

Frédégonde ricane :

— Il t'aime. Et il m'aime. Moi, je m'en arrange. Toi, le pourras-tu ?

Mérovée est enfin prêt. Petit Loup, qui ne se laisse pas distraire par les péripéties sentimentales de l'entreprise, s'avise qu'il suffirait que Frédégonde lance un appel pour que surgissent Gontramn Bose, Rikulf, ainsi qu'un quarteron d'arsouilles à leur solde. Il serait donc judicieux d'y pourvoir, et vite. En conséquence, il esquisse discrètement un mouvement tournant qui doit l'amener derrière Frédégonde afin de clore l'auguste bouche de sa large main, puis de bâillonner la reine avec soin, et même de la ligoter.

Il y est presque parvenu lorsque le heurte et le bouscule, surgi de la chambre éclairée de Frédégonde, un quidam aussi nu qu'un nouveau-né, hirsute, bâillant et se frottant les yeux en homme mal réveillé qui reprend péniblement contact avec l'âpre réalité. C'est de Mérovée que jaillit l'explication :

— Gaïlen !

Au tour de Brunehaut de sourire. Oh, à peine. Du coin des lèvres. Elle n'abuse pas de la situation. Les faits parlent d'eux-mêmes.

Le discret sourire de bon ton gagne la compagnie. Minnhild pouffe derrière sa main. Frédégonde, pour si peu, ne se

Le Sang de Clovis

trouble ni ne rougit. Elle a du ressort, la petite. Si Brunehaut est reine, elle ne l'est pas moins. Du bout des doigts elle donne une tape légère sur l'épaule de Gaïlen, lequel, pleinement réveillé, a jugé d'un coup d'œil la situation, et lui enjoint :

— Va donc t'habiller, mon mignon. Tu vas prendre froid.

Seul, Mérovée n'a pas souri. Son nez se plisse, il va pleurer. Brunehaut s'est écartée de lui. Cela n'échappe pas à Frédégonde, qui a l'art de tourner toute chose à son avantage. Elle s'approche, toujours drapée à la diable dans son drap complice, caresse la joue de Mérovée, sourit avec douceur, le console :

— Cela n'a rien à voir. Une friandise que je me suis offerte en passant. Une curiosité. Tu dormais, et moi j'ai eu envie. Il me regardait, si tu savais... C'est ton ami, ton frère, tu peux bien lui prêter tes joujoux. Car il n'a eu de moi que le joujou. Ça n'empêche que je t'aime, que je t'aime à en mourir, que rien au monde ne pourra faire que je ne t'aime plus ou que je t'aime moins, je le dis devant tous ceux-là, je le dis devant celle-là, que tu crois aimer, qui croit t'aimer, elle qui ne soupçonne même pas ce que c'est que l'amour. A-t-elle tué pour toi ?

Elle se tourne vers Brunehaut.

— Moi, j'ai tué pour lui. Et je tuerai encore, autant qu'il le faudra.

Ses yeux brillent d'un feu sauvage, sa parole s'est faite âpre. Elle est toute passion. Les assistants, muets, sentent les frôler l'aile du grandiose. Brunehaut les fait redescendre sur terre :

— Tu as tué parce que tu aimes tuer. La mort partout t'accompagne. Ton amour pue la mort. Tu es une tueuse. Et lui aussi, tu le tueras.

Tous frissonnent. Minnhild laisse fuser un gémissement. Derrière l'impassibilité affectée de Brunehaut hurle une haine d'une violence inouïe. Il n'est plus question ici de querelle de femmes autour d'un mâle. Mérovée est oublié. Si l'une tue par nature, par goût, par commodité, aussi, l'autre tuera sans pitié quand il le faudra, quand sera venu le temps de la vengeance, car le sang de sa sœur Galeswinthe, celui de Sigebert, son époux, hantent ses cauchemars, la font se dresser sur sa couche, sanglotante, et criant des blasphèmes à la face de Dieu.

L'intermède n'a pas fait perdre à Petit Loup la notion de l'urgence. Il dit avec respect :

— Pardonne-moi, dame reine, mais il le faut.

Dans la même seconde, il applique sur la bouche de Frédégonde une main vaste comme une province tandis que Minnhild entortille habilement le drap autour des formes sublimes et serre le tout à faire péter les nœuds. La reine écume et rue. On complète le ficelage avec toutes les ceintures, courroies et lanières qu'on peut trouver, et puis on abandonne le colis sur la couche aux voluptés, ce qui est tout de même moins barbare que sur le froid granit.

Ce travail mené à bien, il ne reste plus qu'à vider les lieux le plus rapidement et le plus discrètement possible. Petit Loup pousse son nez hors de l'huis, scrutant de l'oreille les ténèbres du corridor. Un bref cliquetis le fait se figer sur place, doigt aux lèvres. Il y a de l'homme armé, par là. Soudain, une main se pose sur son bras. Adèle a déjà bondi dans sa paume, le fer tourné vers où est censé se tenir le possesseur de cette main. Mais cette main est douée de la parole. Tout bas, elle profère :

— Ami !

Sur le même ton, la hache levée, Petit Loup s'étonne :

— Ami ? Quel ami ? Nous n'avons qu'ennemis ici.

— Lantéric.

— Lantéric ?

Le Sang de Clovis

— Souviens-toi. Rouen. L'église Saint-Martin.

— Fort bien. Tu es à Chilpéric. Donc ennemi.

— En ce moment, non. Je veille sur les biens du roi.

— Ah, ah ! Tu veux dire sur sa femme ?

— Et sur sa vie. Abrégeons. N'allez pas par cette galerie. On vous y attend.

— Gontramn Bose avec ses estafiers ?

— Et aussi des gens de la reine. À chaque bout.

— Bigre !

— Rentrez dans la cellule et suivez-moi. Je vous ferai sortir. Je connais les passages.

Petit Loup réfléchit. Il lui faut choisir entre deux traquenards, l'un certain, l'autre probable. Un nouveau cliquetis d'acier, venu de l'autre extrémité du corridor, lui fait opter pour le probable. Et donc la petite troupe formée de la reine Brunehaut, de Mérovée, de Minnhild, de Gaïlen et de lui-même emboîte le pas, non sans méfiance, au dénommé Lantéric, qui les fait d'abord passer par la cellule mitoyenne où gît Frédégonde dans ses liens, une Frédégonde qui dédie au passage un regard aussi surpris que meurtrier à Lantéric.

Cette cellule devait avoir, à l'origine, une destination spéciale car elle comporte, sous une dalle mobile, un étroit escalier donnant dans une cave où s'ouvre l'amorce d'un souterrain. Lantéric semble avoir soigneusement étudié les lieux. Une torche au poing, il guide la compagnie par ce souterrain jusqu'à son débouché dans un petit bois hors des murs d'Auxerre.

Pendant tout le parcours, Petit Loup, Adèle dressée, s'est maintenu sur les talons du transfuge, prêt à agir au premier signe de trahison. Il doit bien reconnaître que l'homme s'est montré loyal. Soulagé, il s'étonne :

— Tu es l'homme lige de Chilpéric. Nous aider, c'est tromper ton maître. Pourquoi fais-tu cela ?

Le Sang de Clovis

— Parce que mon maître est le seigneur roi Chilpéric, justement. Servir les amours secrètes de la reine avec l'époux de la dame reine Brunehaut, cela, oui, serait le tromper, et même le trahir.

Brunehaut a écouté. Elle dit :

— Tu es un leude fidèle et dévoué. Mais Frédégonde se vengera.

Lantéric se frappe vertueusement la poitrine.

— C'est un risque à courir. Je fais mon devoir.

Ce que ce leude fidèle et dévoué ne juge pas utile de préciser, c'est que la survenue de Mérovée dans le cœur et les projets d'avenir de Frédégonde ruine irrémédiablement les siens propres. Si Chilpéric doit être évincé un jour ou l'autre, ce sera pour le profit exclusif de Lantéric, et au besoin de sa main. Quant à la rage présente de Frédégonde...

— Une nuit d'amour arrangera cela.

Troisième partie

MÉROVÉE

XXXII

D'Auxerre à Metz, on chevauche pour ainsi dire sans souci. S'il arrive, à la vérité bien rarement, que l'on rencontre quelque patrouille burgonde, tout se passe dans la mutuelle confiance et la cordialité. À croire qu'un discret autant que bienveillant mot d'ordre a été donné en haut lieu.

La Burgondie est pays d'abondance. La guerre, éternelle plaie de ces temps, n'y a pas sévi récemment. Les masures ne se réduisent pas aux habituelles ruines calcinées et, si les paysans sont en loques, du moins leurs joues sont pleines et leurs sourires sans crainte.

Griffon a retrouvé avec soulagement Petit Loup. Trudi caracole sous la reine. L'observateur attentif pourrait noter que la haquenée mignonne n'est plus aussi prodigue en agaceries envers le placide Griffon. Il pourrait noter aussi que Griffon lui-même ne montre plus cet empressement un peu puéril à s'y prêter. Il affecte un certain air fat, Griffon, qui donne à penser. Petit Loup, qui connaît les chevaux, se demande à quoi peut bien ressembler le produit de l'union scandaleuse d'un percheron colossal et d'une délicate petite personne aux cils ombreux.

Minnhild se pavane dans les coussins de la litière. Elle est songeuse, Minnhild. Elle profite d'un moment où Trudi, portant la reine, se trouve à hauteur de la litière pour hasarder .

Le Sang de Clovis

— Dame reine, tu sembles tourmentée.

Brunehaut, s'arrachant à ses pensées, darde sur la petite ses yeux dont le bleu a pris les durs reflets de l'acier. Elle dit, mâchoires serrées ·

— J'aurais dû la tuer.

Minnhild est épouvantée :

— Le droit d'asile, dame reine ! C'eût été un sacrilège terrible, inexpiable ! Traquée sur terre, damnée pour l'éternité, voilà le sort qui t'attendait !

— Alors, c'est elle qui me tuera. Et qui tuera tout ce qui sera sorti de moi, tout ce qui touche à moi. De ce jour, vous êtes des condamnés à mort.

Mérovée a entendu. Il baisse la tête, ne dit rien.

On fait route plein orient afin de se tenir à bonne distance de la frontière de Neustrie que des bandes de cavaliers en armes échappant à l'autorité de Chilpéric franchissent trop aisément pour des expéditions de pillage en profondeur. Passé la Saône, on est en terre d'Austrasie. Il n'y a plus qu'à se laisser porter le long de la Moselle aux eaux encore jeunes, et ce sera l'entrée à Metz.

Dès la frontière franchie, Brunehaut a repris son apparat royal, réintégrant robe aux plis lourds, diadème, pectoral et bijoux divers. Elle a aussi repris sa place dans la litière, où elle trône avec la majesté requise, Minnhild lovée à ses pieds.

Les paysans laissent tomber la houe pour accourir s'amasser le long de la chaussée, criant « Vivat ! » mais aussi « Hoch ! » et « Heil ! », car, ici, le menu peuple laboureur n'est pas, comme partout ailleurs dans les Gaules, fait uniquement de Gallo-Romains brutalement dépossédés, mais aussi de Francs sans avoir, vétérans des guerres anciennes fixés sur un lambeau de glèbe. Ici, le barbare ne considère pas que travailler de ses mains soit déchoir, que le seul état digne de

308

Le Sang de Clovis

l'homme de race germanique est de s'engraisser de la sueur de la racaille vaincue. C'est pourquoi l'Austrasie est tenue pour un pays de sauvages.

Petit Loup, toujours à l'affût des occasions de s'instruire, finit par remarquer que ces foules enthousiastes ne comportent ni riches vêtements, ni robes de clercs. L'aristocratie pas plus que le clergé ne daignent donc accourir afin d'acclamer leur reine, la mère de leur roi, la régente toute-puissante ? À peine si, de-ci de-là, un moine mendiant, aussi loqueteux que les paysans, mêle sa robe trouée aux hardes misérables. Petit Loup ne peut s'empêcher de voir là un présage fâcheux.

Parvenue à une couple de lieues gauloises des murailles de Metz, la petite troupe fait halte. Brunehaut envoie deux cavaliers de son escorte, à savoir Petit Loup et Gaïlen, prévenir de son arrivée, afin que soit organisé l'accueil dû à son rang. Elle est sombre. Elle n'a pas été sans remarquer l'absence des leudes et des prélats, ce qui ne peut s'interpréter que comme une bouderie délibérée.

À la porte principale de la cité, une surprise attend les deux compagnons. Un rassemblement d'hommes de guerre se trouve là, qui barre l'accès. Petit Loup s'enquiert :

— Qui commande, ici ?

Un cavalier, sans hâte et même carrément de mauvaise grâce, s'avance, le poing sur la hanche. Il est vêtu à l'antique mode tudesque des temps de la grande ruée, le crâne entièrement rasé sauf une arrogante crête centrale, le torse nu barré de pendeloques précieuses, la hache francisque pendant à la ceinture ainsi que le casque cornu et le scramasaxe. Il toise Petit Loup, le prend de haut :

— Que t'importe qui commande ? Ce n'est pas toi. C'est tout ce que tu dois savoir.

Le Sang de Clovis

Petit Loup se force au calme :

— Qui que ce soit qui commande, qu'on lui fasse savoir que nous précédons la dame Brunehaut, votre reine. Il lui faut de quoi lui faire digne escorte pour entrer dans sa ville de Metz.

L'autre ricane, crache aux pieds de Griffon. Cette fois, l'injure est criante. Gaïlen porte la main à l'épée, lance son cheval contre celui du grossier. Petit Loup dit : « Pas de ça ! », étend le bras et bloque l'impétueux garçon, bien décidé à ne pas laisser s'envenimer les choses avant d'avoir tiré au clair ce qui se cache derrière tout ça.

Justement, le butor parle. Peut-être quelque explication se fera-t-elle jour à travers ses rodomontades.

— J'ignore tout de ta « reine » – Comment as-tu dit ? Brunegaut ? Peu importe. Il y a ici un roi, notre roi Childebert, deuxième du nom, fils de Sigebert. C'est un enfant, il a besoin de la tutelle d'un Conseil de régence pour l'éclairer et le guider dans ses décisions. Je suis ce Conseil. Avec quelques autres, bien sûr, qui ne font qu'un avec moi. Nul besoin de la régence d'une femme, fût-elle celle qui porta le roi dans son ventre. Elle l'a mis au monde, son rôle est terminé. Qu'elle retourne à sa quenouille et à ses amours incestueuses !

Petit Loup, posément, demande :

— Qui es-tu, toi qui parles si haut ? Pour ma part, je suis Petit Loup, fils d'Émeric, fils de Loup dit le Hun blond, et je suis prêt à en répondre.

Ces mots, « le Hun blond », produisent l'effet habituel. L'homme répond, un ton plus bas, l'arrogance tempérée par une nuance de respect :

— Je suis Raukhing, duc, fils de Strekling. Rien dans ce royaume ne se fait que je ne l'aie voulu ou permis. Tu t'es voué à une mauvaise cause, camarade, en te mettant au service de cette gueuse.

Le Sang de Clovis

Gaïlen frémit. Petit Loup, de la main, le calme, tout en répliquant :

— Tu parles mal d'une dame, duc. Je vais me voir obligé de t'en demander raison.

— Je parle comme il doit être parlé de la veuve qui a souillé ses voiles en attirant entre ses cuisses adultères son propre neveu, le fils de l'estimé Chilpéric, roi de Neustrie, frère de feu son époux, et l'a forcé à profaner à la face du Ciel le très saint sacrement de mariage, comme une incestueuse, une sacrilège et une putain qu'elle est.

L'épée haute, la rage au cœur, l'impétueux Gaïlen s'est jeté contre l'insulteur. Cette fois encore, le bras de Petit Loup, prolongé par Adèle qui, estimant que son tour était venu d'avoir un rôle à jouer, a sauté dans sa main, le bloque en plein élan comme l'eût fait la maîtresse branche d'un chêne en bonne santé. Tout autour, les lances se sont pointées en bataille, les épées ont jailli hors des fourreaux. L'arrogant ricane. Petit Loup, cependant, dans son discours, a cru discerner quelque chose :

— Duc Raukhing, il me semble que tu parles du roi Chilpéric avec bien du respect. C'est pourtant l'ennemi acharné de l'Austrasie et du roi Childebert. Serait-il donc, chose curieuse, de tes amis ? Si c'est le cas, voilà un Conseil de régence en grand péril d'être mal conseillé !

C'est au tour du duc d'écumer :

— De quoi je me mêle ? Et d'abord, qu'es-tu venu faire ? Demander une escorte d'honneur pour ta foutue pouffiasse ? Tu as ta réponse. Elle n'aura ni escorte, ni même porte entrebâillée. Si elle veut entrer, elle escaladera la muraille. Encore sera-t-elle accueillie à volées d'œufs pourris et de navets véreux. Va lui dire cela, et estime-toi heureux que je ne vous laisse pas écharper par mes gaillards, qui ne demandent que ça. Mais je vous considère comme plénipotentiaires et, à ce titre, personnes intouchables. Allez !

Le Sang de Clovis

C'est l'insulte suprême. Petit Loup n'a plus pouvoir de retenir Gaïlen. Et au nom de quoi le ferait-il ? Il est évident que Brunehaut n'est pas la bien-aimée des puissants rapaces qui se sont arrogé le pouvoir autour de l'enfant roi. Sa survenue au bras de son nouvel et scandaleux époux n'est pas pour calmer le jeu. Et quelle est l'influence de Chilpéric, dans tout ça ?

Tout en remuant ces pensées, il couvre Gaïlen qui s'est jeté en vociférant contre le hérissement de ferrailles meurtrières se dressant comme un mur entre lui et le ricanant Raukhing. C'est très imprudent. Petit Loup interpose vivement une Adèle tourbillonnante, et c'est un éparpillement de fers de lance tranchés au beau milieu du fût, de lames d'épées fauchées au ras de la poignée. Adèle est à la fête, l'occasion lui est si rarement donnée de frapper du tranchant de la lame ! Pour parachever le travail, elle donne du talon sur quelques têtes obstinées à essayer de cogner avec les fûts des lances devenues manches à balai.

Dans sa fureur, le duc Raukhing a négligé de prendre garde à un élément essentiel de la conjoncture. Cet élément consiste en la présence, de plus en plus nombreuse, de la foule des laboureurs, pastoureaux, hommes de peine et autres gens de peu qui, faisant triomphal cortège à la reine et à son époux, se sont multipliés tout le long du chemin, puis ont suivi ses deux messagers afin de voir un peu ce qui allait se passer aux abords du rempart, chose dont ils se faisaient d'avance une certaine idée que les faits confirment pleinement.

Cette racaille baragouinant un sabir latino-tudesque – on est en pays ex-alaman –, d'abord intimidée par le déploiement guerrier, ayant ensuite ouï les sales injures faites à sa reine, se rue maintenant d'un irrésistible élan sur Raukhing et ses gens d'armes, qu'elle accule à la muraille et va, dans la seconde qui vient, c'est inévitable, écraser comme vermine.

Le Sang de Clovis

C'est alors que retentit le rauque appel d'une trompe de guerre. Pas n'importe quel appel, mais bien celui dont tout un chacun sait interpréter l'injonction : « Bas les armes ! »

Dans le calme soudain revenu, on voit s'encadrer entre les battants du portail ouvert en grand une brochette de clercs, prêtres, diacres, sous-diacres, moines et moinillons de divers plumages, au milieu desquels, bénisseur, s'avance un évêque ruisselant d'ors de la mitre aux pantoufles.

Devant un évêque, l'usage exige que l'on ploie le genou. En échange, l'évêque donne son anneau à baiser. Si l'on est à cheval, l'étiquette permet que l'on se contente d'une inclinaison de tête. L'évêque, en ce cas, ne présente pas l'anneau au cavalier, ce qui l'obligerait à lever le bras, humiliation incompatible avec la divine majesté qu'incarne l'évêque, à moins que l'évêque ne chevauche une mule, monture épiscopale par excellence, auquel cas les niveaux peuvent être considérés comme suffisamment rétablis. Mais cet évêque-là est à pied, sa cour ecclésiastique aussi.

S'appuyant noblement sur sa crosse où, semés parmi l'or ciselé, étincellent les cabochons multicolores de pierres qui mériteraient pleinement l'adjectif de « précieuses » si elles étaient taillées – mais ça, les barbares ne savent pas le faire –, l'évêque lève deux doigts bénisseurs et affiche le sourire du bon pasteur tel qu'on se plaît à l'imaginer. Tous mettent un genou à terre, baissent la tête et se signent d'abondance, même le duc Raukhing, fils de Strekling.

L'évêque, semant à la ronde les bénédictions, s'avance, se plante devant Petit Loup et Gaïlen, fort occupés à reprendre souffle après l'empoignade. Petit Loup a l'impression que le prélat sait de quoi il retourne, ce qui lui est aussitôt confirmé par l'intéressé en personne :

— Mes enfants, mes bien chers frères, point de dissension entre les brebis de Notre Seigneur le Christ Jésus. Vous deux, jeunes gens, êtes les hérauts envoyés par la mère de notre roi

Le Sang de Clovis

bien-aimé. Je pressens un malentendu causé par le zèle parfois bouillonnant du seigneur duc Raukhing, lequel prend fort à cœur l'intégrité, devant les commandements de Dieu et de notre sainte mère l'Église, de quiconque prétend, au nom de Notre Seigneur le Christ Jésus, régner sur le peuple d'Austrasie.

L'évêque marque un temps, qu'il occupe à juger l'effet de ses paroles sur l'assistance. Nul ne bronche. Il reprend :

— Le duc ignore, j'en suis bien persuadé, que l'union de la dame reine Brunehaut, veuve de notre feu roi Sigebert – Que Dieu l'ait en Son Paradis ! – et du seigneur prince Mérovée, fils de Chilpéric, roi de Neustrie par la grâce de Dieu, a été célébrée, selon les rites fixés dans les canons de l'Église, par mon collègue l'évêque Prætextatus, en présence des témoins requis, lesquels peuvent l'attester. Qui oserait insinuer qu'un évêque pût prostituer le très saint sacrement du mariage par un inceste abominable ? Celui-là serait réputé impie, calomniateur et trois fois sacrilège !

Un murmure approbateur bourdonne au-dessus de la foule des manants. L'évêque s'adresse au duc Raukhing :

— Tu ignorais cela, duc, c'est pourquoi je te pardonne tes excès de langage, qui procédaient d'une juste indignation. Maintenant que tu sais, repends-toi et demandes-en pardon à ces représentants de la reine.

Petit Loup intervient :

— Ce n'est pas à nous qu'il faut demander pardon, mais bien à la personne même de la reine.

Gaïlen approuve du chef.

— Dame reine, tu n'as pas que des amis, à la cour du roi ton fils.

— Raukhing ?

Le Sang de Clovis

— Le duc Raukhing, oui. D'autres aussi, s'il faut l'en croire. J'aurais cru impossible qu'on pût ne pas t'aimer, te vénérer et te vouer sa vie.

Elle sourit :

— Tu vois. On ne peut pas plaire à tout le monde.

— Cet homme te hait de haine violente.

— Je sais. Il n'est pas bon d'être femme dans cette tanière de fauves. Les plus puissants seigneurs de ce pays se sont instaurés de leur seul gré Conseil de régence. C'est en fait une entreprise de brigandage par laquelle ils dépècent le royaume et s'en partagent les lambeaux. Moi, qui suis régente de plein droit, je m'oppose de toutes mes forces à ce démantèlement de l'héritage de mon fils. Je suis donc l'ennemie.

— Et ton mariage leur donne une justification morale.

— Alors que tous ces vertueux chrétiens dépucellent eux-mêmes leurs filles, entretiennent sous le toit conjugal des troupeaux de concubines et ne craignent pas de forniquer à la face du Ciel par toutes les variétés de la fornication avec leurs sœurs, leurs nièces, leurs tantes et même leur propre mère selon la chair !

— Si l'évêque n'était survenu bien à point pour calmer le jeu et rappeler ces brutaux au respect qui t'est dû, je ne sais trop ce qu'il en aurait été.

— Ægidius ? Ce renard ? C'est le pire de tous ! Il défend ici sans presque s'en cacher les intérêts de Chilpéric et, sous l'autorité de son ministère, pousse sournoisement les leudes à la rébellion. Si, en la circonstance présente, il a pris votre parti et, par ricochet, le mien, croyez bien que c'est par l'effet de quelque tortueux calcul dont nous verrons bientôt, hélas, les conséquences.

Accueillie à la porte de la cité par l'évêque Ægidius et sa pieuse cohorte, la reine Brunehaut fait son entrée dans sa

Le Sang de Clovis

bonne ville de Metz, son époux caracolant à son côté. Les vivats populaires éclatant tout le long du trajet, les façades ornées à la hâte de feuillages fleuris, d'oriflammes et de pièces d'étoffe aux vives couleurs, les enfants accourant offrir à la reine des bouquets de fleurs des champs, tout cela vous a un air de fête et d'allégresse qui va droit au cœur de Mérovée.

Petit Loup, l'œil toujours en alerte, fait certaines remarques qu'il communique à Minnhild, laquelle a repris sa place en croupe, estimant plus convenable de laisser la reine trôner seule en majesté dans la litière d'apparat.

— Il y a foule de populace dans les rues et aux fenêtres, et certes tous ces braves gens paraissent fort réjouis. Mais, de seigneur de haut parage, pas un qui soit venu à la rencontre de sa reine. Et les façades des riches demeures ont clos leurs volets et font grise mine. Je n'aime pas cela.

— Oh, toi, tu vois toujours tout en noir. Ils n'ont pas eu le temps, voilà tout. Ils ne l'attendaient pas de sitôt. Je suis sûre que seigneurs et notables se sont dépêchés d'aller vêtir leurs plus beaux atours pour accueillir la reine comme il se doit. Ils l'attendent au palais, avec bannières, friandises, discours et musique.

— Puisses-tu dire vrai !

Mais, devant le palais, personne, si ce n'est la domesticité, esclaves et serviteurs libres, groupés en deux haies devant la porte, criant « Vivat ! » et « Heil ! » puis s'empressant à remplir leur office. La reine fronce le sourcil. Précédant les questions, l'évêque explique :

— Le Conseil tout entier est à la chasse au loup. Une grande battue, prévue de longue date. Je vais faire en sorte qu'il soit réuni dès demain, en présence du seigneur roi.

Il ajoute :

Le Sang de Clovis

— Et de la tienne, bien entendu.

Brunehaut approuve de la tête, sans un mot. Elle brûle de demander : « Pourquoi le roi mon fils n'est-il pas là ? » Mais ce serait afficher sa peine et son humiliation. L'évêque se retire, emmenant sa suite.

Dans la cour où s'activent servantes et garçons d'écurie, un homme s'avance, grave, solitaire, au-devant de la reine. C'est un quinquagénaire de haute mine, strictement vêtu à la romaine, comme dédaignant les extravagances barbares du costume franc si prisé en ces contrées farouches qui proclament leur mépris de la romanité en même temps que l'exaltation des mœurs brutales des Ancêtres.

À sa vue, un sourire éclaire le visage de Brunehaut.

— Mon cher Lupus ! Je savais bien que, s'il n'y en avait qu'un, tu serais celui-là !

Lupus s'incline.

— Il y en aura toujours au moins un, tant que je serai en vie, dame reine.

Il se tourne vers Mérovée.

— Hommage te soit rendu. Tu es Mérovée, fils de Chilpéric — hélas ! — et époux légitime de notre reine par le très saint sacrement du mariage. Heureux homme !

Il s'incline brièvement et ajoute :

— Je suis Lupus, duc et administrateur de la Champagne par la grâce du père de notre actuel roi, le feu roi Sigebert.

Il se présente successivement à Gaïlen et à Petit Loup, qui lui rendent la politesse. Minnhild n'y a pas droit, quand on est femelle il faut au moins être reine pour accéder à l'existence courtoise[1].

---

1. Il n'est pas encore là, le temps des troubadours !

Le Sang de Clovis

Le Conseil est réuni. L'évêque Ægidius s'est mis en quatre. Ils sont donc tous là, les puissants, les voraces. Revenus de la chasse au loup, il faut croire. Debout, éparpillés par petits groupes, parlant haut et faisant sonner les clinquailles précieuses dont ils ruissellent de la tête aux pieds. Tous arborent, à la vieille mode, crinières arrogamment taillées et dressées, tignasses ficelées en bottes d'oignons ou en queues-de-cheval.

Tous ont, pendue à la ceinture et prompte à sauter en poigne, l'inévitable francisque, la hache de jet fendeuse de crânes et défonceuse de boucliers, et aussi la lourde épée spatha, sans omettre le court scramasaxe davantage fait pour l'assassinat discret que pour le combat. Chacun hurle à l'oreille de chacun pour se faire entendre. Le vacarme est insoutenable.

L'appel rauque d'une corne de guerre se fait soudain entendre, parvient à dominer le tumulte, qui retombe net. Deux guerriers de la garde d'élite sont entrés, ont pris place de part et d'autre de la porte, lances croisées. Le roi va paraître. On l'attend. On attend aussi autre chose. L'assemblée semble tendue dans une connivence perverse. Cela sent le complot.

La tradition veut qu'un roi franc ne s'adresse à ses leudes que du haut d'un cheval. N'ayant pas trouvé dans les écuries royales d'étalon assez sûr pour lui confier la précieuse vie du petit Childebert, deuxième du nom — pas question, cela va sans dire, de lui faire chevaucher un cheval hongre ! —, on se résolut, sur la proposition de Petit Loup, à le jucher sur l'immense Griffon dont la taille rehausse d'autant la majesté royale. Ce qui fait que, Griffon ne daignant obéir à nul autre qu'à son cher Petit Loup, celui-ci fait son entrée, bride au poing, au côté du roi, alors qu'il n'a aucun titre à se trouver là, un Conseil de régence n'étant point ouvert à tout venant, d'autant moins si ledit tout venant est de surcroît étranger au pays.

Le Sang de Clovis

Et donc l'enfant roi s'avance au pas placide de sa massive monture, le menton haut dressé, vêtu en guerre, des armes à sa mesure pendant à sa ceinture, un manteau de pourpre épanoui derrière lui sur la croupe exubérante.

Trois formidables « Hoch ! » se heurtent aux voûtes puissantes, rebondissent et s'entrechoquent en échos bousculés. Pas un seul « Vivat ! », note Petit Loup... Ah, si, tiens ! Un seul. Il a attendu, pour se faire entendre, ce « Vivat ! » solitaire, que l'ouragan teuton soit retombé. Petit Loup cherche dans la direction d'où est parti ce « Vivat ! » haut et clair trois fois répété. Il aperçoit, criant à pleine gorge en grand enthousiasme, non l'évêque, ainsi qu'on eût pu croire, mais bien ce duc de Champagne, quel est son nom, déjà... ah, oui : « Lupus ». Lupus... Comme Loup, le Hun blond, mon grand-père... Comme moi, au fait !

L'enfant roi a reçu l'ovation comme hommage dû, sans broncher, sans même saluer de la tête ou de la main. Il est le roi, il a vite appris à en prendre conscience. Ses boucles blondes à flots répandues proclament son droit à régner. Le plat des épées frappe en cadence les boucliers, c'est la façon martiale de manifester approbation et dévouement.

Derrière le roi s'avance la reine mère, Brunehaut la plus que belle, droite en sa sévère dalmatique imitée de la robe d'apparat des impératrices de Byzance, portant haut le front où brille le diadème étincelant de joyaux. À son côté, son époux, le prince consort Mérovée, affichant l'arrogance de parade qui convient à un fils de roi, marche d'un pas assuré.

Le tonnerre scandé des boucliers cesse d'un coup, comme au commandement. Le silence s'abat. Dans ce silence de condamnation s'élève seul, oisillon téméraire, l'obstiné « Vivat ! » du duc Lupus.

Le duc Raukhing s'avance, se plante, derrière le cheval portant le roi, face à la reine, bras croisés sur le torse, ignorant Mérovée. Il ne dit mot. Tous attendent l'éclat, prompts

319

Le Sang de Clovis

à faire chorus. Écarter de la main le malotru ne serait pas un geste de reine. Brunehaut sait que son premier mot, son premier mouvement, déclenchera le hourvari, peut-être la mise à mort.

Griffon s'est arrêté là où il était prévu qu'il s'arrête. Le petit roi, là-haut, ne comprend rien à ce qui se passe, à ce silence inquiétant, plein de menaces et de fureur contenue. Il persiste à se tenir bien droit, le regard perdu au loin, ainsi qu'on le lui a enseigné. Petit Loup tient fermement la bride, la narine ouverte aux effluves de haine et de meurtre qui s'élèvent, lourds comme une mauvaise sueur, de cette cohue de massacreurs.

Il faut quand même en finir. La reine, sachant que ses paroles sonneront comme le signal attendu de l'hallali, ordonne :

— Écarte-toi, duc. Tu es sur mon chemin.

Raukhing avait préparé sa réplique. La pose avantageuse, il la lance à voix de stentor, afin que nul n'en perde l'à-propos :

— Ton chemin, femme ? Il ne passe pas par ici, ton chemin. Pas plus, d'ailleurs, que celui de n'importe quelle femelle. Gouverner est affaire d'hommes. Tous, ici, sommes parents ou alliés du roi...

Brunehaut interrompt :

— Du roi mon fils.

Raukhing ricane :

— Tous, tant que nous sommes, sortons d'un ventre de femelle, Dieu l'a voulu ainsi. Il a voulu le ventre pour qu'y mûrisse le fruit. Le fils est fils du père, du père seul. La mère nourrit le fils, en elle puis hors d'elle, c'est là tout son rôle. Qui se soucie d'elle ? Qui retient son nom ? Nous t'avons subie jusqu'à ce jour, car tu as su habilement, en usant de tes charmes qui, certes, ne sont pas minces, te ménager des partisans et des protections parmi les leudes, semant la dissension entre nous. Ces temps sont finis. Et sais-tu quoi ?

Le Sang de Clovis

C'est toi-même qui nous as ouvert les yeux, toi-même qui t'es exclue de la régence ! En commettant la plus grande infamie qui se puisse commettre à la face du Ciel, en forniquant comme une truie déchaînée avec ton propre neveu, puis en l'épousant en violation sacrilège du très saint sacrement de mariage. Tu as souillé la progéniture du roi Chilpéric...

Brunehaut n'y tient plus. Sans élever la voix plus qu'il n'est nécessaire, elle s'adresse à l'assemblée :

— Voilà enfin prononcé le nom qui est la clef de toute cette vertueuse indignation ! Chilpéric ! Eh oui : Chilpéric ! Chilpéric l'insatiable, Chilpéric l'assassin, Chilpéric poussé par sa Frédégonde qui, après avoir assassiné par trahison votre roi Sigebert, mon époux, afin de s'emparer de l'Austrasie, et ayant, grâce à moi, échoué dans son entreprise scélérate, s'active aujourd'hui à la conquérir de l'intérieur, par voie de corruption et de trahison. Combien d'entre vous n'ont-ils pas été séduits par ses dons et, surtout, ses promesses ? Bien peu, en vérité. Toi, duc Raukhing qui parles si haut, tu t'es vendu corps et âme à Chilpéric, qui t'a promis le gouvernement de toute la Neustrie quand elle aura, par tes soins, absorbé l'Austrasie. Toi, Bertefeld, tu comptes hériter du gouvernement de la Champagne et des domaines de Lupus quand Chilpéric t'aura donné l'ordre de l'égorger. Toi, Gauleking...

Jusque-là, elle a pu dominer la huée. Mais dès qu'elle s'est mise à citer les noms des traîtres, le vacarme s'est enflé à tel point qu'il est devenu vain d'essayer de le surmonter.

Traiter les traîtres de traîtres est un jeu dangereux. Les traîtres ne supportent pas qu'on les traite de traîtres, même dans une assemblée où tous sont des traîtres. Le mot fait mal. Tant que rien n'est dit, chacun vaque gaillardement à ses trahisons petites et grosses, conforté dans sa sereine bonne conscience par les trahisons du voisin. Trahir et laisser trahir, telle pourrait être la devise à la cour de Childebert, deuxième

Le Sang de Clovis

du nom. L'imprudente Brunehaut porte brutalement la lumière dans le noir grouillement du consensus général. Chacun soudain se voit traître et se voit vu traître par les autres traîtres. Surgit alors un sentiment nouveau et fort gênant : la honte. Personne n'aime avoir honte. Haro sur celle par qui la honte arrive !

Après la huée, la ruée. Les scramasaxes ne sauraient tarder à jaillir hors des fourreaux. Raukhing lève les deux mains. Il va parler. On l'écoute.

— J'accorde que nous pouvons admettre la présence parmi nous de la femme Brunehaut, ne serait-ce que parce qu'elle a des comptes à nous rendre sur sa gestion des affaires du royaume depuis qu'elle s'en est arrogé la régence. Par contre, il serait outrageant pour l'honneur de notre roi bien-aimé et pour notre honneur propre que celui-ci — sans lui accorder un regard, il désigne du pouce, par-dessus l'épaule, Mérovée —, ce fornicateur, cet incestueux, ce sacrilège, ce déserteur, ce parricide, souille de sa présence les travaux de notre Conseil.

Petit Loup a remarqué que, entre la fin brusquée de la harangue de Brunehaut et les premiers mots du discours de Raukhing, ce dernier avait eu un rapide conciliabule avec l'évêque Ægidius, ce qui, peut-être, explique le ton nettement moins véhément de ses dernières paroles, si l'on en excepte la péroraison, détournée sur la personne d'un Mérovée chargé de tous les crimes.

Tout contents qu'on parle d'autre chose que d'eux-mêmes, les nobles membres du Conseil de régence font chorus :

— Dehors, le sacrilège ! Dehors, l'impie ! Il outrage le Ciel ! Il attire sur nous la colère de Dieu !

D'autres sont plus pragmatiques :

— Tuons-le et envoyons sa tête à son père ! Chilpéric nous en sera reconnaissant !

Enfin retentit le cri qui les résume tous :

Le Sang de Clovis

— À mort !

Cette fois, les scramasaxes sont tirés au jour, un cercle de furieux entoure la reine et son époux, prend à part Mérovée, l'entraîne au-dehors. Des coups sont portés, des coups sont reçus, Mérovée se bat en désespéré, le sang coule.

Petit Loup juge qu'il est temps de faire quelque chose. Il saute en croupe derrière le petit roi et lance Griffon, qui n'attendait que ça, dans la mêlée. Childebert hurle de joie :

— Taïaut ! Taïaut ! Sus aux sales types !

Quelques moulinets d'Adèle règlent la question. Les furieux, étonnés, contemplent les trognons d'armes qu'ils ont au poing, palpent leurs horions, voient Petit Loup saisissant leur proie au collet, la hissant jusqu'à lui, la plaquant devant lui par le travers de l'encolure du cheval prodigieux.

Brunehaut s'est dégagée, elle accourt, pâle, échevelée, le meurtre dans les yeux, le poignard brandi, prête à tuer. L'évêque s'interpose, un crucifix à bout de bras :

— Ma fille, ma très chère fille, ce n'est point là ouvrage de femme ! De reine encore moins ! Laisse Dieu décider. Prie, mets ta confiance en la Divine Miséricorde.

Ce n'est pas exactement le point de vue de la reine.

— Écarte-toi, évêque ! Toi, le plus vendu, le plus pourri de tous ! Tu couvres les assassins pour qu'ils tuent sans encombre. Écarte-toi ou je frappe !

Elle le fait. Il esquive d'un petit saut de côté. Elle fonce dans l'amas grouillant qui accable Mérovée. Pour assister à son sauvetage et à son chargement sur Griffon. Petit Loup lui crie :

— Dame reine, fais descendre le seigneur roi. Je cours mettre ton seigneur époux à l'abri. Vite ! Le roi dans tes bras, tu es sacrée.

Il pique des deux.

Le Sang de Clovis

Mérovée, la parole hachée par le galop, réussit à articuler :

— Cette position est indigne. Je dirais même déshonorante. Ma femme la reine m'a vu, jeté par le travers d'un cheval comme un sac d'avoine, t'en rends-tu compte ? Donne-moi ta place sur la selle, je te prendrai en croupe.

— Ce que tu demandes là est impossible, seigneur.

— Sache que ce n'est pas une demande, mais un ordre.

— Un ordre impossible à exécuter tombe de lui-même. Sache à ton tour que Griffon n'obéit qu'à moi. Et que nous n'avons pas de temps à perdre.

— Au moins, prends-moi en croupe.

— Pour cela, à ton service, seigneur Mérovée.

On s'arrête afin de procéder au changement de place du passager. Griffon en profite pour s'offrir en friandise quelques touffes de pissenlit en fleur. Un galop se fait entendre. Un galop double. Serait-on poursuivis ? Deux cavaliers, ce n'est guère. Autant faire front.

Ce sont deux cavalières. Qui n'ont rien de redoutable : la reine Brunehaut et, mais oui, Minnhild ! Minnhild qui saute à bas du cheval qu'elle monte et, courtoise, en présente la bride à Mérovée.

— Pour toi, seigneur.

Lequel seigneur, honteux d'avoir été vu par sa bien-aimée en croupe derrière ce bûcheron, bien que ce fût déjà moins humiliant que sa position première, saute lestement à bas de Griffon et court tendre les bras à Brunehaut, qui s'y laisse choir avec beaucoup de grâce.

Que les hommes sont bêtes ! Elle se soucie bien que Mérovée ait été traité en sac d'avoine ou en lourdaud des champs, Brunehaut ! Elle le contemple, elle s'emplit les yeux du cher visage, elle s'en emplit les paumes, jamais rassasiée. Elle n'en perd pas pour autant la notion du temps qui file :

— Partons ! Ils veulent ta mort. La mienne ne leur ferait pas souci. Loin d'ici, vite !

Le Sang de Clovis

Petit Loup ne bouge pas. Il questionne :

— Le roi ?

— Ils me l'ont pris. Il est leur roi, le fils de Sigebert. Ils m'ont chassée. Certains m'auraient tuée. J'ai pu m'échapper grâce à Minnhild.

— Tu leur laisses ton fils ?

— Ils me l'ont arraché. Je reviendrai.

Elle se tourne vers Mérovée.

— Avec toi. Ils paieront pour tout cela. Ils se sont donnés à Chilpéric. C'est-à-dire à Frédégonde. Aux deux monstres que je hais de toute ma haine. Ils paieront.

Petit Loup hoche la tête.

— Ta vengeance n'est pas leur vengeance. Ta haine n'est pas leur haine. Galeswinthe n'était pas leur sœur, Sigebert n'était pas leur époux. Ils sont très avides et très bêtes. Ils livreront l'Austrasie à Chilpéric, qui les dupera. Ton fils sera égorgé. Les petites gens ne se résigneront pas. Ce sera la guerre civile.

Il marque un temps.

— Toi seule, parmi ces brutes sanglantes, sais te servir de ta tête. Toi seule peux les mater, les flatter, les mener où tu veux qu'ils aillent. Toi seule peux retourner ces bêtes fauves, les jeter tous crocs dehors contre celui qui les séduit aujourd'hui, qu'ils dévoreront demain, si tu le veux. Car tu es intelligente encore plus que tu n'es belle, car tu sais haïr aussi fort que tu sais aimer. Tu dois rester. Et vaincre. Pour ton fils.

Brunehaut ne dit mot. Petit Loup sait que, déjà, elle a choisi, comme elle choisira toujours : le combat, le sacrifice. Mérovée s'insurge :

— Et moi ?

Petit Loup le prend aux épaules.

— Toi, seigneur, tu dois quitter ces lieux. C'est une épreuve pour ton amour, une dure épreuve. Tu croyais toucher au but après tant de tourments, vivre enfin au grand

Le Sang de Clovis

jour auprès de l'aimée, partager ses soucis, ses victoires... Te voilà de nouveau errant. Je serai à ton côté, avec ton ami Gaïlen et d'autres qui te sont fidèles. La reine écrasera la calomnie et préparera ton retour. Il sera triomphal.

XXXIII

— Tu es donc ce Gontramn Bose qu'on dit presque aussi habile que moi-même ?

— Ce « presque » est encore beaucoup trop, dame reine.

— La modestie te sied mal. Ce n'était d'ailleurs pas de ma part un compliment. Une simple constatation. J'ai besoin de savoir.

— Dame reine, l'habileté vantée n'est déjà plus l'habileté. L'homme vraiment habile est celui dont on ignore l'habileté.

— On finit toujours par la connaître, ne serait-ce que par ses résultats. Puisque tu sembles goûter les aphorismes, disons que l'homme supérieurement habile est celui qui réussit à l'être bien que soit connue son habileté.

— Je demande grâce, dame reine ! Aux jeux de l'esprit, je ne suis pas de force contre toi. En accord avec ta définition, n'es-tu pas toi-même l'habileté suprême, puisque ta réputation si flatteuse ne te gêne en rien dans l'accomplissement de tes desseins, et même t'aide par la conviction qu'ont tes victimes d'être vaincues avant même d'engager le fer ?

— Tu sais parler aux reines, seigneur Bose. Mais, dis-moi, pourquoi ce surnom, « Bose », qui n'évoque pas la ruse, mais la méchanceté brutale[1] ?

---

1. « Bose » : Mauvais, méchant (allemand actuel : *böse*).

Le Sang de Clovis

L'homme a un sourire satisfait :

— Dame reine, qui s'attend à la brutalité ne pense pas à la ruse. Il se met en garde contre une certaine façon de faire, or la façon sera tout autre.

— La ruse.

— Voilà. Ce qui n'empêche pas la brutalité.

— Pour le plaisir ?

— Pour satisfaire la nature, disons.

— Comme je te comprends !

Frédégonde marque un temps. Jusqu'ici, elle n'a fait, à travers ce batifolage, que jauger le personnage. Toujours prudente, la petite Frédégonde ! Elle ne se fie pas à une réputation. Il lui faut juger sur pièces. Derrière la mine ouverte et le regard franc comme l'or du bonhomme, elle discerne l'implacable canaille, l'habile tisseur de réseaux mortels, le fourbe prêt à se vendre au mieux de son intérêt. Or, son intérêt, présentement, il est entre ses mains, à elle, Frédégonde. Elle le lui rappelle :

— Ta vie est entre mes mains.

Il fait l'étonné :

— J'ai la sauvegarde de l'évêque Ægidius, mandaté par toi, qui a fait serment sur les Saints Évangiles...

— Un serment est un serment. Tu n'es donc pas en danger, de ma part tout au moins, tant que durera cet entretien. D'ailleurs, connaissant ta réputation, je suppose que tu as pris tes précautions.

Il s'incline, narquois :

— Tu supposes bien. Et moi je suppose que tu n'as pas arrangé cette rencontre pour le seul plaisir de bavarder avec ma chétive personne.

— Tu es traqué par le roi Chilpéric, qui t'a voué une haine inexpiable.

— Si le roi ton époux me savait ici, il y enverrait une armée.

Le Sang de Clovis

— Il ne le saura pas. Cette haine, je sais comment l'éteindre.

— En ce cas, ton empire sur le roi est encore plus grand que ne le prétend la rumeur.

— Je peux t'obtenir le pardon plein et entier du roi, ainsi que ta réintégration dans tes charges et privilèges avec restitution de tous tes biens.

— C'est appréciable. Que devrai-je faire pour mériter ce salaire ?

— Tu as déjà commencé. En te prêtant à cette entrevue, tu t'es engagé. Tu n'as plus à accepter ou à refuser. C'est fait, tu as accepté.

— Oh, oh... L'évêque ne m'a pas prévenu...

— Il avait l'ordre de ne pas le faire.

— Si, malgré tout, je refuse ?

— Ta sûreté est garantie pour le présent entretien, mais pas au-delà. Si tu refuses, je saurai bien t'atteindre, où que tu puisses te trouver, fût-ce en lieu d'asile. N'oublie pas non plus tes deux fillettes, que tu chéris tendrement, m'a-t-on dit. Et maintenant, cessons de parler pour ne rien dire, veux-tu ?

— J'écoute.

— Tu m'as déjà servie en une certaine affaire, sans savoir que tu travaillais en fait pour moi. Tu t'en es habilement tiré. Si la suite en fut décevante, la faute n'est pas de ton fait. Penses-tu que la personne en cause puisse soupçonner que tu œuvrais en réalité pour quelqu'un d'autre ?

— Je suis persuadé du contraire.

— Tu as donc toujours sa confiance ?

— Rien ne permet d'en douter.

— Bien. Le roi, tu n'es pas sans le savoir, consacre en ce moment toutes les ressources du royaume à la traque de ladite personne. Il s'y adonne lui-même avec une fureur ravageuse. Il veut, hurle-t-il à tout vent, la tuer de sa main pour laver son honneur. En fait, il a une peur atroce. Il est per-

Le Sang de Clovis

suadé – j'y ai bien aidé, à vrai dire – qu'on veut l'assassiner pour régner à sa place, ainsi qu'il fit lui-même envers ses frères, et même, dit-on, envers son père. C'est de tradition dans la famille.

« Tous les lieux de refuge de Neustrie sont en état de siège. Saint-Martin de Tours a failli être violé par l'armée de Chilpéric, qui sait bien que l'évêque Grégoire accueillerait à bras ouverts le fugitif. La ville de Tours est incendiée, la campagne environnante ravagée comme en guerre. Les lieux de refuge d'Austrasie sont tout acquis à Chilpéric, ceux de Burgondie sont peuplés d'espions à lui.

— Je sais tout cela. Que viens-je faire là-dedans ?

— Tu cherches. Tu le trouves avant les hommes du roi. Tu me l'amènes.

Malicieux, il demande, comme s'il ne connaissait pas la réponse :

— Mort ou vif ?

Elle a un cri :

— Vif, bien sûr !

Pas contrariant, il acquiesce, en fournisseur consciencieux :

— Bon, bon. Suffit de parler. C'est noté : à livrer vif.

Elle le toise, suspicieuse :

— Dis donc, tu ne serais pas en train de te payer la tête de Frédégonde, toi ?

— Je badinais, dame reine.

— Les badineries, ici, c'est moi qui les fais. Quant aux tiennes, elles ont comme une odeur d'allusions qui pourrait bien te coûter ta tête. Va. Et n'oublie pas : tu travailles pour moi. Pour moi seule. Nul n'en doit rien savoir. Surtout pas le roi.

— Nul n'en saura rien. Surtout pas...

Ils ont chevauché toute la nuit. L'aube se lève sur les premières masures d'un village assez cossu, si l'on en juge par

Le Sang de Clovis

les mugissements sortant des étables et par l'activité des paysannes portant au bout de perches d'épaule semblables à des jougs les deux lourds seaux de bois débordant de lait crémeux.

Petit Loup est moins exténué que ses compagnons. Il leur fait signe de rester en lisière de forêt puis s'avance, seul, et interpelle un vieil homme amplement moustachu qui s'efforce de tirer par la bride un âne rétif.

— Le salut sur toi, grand-père. Peut-on trouver ici de quoi manger ?

L'homme ne l'avait pas vu venir. Il sursaute, se retourne, aperçoit ce jeune géant sur ce cheval colosse, et plus loin cette troupe d'assez piteuse allure. Il ne doit pas souvent passer de voyageurs, dans ce trou. Petit Loup a posé la question en tudesque francique. Il la répète en latin des Gaules.

Le vieux, comme s'il n'entendait pas, laisse ses yeux aller d'un cavalier à l'autre. Ils s'arrêtent plus longuement sur Mérovée, dont les boucles blondes de la perruque tombent sur les épaules. Il hoche la tête, crache à terre, s'approche du groupe, s'adresse à Mérovée :

— Toi, seigneur, tu es du sang des rois.

Il marque un temps, crache de nouveau.

— Fait pas trop bon être de ce sang-là, par ces jours.

Petit Loup s'impatiente :

— Grand-père, je t'ai demandé si nous pouvions espérer trouver de quoi manger dans ce village.

Le vieux ne se laisse pas démonter. Par-dessus l'épaule :

— C'est à celui-ci que je parle. Écoute bien, toi. Peut-être ce que je vais te dire ne te servira à rien, peut-être ça te sera utile. À toi de voir. Il y a de ça trois jours pleins, le seigneur roi Chilpéric est passé par ici. Avec quasiment une armée. Il cherchait quelque chose, sûr. Ou peut-être bien quelqu'un, va savoir. Ces gars-là ont fouillé partout. Ils ont tout retourné, tout vidé. Ils ont démoli les meules et jusqu'aux tas de fumier.

Le Sang de Clovis

Ils ont fourré leurs grandes pattes sous les jupes des femmes, mais je me demande si c'était seulement pour le travail ou un petit peu pour l'agrément. Ils n'ont rien tué, pas trop cassé, à peine pillé. Une chance.

« Et écoute voir. Le seigneur roi a causé avec notre curé d'ici. Ce qu'ils se sont dit, nul ne l'a entendu. Toujours est-il que les gens du roi ont fermé l'église, ont cloué des madriers de bois de chêne par le travers de la porte et des fenêtres, ce qui fait que depuis aucun chrétien ne peut y entrer, pas même le curé.

Il fait une pause, prend un air malin.

— À cause du droit d'asile, comprends-tu ? Toute église est lieu d'asile, suffit d'y entrer, une fois dedans les gens du roi ne peuvent pas venir t'y prendre. Alors le roi fait fermer toutes les églises, c'est pas bête, comme ça, plus d'asiles ! Et si ce qu'il cherche est déjà dans une église, ça y restera enfermé et ça y crèvera de faim, en supposant que ça soit de la denrée qu'a besoin de se nourrir pour rester en vie. Faut croire qu'il y tient, à ce qu'il cherche, le seigneur Chilpéric.

Il hoche la tête, fixe Mérovée.

— Ça aurait des beaux longs cheveux que ça ne m'étonnerait pas autrement.

Petit Loup s'étonne :

— Tu as bien dit Chilpéric ? Mais nous ne sommes pas sur ses terres ! C'est pays d'Austrasie, ici.

— Pour ça, mon gars, tu as tout à fait raison. Faut croire que le seigneur roi estime qu'il est partout chez lui. Et par le fait, c'est un peu vrai, vu que le seigneur comte de par ici et aussi les seigneurs leudes d'alentour obéissent plus volontiers au seigneur roi Chilpéric qu'à la dame reine Brunehaut, qui est pourtant notre vraie reine à nous de par le Seigneur Christ Jésus, vu qu'elle a porté dans son ventre notre seigneur roi Childebert, pauvre cher mignon, et qu'elle règne en attendant qu'il soit en âge.

332

Le Sang de Clovis

— Mais alors, vous voilà privés des offices divins ? Et aussi tous les habitants de ce pays ?

— Pas vraiment. Notre curé dit la messe dehors, sous un chêne, et nous confesse de même. Quand il ne pleut pas, bien sûr. Dieu est partout chez lui, pas vrai ?

Le vieux prend le temps de calmer son âne qui, puisqu'on ne bouge pas, veut bouger. Il se rapproche, baisse la voix :

— Nous autres, les gens de labour, on n'est pas trop contents de tout ça, parce que ça finit toujours, tôt ou tard, par donner une bonne guerre, et que nous, on en a assez de ces guerres, c'est toujours sur notre dos que ça retombe, en fin de compte. On aimait bien notre roi Sigebert, on sait bien qui l'a fait tuer. Et on préférerait ne pas tomber sous la coupe d'un roi et d'une reine qui font sauter les têtes comme moi je croque une noisette.

« Mais tout ça, c'est affaire de seigneurs, nous autres croquants on n'y peut rien, que prier le Seigneur Christ Jésus de faire pour le mieux, n'est-ce pas ? En tout cas, nous ne ferons rien pour aider le Chilpéric et ses tueurs. Je vous dis ça, j'ai bien compris que je peux avoir confiance.

Le vieux cligne de l'œil et crache. Et puis il se frappe le front.

— Mais je suis là que je cause, que je cause... Et vous, vous avez faim. Je m'en occupe. Enfoncez-vous sous le couvert des arbres. Il vaut mieux qu'on ne vous voie pas. Ici, les bonnes gens sont tous pour notre reine Brunehaut – que le Seigneur Christ l'ait en Sa sainte garde – et aussi pour son mari, vu que si elle l'a épousé, c'est qu'elle le savait bon pour nous. Mais qui peut savoir ce qui passe par la tête de certaines gens quand il y a l'espoir d'une récompense ?

Ils sont assis en rond, sous l'abri d'une grosse roche plate en surplomb. Ils se sont restaurés. Les chevaux, un peu plus

Le Sang de Clovis

loin, paissent l'herbe d'une petite clairière. C'est Mérovée qui parle :

— Voici donc le tableau. Mon père, persuadé par sa Frédégonde que je veux le tuer afin de prendre sa place, court la campagne et mobilise la totalité de l'armée pour me trouver et me supprimer. Il est fou de terreur et de haine. Il va et vient en Austrasie comme chez lui, secondé par les seigneurs du pays, presque tous traîtres à leur roi, et surtout à leur reine. C'est donc toute une meute enragée qui me court après. Pour tout Franc portant armes, je suis la proie.

« D'autre part, le menu peuple d'Austrasie aime sa reine et est indigné des empiétements de Chilpéric aussi bien que de la trahison des seigneurs. J'ai sa sympathie, mais il est impuissant. Interdit en Neustrie, mon pays, traqué en Austrasie où règne ma femme, que puis-je faire ?

Après un temps de réflexion, Petit Loup suggère :

— Tu peux, avec nous, forcer la frontière et te jeter en Burgondie, dont le roi n'a rien contre toi, puis courir droit à l'Aquitaine, et de là passer chez les Wisigoths d'Espagne, où le roi, père de ton épouse Brunehaut, ne peut que t'accueillir à bras ouverts.

Mérovée s'adresse aux autres :

— Qu'en pensez-vous ?

Le fidèle Gaïlen n'a pas l'air emballé :

— D'ici à la frontière de Burgondie, il y a un furieux bout de chemin, qu'il faudra parcourir de nuit, sans être vus, aidés par le menu peuple, peut-être, mais à la merci d'un traître ou d'un espion. Ensuite, nous devrons forcer le passage Les garnisons austrasiennes de la frontière sont probablement vendues à Chilpéric. Si nous réussissons, il nous faudra traverser un considérable morceau de pays burgonde, où le peuple n'a aucune raison d'être favorable à l'époux de Brunehaut, mais a tout intérêt à ne pas irriter Chilpéric. Admettons que nous ayons réussi, nous aurons encore à passer en Aquitaine

Le Sang de Clovis

où nous attend une longue et périlleuse traversée dans un pays tout truffé d'espions et d'agitateurs à la solde de Chilpéric, lequel, je le sais de bonne source, prépare sournoisement l'invasion de l'Aquitaine, qu'il entreprendra dès qu'il aura terminé de dévorer l'Austrasie.

Minnhild, à quatre pattes, vient à Petit Loup, lui parle à l'oreille. Il lève la main.

— Cette fille n'a pas ici la parole, étant fille. Elle est cependant de bon conseil, car elle fut élevée à la cour des rois wisigoths, dont le domaine, jusqu'à ce que Clovis s'en empare, s'étendait sur toute l'Aquitaine jusqu'au fleuve de Loire. Repliés dans l'aride Espagne, ils pleurent leur belle province perdue et nourrissent l'espoir de la reconquérir. Ils en connaissent fort bien la géographie. Minnhild me rappelle qu'à l'orient de l'Aquitaine s'étendent des terres sauvages qui furent le repaire des Gaulois Arvernes lors de la conquête de César. Or, ces terres, conquises par Clovis sur les Wisigoths, échurent, après la mort du roi Clotaire, à Sigebert en même temps que l'Austrasie. Ce sont pauvres landes et montagnes abruptes peuplées d'une race farouche fidèle au roi Childebert, et donc à la reine Brunehaut. N'est-ce pas là, où tu seras chez toi, qu'il faut aller ? J'ajoute que ce pays touche au Languedoc, qui est pays wisigoth, donc lieu de sûreté au besoin [1].

Gaïlen l'impétueux s'écrie :

— Mais bien sûr ! Les montagnes d'Auvergne ! Cette fille a plus de bon sens que nous tous ! J'avais oublié, et vous aussi, pardi ! Elles sont terre austrasienne. Et plus vite atteintes que l'Espagne. Et puisque ce sont sujets d'Austrasie, tu pourras y lever une armée, au nom de ton épouse la reine !

Petit Loup confesse :

— J'avais oublié, moi aussi. Il est vrai que la géographie... Que dis-tu de cela, seigneur Mérovée ?

---

1. Voir la carte, page 7.

335

Le Sang de Clovis

Mérovée n'affiche pas l'enthousiasme qu'on pourrait attendre.

— Dans l'un et l'autre cas, c'est m'éloigner de la reine. C'est fuir. C'est la laisser seule parmi ces chiens dévorants. Quelque chose me dit que si je quitte aujourd'hui le pays où elle vit, je ne la reverrai jamais.

Il se dresse, poings serrés, soudain débordant d'une ardeur trop longtemps refoulée.

— C'est assez fuir ! Je veux me battre. Ici. Pour elle. Il n'y a quand même pas que des lâches, des traîtres et des assassins sur cette terre ! Vous, mes amis, en êtes la preuve. Je me mettrai à la tête du menu peuple des laboureurs et des gens de métiers, ceux-là sont loyaux, il ne leur manque qu'un chef, ils me suivront.

« Ainsi purgerai-je l'Austrasie de ces leudes, de ces comtes, de ces évêques vendus à son pire ennemi et ferai-je mon entrée dans Metz, non les mains vides et la tête basse, comme un proscrit quémandant asile, mais en vainqueur, mais en sauveur ! J'offrirai à mon épouse bien-aimée un royaume nettoyé, uni et plein d'amour pour son petit roi.

L'enthousiasme fait briller les yeux de Gaïlen :

— Ah, Mérovée, mon ami, mon frère, comme je te reconnais là ! Allons, sus ! Et sais-tu bien quoi ? Sur notre élan, nous pourrions nous rallier le menu peuple de Neustrie, qui gémit sous la terreur que font régner Chilpéric le boucher, Frédégonde la putain sanglante et leurs leudes-bourreaux !

Mérovée se prend à rêver :

— La Neustrie, dont je suis l'héritier légitime...

Minnhild souffle à l'oreille de Petit Loup :

— Non, mais, regarde-les qui se montent, qui se montent... Le seigneur Mérovée, si je ne me trompe, a des frères. Et Chilpéric est bien vivant. Frédégonde aussi. Voilà comment, pour le plus saint des motifs, le meurtre et le parricide viennent à l'esprit des fils de rois.

336

Le Sang de Clovis

— Tu as raison. Ils rêvent tout haut, se grisent de mots, s'excitent l'un l'autre, se voient en toute innocence assassins pour la bonne cause, oubliant que, pour l'instant, nous sommes traqués, démunis, terrés comme des lapins.

Mérovée, redescendu sur terre, dresse avec le sérieux du général d'une armée en campagne un plan d'action :

— Il nous faut tout d'abord rallier à notre cause le menu peuple, le décider à prendre les armes pour marcher avec nous. Ce ne sont pas gens de guerre. Ils se plaignent, mais ils subissent. Ils craindront pour leur vie et celle des leurs. À juste titre, car les seigneurs seront sans pitié. Pour décider les croquants à la révolte ouverte, il faudra beaucoup de force persuasive.

Ils l'écoutent, les preux, les fidèles, Gaïlen au grand cœur et aussi Gaukil à la barbe grise, qui fut l'intime du roi Sigebert, et Grind, et Roduking... Ils méditent ses paroles et mesurent l'ampleur de la tâche, brûlant de s'y mettre sur-le-champ. Minnhild tire Petit Loup par la manche. Elle murmure : « Ils sont fous... » lorsqu'une voix puissante, jaillie d'on ne sait où, l'interrompt. Elle clame, cette voix :

— Nul besoin de force persuasive, seigneur Mérovée ! Ton armée est toute prête. Elle piaffe, elle n'attend que toi !

Tous sautent sur leurs pieds, saisissent leurs armes. Les fourrés s'écartent tout autour. Les chevaux hennissent – il est bien temps ! –, des hommes se montrent, des paysans, à coup sûr, armés de fourches, de haches, de faux redressées à la verticale, de fléaux à battre le grain transformés en fléaux d'armes, de gourdins lourdement cloutés. Un homme vêtu en guerre, un seigneur, assurément celui qui vient de parler, s'avance. Mérovée sent tomber sa méfiance :

— Seigneur Gontramn Bose !

— C'est bien moi. Avec une armée. Ton armée. Tout au moins l'avant-garde. Ces braves que tu vois ici sont des paysans du pays de Thérouanne en Neustrie tout dévoués à ta

Le Sang de Clovis

cause. Je dois t'apprendre qu'il s'est fait là-bas un grand soulèvement contre les exactions du roi Chilpéric, ton père, et contre les impudicités de sa putain. Il faut reconnaître que j'y ai un peu aidé...

Il affecte un air modeste, puis reprend, très animé :

— La colère gronde, l'incendie gagne, déjà tout l'occident de la Neustrie est en révolte. Les sbires du roi sont massacrés, ses leudes mis à la torture, même les églises ne sont plus un refuge ! La cité de Thérouanne est prise, et aussi Saint-Omer. Le bruit de ces choses prodigieuses s'est répandu jusqu'en Austrasie et je sais de bonne source qu'autour de Tournai et de Reims des bandes de paysans se sont constituées en armées afin de chasser leudes et évêques vendus à Chilpéric et de restituer le pouvoir à la reine Brunehaut, mère de Childebert, ton épouse.

Essoufflé d'en avoir tant dit, et avec tant de véhémence, il se tait, s'essuie le front, demande enfin :

— Eh bien, qu'en penses-tu ?

Mérovée reste sans voix. Sur ses joues coulent les larmes brûlantes de l'espérance retrouvée. Il court à Gontramn Bose, l'enlace à pleins bras, le baise, le serre sur son cœur. Il se tourne vers ses compagnons :

— Et vous, amis, qu'en pensez-vous ?

Un triple « Hoch ! » prodigieux terrorise les oiseaux. Les nouveaux venus y ont joint leurs voix. Petit Loup s'est abstenu. Toujours aussi méfiant, Petit Loup. Minnhild s'étonne :

— Ça ne t'emballe pas ? Moi, je trouve ça prodigieux : l'idée de Mérovée, les paysans l'ont eue en même temps que lui, juste en même temps, et même un peu avant...

— Aidés par le seigneur Gontramn Bose.

— Qu'est-ce que ça change ? Si tu ne vois pas là le doigt de la Divine Providence, alors je ne sais pas ce qu'il te faut !

— La Providence, chez nous, on n'y croit guère. Surtout quand elle a la hure de Gontramn Bose. Et justement, cela tombe trop à pic, vois-tu.

Le Sang de Clovis

Tant de scepticisme agace Minnhild. Sa petite âme roma-nesque aimerait se réchauffer les ailes à un peu d'enthou-siasme.

— Ces paysans en armes sont bien là, devant nous, enfin, quoi ! Ils ont fait tout ce chemin pour venir annoncer à Méro-vée qu'ils lui offrent un royaume. C'est pas beau, ça, peut-être ?

— Ces paysans n'ont pas assez de cals aux mains ni d'on-gles cassés pour ma tranquillité d'esprit. Et ma méfiance bien connue leur trouve plutôt des gueules de sbires ou de bandits de grand chemin, c'est selon, plutôt que d'honnêtes faces de pedzouilles. Mais ce n'est que mon avis, et tu vas encore dire que je vois le mal partout.

— Si tu le dis à ma place, je n'ai plus qu'à aller me coucher.

— Avec un brave paysan à gueule de sbire ou d'éventreur, au choix.

— Tu sais parler aux vraies jeunes filles, toi.

C'est qu'elle a l'air vraiment fâché.

XXXIV

On chevauche. Droit à l'orient. La frontière de Neustrie est franchie sans anicroche. Aucun poste en vue, aucune patrouille. Mérovée s'était étonné de n'avoir pas rencontré de mouvements de foules révoltées parcourant la campagne, de n'avoir vu monter aucune fumée d'incendie au-dessus de l'horizon. « Nous passons trop au nord, lui fut-il répondu par Gontramn Bose. Pour le moment, en Austrasie, la révolte est limitée au sud de Tournai. Mais le mouvement s'étend. »

Petit Loup a d'autres sujets de préoccupation. Il s'en confie à Minnhild, qui, à son flanc, monte une petite jument baie, charmante, ma foi. C'est plus clément aux fesses, certes, mais moins commode pour la conversation, à cause de Griffon qui se conduit en amoureux empressé, pour ne pas dire en obsédé du sexe, et de la jument qui n'est pas du tout d'accord et qui, à chaque tentative de rapprochement sentimental, répond par un écart effarouché, que sa cavalière a bien du mal à contenir.

Si bien que Petit Loup en est réduit à parler tout seul : il ne peut penser efficacement qu'à voix haute. S'il arrive que quelques bribes de son soliloque soient captées par les mignonnes oreilles de Minnhild, c'est autant de gagné.

— Il y a quand même du mystère, et du mystère qui donne à penser, dans ce que tu nommes pieusement un effet de la

Le Sang de Clovis

Divine Providence. Comment ce Gontramn Bose nous a-t-il aussi facilement trouvés alors que depuis des jours et des jours nous nous déplacions, invisibles à tous ? Je vais te dire mon sentiment : je flaire de la Frédégonde, là-dessous. Un réseau d'espions impeccable, des coureurs rendant compte à tout moment. Et il y a pis : si elle savait où nous nous trouvions ce jour-là, c'est qu'elle l'avait toujours su. Nous nous croyions très malins et bien cachés, alors qu'elle nous suivait à la trace et devait bien s'amuser.

« Ce qui pose à nouveau, si tu m'as bien suivi, la question des liens de Gontramn Bose avec Frédégonde. Chilpéric veut sa peau, c'est entendu. Ce n'est pas une raison pour que Frédégonde partage sur ce point les vues de son époux.

« Deuxième question. Où nous emmène-t-il, et pourquoi tout ça ? De la réponse à la première question découle la réponse à la deuxième. S'il y a de la Frédégonde dans l'affaire, il nous emmène à l'abattoir. À moins que... À moins que, sur ce point encore, les vues de Frédégonde ne coïncident pas forcément avec celles de son époux. Tous deux veulent mettre la main sur Mérovée, mais peut-être pas dans les mêmes intentions.

« Je peux en tout cas me risquer à prédire ceci : quel que soit le pourquoi de tout ça, il sera sanglant.

Une coquetterie de la jument ayant pour un instant rapproché Minnhild, elle a pu profiter de la péroraison. Avant qu'un nouvel écart ne l'éloigne, elle lance :

— Toi qui flaires si bien le malheur, pourquoi suis-tu cet écervelé ?

— Pour une raison idiote, qui s'appelle fidélité. N'ai-je pas répondu de sa vie devant son épouse ?

Un temps. Un écart. Un rapprochement.

— Et toi, petite fille, pourquoi le suis-tu ?

— Je ne le suis pas. Je te suis.

Pourquoi ?

Le Sang de Clovis

Elle ne répond pas, hausse les épaules, tire la langue, tord le nez, donne du talon. La jument hennit et se lance dans un temps de galop.

Petit Loup demande, comme négligemment :

— Seigneur Gontramn, le seigneur sous-diacre Rikulf n'est donc pas du voyage ? Je vous croyais très liés.

— J'ai découvert que Rikulf est un traître et un fourbe. Il était les yeux et les oreilles de Chilpéric et de sa Frédégonde. Il m'incitait au mal. S'il n'avait été aussi lâche, il m'aurait égorgé de sa main. Ne m'en parle plus.

On s'enfonce en pays d'Artois. Petit Loup sent dans son dos la frontière d'Austrasie s'éloigner. Un vague malaise le maintient en alerte. Il laisse ses yeux courir sur l'étendue verdoyante. De désordres, point. De ruines, aucune, sinon celles, mangées de mousse et enfouies sous le lierre, laissées par des guerres déjà oubliées. Les paysans vaquent à leur ouvrage, courbés sur la glèbe noire. Gontramn Bose fait hâter l'allure. Il annonce enfin : « Thérouanne est toute proche. »

Et voici que les bas-côtés herbeux de la chaussée se garnissent d'une foule, d'abord clairsemée, puis de plus en plus dense, foule de paysans mêlés de quelques gens de guerre assez dépenaillés, portant armes hétéroclites et bannières flottant au vent. Ceux-là crient « Vivat ! » de tout leur cœur, car ici le menu peuple est engeance gallo-romaine, donc serve. Parvenus aux faubourgs d'une cité qui ne peut être que Thérouanne, la foule est au coude à coude, l'ovation énorme.

Cette foule, en une double haie, trace une allée triomphale qui conduit droit au porche monumental d'une ancienne villa romaine d'apparence fort cossue. Les deux vantaux en sont ouverts en grand sur une très vaste cour qu'entoure un péristyle d'élégantes colonnettes à chapiteau palmé. Une table est dressée au beau milieu de la cour. On passe le seuil sous les vivats, on s'avance en ordre majestueux, Mérovée en tête, comme il se doit.

Petit Loup remarque que cette cour est, curieusement, déserte, à part eux-mêmes. Personne pour les accueillir et, tiens, l'escorte de Gontramn Bose est restée dehors... De quoi s'inquiéter. Au fait, Gontramn, où est-il passé ? Escamoté, Gontramn !

Petit Loup se giflerait pour avoir été aussi niais. Il hurle :
— Trahison !

Déjà Adèle a sauté dans sa main. Mais déjà aussi un tonnerre retentit : les deux lourds vantaux se sont rabattus.

Mérovée et les autres, l'épée ou la hache au poing, se serrent en un groupe compact afin de faire face de tous côtés. Mais nul ne se montre. La cour est entourée sur trois faces de hauts murs aveugles au pied desquels court un étroit déambulatoire couvert que limite la rangée de colonnettes. Le quatrième côté du rectangle est celui de l'habitation. Elle ne comporte d'ouvertures qu'à l'étage, à la mode romaine. Ces fenêtres se sont soudain garnies d'hommes de guerre, l'arc tendu, la flèche pointée.

Un hourvari éclate de l'autre côté des murs. Ce n'est plus un vivat, mais bien un formidable éclat de rire jailli de centaines de gosiers épanouis. Lorsque enfin il retombe, une voix puissante, celle à n'en pas douter de Gontramn Bose, se fait entendre :

— Mes amis, mes bien chers amis, je suis, soyez-en assurés, bien marri de ce qui vous arrive, mais je suis homme de parole et une mission me fut confiée, que j'accomplis présentement.

Le Sang de Clovis

Mérovée, que la rage de s'être laissé aussi bêtement jouer et le désespoir d'avoir été trahi par celui-là même en qui il avait mis sa confiance et son amitié rendent fou furieux, hurle à pleins poumons :

— Gontramn Bose traître et félon, Gontramn Bose le bien surnommé, Gontramn Bose l'ordure chiée par un pourceau malade, Gontramn Bose le fils des trente-six putains sorties du trou du cul de Satan, Gontramn Bose je te défie en combat singulier, d'homme à homme, et je fendrai en deux ta sale gueule de fourbe jusqu'à tes couilles merdeuses ! Montre-toi, bâtard ! Sois un homme, pour une fois !

On ne peut hurler toujours. La gorge fatigue. Et puis, le répertoire s'épuise, on se répète, ça casse l'effet. Vient un moment où Mérovée, enroué, à court d'adjectifs, marque une pause forcée. Gontramn Bose, tranquillement, prend le relai :

— Je ne commettrai certes pas une telle sottise. Vous allez vous tenir bien sagement dans cette cour. Il ne fait pas froid, la saison est clémente, le péristyle vous offre de quoi vous abriter de la pluie éventuelle. Vous trouverez de la paille au fond à gauche afin d'éviter à vos os le dur contact du pavé. Du pain et quelques venaisons vous seront jetés depuis les fenêtres. Il y a de l'eau fraîche dans la vasque de marbre. Vous n'avez rien d'autre à faire qu'attendre que la personne qui m'a chargé de cette mission vienne prendre livraison du seigneur Mérovée. Ce ne sera pas long.

« Je suis obligé, à mon grand regret, de vous prévenir que toute tentative d'évasion ou de rébellion, de la part tant du seigneur Mérovée que d'aucun de ses compagnons, serait punie de la mort immédiate de tous lesdits compagnons, à l'exception, cela va de soi, du seigneur Mérovée lui-même, dont la vie m'est sacrée.

De l'autre côté des murs, une ovation nourrie salue l'exposé de ce programme où se décèle la patte de l'homme de

Le Sang de Clovis

métier. Côté cour, on fait grise mine. Les archers ricanants sont toujours en place aux fenêtres et en position de tir, bien décidés à n'en pas bouger. Ils se pourlèchent, les gourmands, à l'idée de se régaler à planter leurs saletés de flèches pointues là où ça fait très mal, d'abord, et puis, quand on s'est bien amusé, là où ça tue.

Après avoir exploré en tous sens la vaste cour et s'être bien convaincus qu'il n'y a nulle issue – et, y en aurait-il une, qu'en faire sous le regard implacable des archers ? –, ils mettent pied à terre et, ayant donné aux chevaux leur pitance – car il y a aussi abondance de foin et d'avoine, Gontramn Bose y a pensé, quel homme ! –, ils se sont assis en rond et font le point de la situation.

Elle est d'une simplicité limpide, la situation. Mérovée la résume :

— Nous sommes tombés dans un piège grossier. C'est ma faute. Ma présomption, mon ambition, ma crédulité, et aussi une espèce de certitude d'être désigné par Dieu... Bref, je me suis fait avoir comme un nigaud.

Gaïlen intervient :

— Nous avons tous marché ! Cela répondait si bien à nos rêves, à nos désirs, que nous avons gobé l'appât et avons foncé tête baissée dans le piège, alors que nous aurions dû garder la tête froide et te mettre en garde.

— Je ne vous aurais de toute façon pas écoutés. Mais les regrets n'arrangent rien. Me voilà dans la poigne de mon père. Il va enfin pouvoir apaiser ses terreurs nocturnes. Je vais donc mourir.

Tous protestent. Il lève la main.

— Chilpéric me tuera, vous le savez fort bien.

Petit Loup objecte, sans trop y croire lui-même :

— S'il avait dû te faire tuer, ce serait déjà fait. Gontramn Bose pouvait très bien s'en charger.

Mérovée a un sourire amer :

Le Sang de Clovis

— Peut-être mon père veut-il s'en réserver le plaisir ? Ce serait assez dans son caractère.

Petit Loup baisse la tête. C'est tellement vrai... Mérovée reprend :

— Donc, le sort en est jeté. N'y revenons plus. Allons de l'avant. J'ai deux désirs. C'est sans doute bien futile en un tel moment, mais, que voulez-vous, c'est comme ça, j'y tiens.

Ils se font attentifs. Minnhild, dans son coin, s'efforce de sangloter sans bruit.

— Tout d'abord, mes compagnons, mes amis, je veux que vous soyez épargnés. Mon père n'a aucun motif de haine contre vous. En me servant, vous n'avez fait qu'accomplir votre devoir de leudes fidèles. Vous n'avez participé à aucune tentative régicide. Peut-on obtenir de cette ordure de Gontramn Bose qu'il vous laisse échapper ? Après tout, il ne s'est engagé à livrer au roi que moi, moi seul. Il faut s'occuper de cela.

« Ensuite, je ne veux pas tomber vivant au pouvoir de mon père. À aucun prix. Il ne doit pas avoir la joie de m'égorger de sa main, peut-être après m'avoir torturé tout à son aise. Le moment venu, je demanderai à l'un de vous de m'aider. Car me tuer de ma propre main serait un suicide, crime abominable que Dieu lui-même ne pardonne pas.

Mérovée se tait. Dans le silence on entend les sanglots de Minnhild, d'autant plus bouleversants qu'ils sont contenus et réduits à de pauvres hoquets. Le jeune homme hésite, comme honteux de ce qu'il va dire maintenant, et puis se décide :

— En fait, j'ai encore un désir. Il se peut que vous mouriez tous. Si vous survivez, si au moins l'un d'entre vous survit, je serais heureux, avant de mourir, de savoir que celui-là ira trouver la reine ma femme et lui dira que, jusqu'au dernier moment, mes pensées ont été pour elle, qu'à l'approche de la mort je sens mon amour devenir si grand, si fort, qu'il

Le Sang de Clovis

m'emplit tout et supprime la peur. Qu'il lui dise que, quel que soit le fer qui me percera, c'est d'amour que je meurs, d'amour que je vis. À tout jamais.

Il prend sa tête dans ses mains.

— Oh, que ne sais-je écrire !

Petit Loup dit :

— Moi, je sais.

— Tu sais écrire ?

— En latin des Gaules, en tudesque, en britton... À ton service, seigneur.

— Alors, ce que je viens de dire, tu vas l'écrire !

Soudain il se souvient et, déçu :

— Mais tu n'as pas sur toi de tablettes, ni de papyrus, ni de calame, ni d'encre...

— Un morceau de ta tunique peut servir de papyrus, seigneur. Une tige d'herbe sèche prise dans le foin fera le calame. Quant à l'encre, ce sera ton sang.

— Mon sang ? N'est-ce pas un peu... romanesque, non ? On croirait du mauvais théâtre grec.

— Ce n'est pas moi qui ai écrit la pièce. C'est, en tout cas, pratique. Vois-tu un autre moyen ?

— Tu as raison. Fais donc. Je suis prêt.

C'est un Gontramn Bose couvert de poussière et sentant fort le cheval en sueur qui se présente au palais de Soissons, discrètement, à une petite porte qu'il sait.

La reine Frédégonde est en beauté. Elle a fait l'amour, l'amour lui va bien au teint, l'amour lui donne envie de faire l'amour. Question d'utérus, selon Hippocrate. Question d'humeurs, selon Galien. Et pourquoi pas un peu des deux ? En tout cas, elle est Vénus descendue sur terre – une Vénus brune, intensément –, elle est le sexe qui mène le monde, elle est... Elle est Frédégonde.

Le Sang de Clovis

Gontramn Bose apprécie : « La superbe salope ! Je ne suis pas son genre, dommage. Quoique... Une femme qui égorge aussi galamment qu'elle baise, peut-être en même temps, qui sait... Bon. Gontramn, mon ami, calme-toi, ce n'est point là mouron pour ton serin. »

Elle s'assied, dispose autour d'elle les plis de l'ample robe afin qu'ils dessinent ses jambes – ses jambes ! –, fait signe à la petite esclave noire – cadeau du roi des Vandales d'Afrique – de quitter la place, lève les bras – ses bras ! – pour arranger son haut chignon – ses cheveux ! –, daigne enfin tenir compte de la présence d'un Gontramn Bose qui n'en peut plus. Satisfaite de l'état où elle a mis le bonhomme, elle lui sourit, candide :

— Eh bien, seigneur Bose ?

Il avale sa salive.

— Eh bien, dame reine, c'est fait. L'oiseau est à ta disposition.

— Déjà ?

— Dame reine, ne m'avais-tu pas recommandé de faire vite ?

— Je n'imaginais pas que ce serait *aussi* vite. Où se trouve-t-il ?

— Dans une villa des faubourgs de Thérouanne.

— Seul ?

— Il m'a fallu capturer tout le lot d'un coup. Une petite douzaine en tout.

— Que sait-il ? Et surtout : qu'imagine-t-il ?

— Il est persuadé que je l'ai livré à son père et que celui-ci le fera mettre à mort.

— Il est certain que si Chilpéric le tenait... Pauvre chéri ! Il doit souffrir toutes les angoisses. Peut-être eût-il mieux valu qu'il sache ce qu'il en est en vérité. Il sait bien que, de moi, il n'a rien à craindre.

— Dame reine, je n'avais pas d'ordres à ce sujet.

Le Sang de Clovis

— Je ne te reproche rien. Disons que ta précipitation me met dans l'embarras. Vois-tu, Chilpéric reçoit demain son frère Gontramn, roi des Burgondes, comme tu sais. Ils mijotent je ne sais quoi ensemble, ces deux-là, quelque chose du côté de l'Aquitaine, peut-être bien, en tout cas une mauvaise action, tu peux en être sûr. Chilpéric – mon époux, je te rappelle – tient absolument à ce que je sois présente, avec mes jambes, mes nichons, mes grands yeux et mes belles dents blanches, il estime que ça aidera beaucoup à convaincre son frère. Les pourparlers peuvent s'étirer sur plusieurs jours, voire une semaine, tu sais ce que c'est, banquets, orgies et compagnie, la politique est une ascèse, enfin, bref, tu me gardes le colis au frais jusqu'à ce que je puisse aller le cueillir au nid.

— Tu tiens à y aller en personne ?

— Absolument ! Songe un peu. Le pauvre lapin : il attend le bourreau, c'est l'amour qui arrive ! C'est entendu. On fait comme ça. Et surtout, surtout, que le roi n'en sache rien. Tu m'en réponds sur ta tête.

— Sur ma tête, dame reine.

Elle esquisse trois pas vers la porte, s'arrête, se retourne, suce son index, semble se tâter.

— Tu n'es pas mon genre, toi, mais alors, là, pas du tout ! Et justement tu me donnes une terrible envie de faire ça avec un type qui ne me fait pas envie.

Il se dandine d'un pied sur l'autre. C'est ce qu'on fait quand on se demande si c'est du lard ou du cochon. Il bafouille :

— Dame reine...

Elle le prend par le poignet, l'entraîne.

XXXV

C'est une de ces nuits vraiment très noires. Ils se sont couchés sous l'allée couverte, sur la paille étalée à même les dalles de grès. La fatigue a eu raison de l'angoisse. Certains gémissent dans leur sommeil. Mérovée, les mains à la nuque, fixe l'obscurité. De temps à autre, un cheval tape du pied.

Minnhild dort comme un nouveau-né, pelotonnée entre les puissantes jambes de Griffon. Elle grogne, proteste, soupire, se dresse. Une main l'a secouée. Une bouche fait : « Chut ! » Les paupières mal décollées, elle reconnaît Petit Loup. Un doigt sur les lèvres, il lui fait signe de le suivre. Ils s'éloignent à quatre pattes, gagnent l'angle de deux murs d'enceinte, toujours sous le couvert de la galerie au péristyle. Sans un mot, Petit Loup appuie sur la nuque de Minnhild, la force à se courber jusqu'au sol. Elle s'appuie sur les mains... Et voilà qu'elles trouvent, ses mains, au lieu de la surface polie du dallage, un trou.

Un trou parfaitement carré, aux bords en arêtes, dans lequel son bras plonge jusqu'à l'épaule sans que ses doigts touchent le fond. En même temps, son autre main se heurte à quelque chose de rigide appuyé contre le mur. Elle tâtonne : une dalle. Bien carrée. La dalle qui manque. Tâtonnant encore, elle trouve un monticule de terre mêlée de cailloux. Ce qui manque là où est le trou. Collant sa bouche à l'oreille de Petit Loup, elle souffle :

Le Sang de Clovis

— Avec quoi as-tu fait ça ?

— Mon couteau, pour desceller la dalle. Pour creuser, Adèle s'y est mise, bien que ce ne soit pas tout à fait son rayon.

— D'accord. Et alors ?

— Alors, ce mur a deux pieds d'épaisseur, c'est la mesure romaine classique. J'ai creusé jusqu'au bas des fondations, puis sous le mur. Il ne reste plus qu'à creuser en remontant de l'autre côté, et où arrive-t-on ?

— Dehors.

— Voilà. En deux heures, ça peut être terminé. Adèle pète le feu. Il sera encore loin de faire jour. J'aurai le temps de reboucher et de remettre la dalle en place. Ni vu, ni connu.

— Attends. Ce trou, tu ne le creuses pas pour le plaisir de creuser un trou ?

— À ton avis ?

— Tu le creuses pour que quelqu'un se sauve par là.

— C'est ça tout juste.

— Mais il est beaucoup trop petit, ton trou ! Personne ne pourrait passer par là !

— Si. Toi.

— Ah, oui ?

— En forçant un peu. Mais je t'aiderai. Je pousserai au cul.

— C'est pour en arriver là que tu t'es donné tout ce mal ? Il suffisait de demander.

La nuit couvre la brusque poussée de couleurs sur les joues de Petit Loup. Il dit, comme si de rien :

— Une fois de l'autre côté, tu galopes jusqu'à Metz...

— Parce que tu comptes aussi faire passer un cheval par ce trou ? Pourquoi pas Griffon ? En poussant au cul...

— Tu voles un cheval, tu te démerdes, bref, tu fonces à Metz. Tu vois la reine, tu lui remets le morceau de tunique de Mérovée avec son message d'amour auquel je me suis permis d'ajouter quelques mots personnels.

351

Le Sang de Clovis

— Lesquels ? J'ai le droit de savoir.

— Ceux-ci : « Arrivez avec secours. Il y a une chance. Vite ! » Signé : « Petit Loup et Minnhild ».

— C'est délicat de ta part d'avoir joint ma signature, mais tu aurais quand même pu me demander si j'étais d'accord.

— Je peux encore la biffer.

— Essaie seulement !

— On s'amuse bien, avec toi. Mais c'est pas tout ça, le boulot commande. Plonge !

— Pardon ?

— Plonge dans le trou. La tête la première. Je ne peux pas creuser la remontée. Trop bel homme. Je coince. Toi, avec un peu de bonne volonté, ça devrait aller. Plonge. Voi-là... Je te passe Adèle, sans son manche. Fais descendre la terre sous ton ventre, pousse-la en arrière, je la récupère entre tes cuisses. Comme ça... C'est bien. Continue.

Elle continue, brave petite taupe. Du fond du trou montent grognements et halètements. Par moments se discernent quelques bribes de langage articulé :

— Mais... pff... si je me sauve... Aïe ! Mon ongle ! Il s'est retourné... Si je me sauve... pff... ils vont tous vous tuer... Mouaff ! De la terre plein la bouche... C'est ce qu'il a dit, le gros traître.

— Il l'a dit. Mais toi, tu es toute petite, vêtue en garçon, et tu t'es toujours tenue sous la galerie qui court sous les fenêtres. Ils ne t'ont même pas remarquée, j'en suis sûr.

— Je n'existe pas, quoi. Sauf... pff... pour creuser des trous... Aïe ! Je suis coincée, une saloperie de grosse pierre s'est mise en travers... Qu'est-ce que tu attends pour me pousser au cul, toi qui en meurs d'envie ? Allez, un bon coup, à pleines mains ! Il faudra me soigner cette timidité, mon garçon.

Petit Loup prend sur lui et fait ce qui doit être fait. La grosse pierre est évacuée, non sans mal et gémissements, par

352

Le Sang de Clovis

le chemin habituel. Minnhild, cependant, n'est pas satisfaite de la réponse à sa question.

— Suppose qu'ils s'en aperçoivent quand même, qu'il manque un truc... pff..., un tout petit truc, peut-être, mais manquant... Attends, je crache les cailloux... Eh bien, ils vous tuent tous, toi le premier, bien sûr, tu es le plus visible par temps clair. Tu crois peut-être que ça me fait plaisir, cette idée ?

— C'est un risque à courir. Et toi, au moins, tu serais sauvée.

Des sanglots se bousculent à l'entrée du trou. Petit Loup s'alarme :

— Minnhild ! Tu es blessée ?

— Nan...

Et de sangloter de plus belle.

— Qu'est-ce qui te prend, alors ?

Elle réussit à hoqueter :

— Tu as monté tout ça, l'histoire du trou, le message à porter, tout ça rien que pour me sauver, moi ! Pour me sauver ! Tu te rends compte de ce que ça signifie ?

— Creuse !

Après une nuit blanche, fût-on fils de roi, on n'est pas très frais. Le caractère s'en ressent. Mérovée est d'humeur exécrable. Gaïlen, Gaukil, Grind et les autres ont le toupet de dormir comme des enfants, voire de ronfler. N'ayant personne d'autre sous la main, il s'en prend à Petit Loup, déjà debout, lui, malgré les heures consacrées à son travail clandestin de terrassier, et occupé à panser Griffon en lui susurrant à l'oreille des paroles d'amitié assaisonnées de quelques anecdotes grivoises qui amènent un léger sourire sur les lèvres du cheval. Griffon, il faut le dire, est assez porté sur la gaudriole.

Le Sang de Clovis

Tout en rajustant sa perruque – les cheveux repoussent, mais que c'est long ! –, le prince libère sa bile :

— Dois-je vraiment rester comme un lapin pris au piège à attendre gentiment la venue de mon père ou celle des assassins à sa solde ? Pourquoi diable ne nous jetons-nous pas tous ensemble contre ces damnées portes, pourquoi ne les démolissons-nous pas à coups de ruades de nos chevaux, n'y mettons-nous pas le feu, je ne sais pas, moi, il y a bien quelque chose à tenter, même quelque chose de fou et de désespéré, ne serait-ce que pour nous donner l'illusion d'agir ?

Petit Loup a pitié. Il rassemble toute sa patience :

— Seigneur, la réponse, tu la connais. Quoi que nous tentions, cela ne se ferait pas en un clin d'œil. Les archers auraient tout le loisir de nous cribler bien à leur aise. Et si, malgré cela, nous parvenions à forcer le portail, à peine de l'autre côté nous serions foudroyés sur place. Tu serais épargné, puisque tels sont les ordres, mais es-tu prêt à sacrifier tes compagnons à ton impatience ?

Mérovée baisse la tête.

— Non, bien sûr.

Petit Loup s'interroge. Mettra-t-il Mérovée au courant de l'évasion de Minnhild et de l'espoir – si mince ! – qu'elle comporte ? Non. Cet espoir est trop illusoire. Petit Loup lui-même n'y croit guère. Il faut malgré tout tenter quelque chose, ne serait-ce que pour distraire l'angoisse de Mérovée, qu'il sent sur le point de se jeter dans n'importe quelle folie... Pourquoi pas la ruse grossière qui lui a traversé l'esprit et qu'il a rejetée comme décidément trop éculée ? Au point où l'on en est...

Mérovée, plié sur sa couche de paille, geint, les mains crispées sur l'abdomen. Petit Loup, l'air affolé, se campe au

Le Sang de Clovis

milieu de la cour et crie à l'adresse des estafiers qui veillent aux fenêtres :

— Holà ! Le seigneur Mérovée est bien malade ! Du secours, vite ! Un médecin !

Il se fait un certain remue-ménage. Gontramn Bose se montre à la fenêtre. Une inquiétude mêlée de méfiance altère ses traits bonasses. C'est que Frédégonde veut un Mérovée vivant, et bien vivant ! Elle n'a que faire d'un Mérovée cadavre. Il y va de la tête de Gontramn Bose... Mais si c'était une ruse ?

Petit Loup se fait pathétique :

— Vite, seigneur, il est au plus mal !

— Eh, crois-tu donc que j'aie un médecin sous la main ?

— Au moins un prêtre, alors.

— Cette marchandise-là, je l'ai.

— Envoie ! Les prières guérissent souvent mieux que les potions.

De nouveau se fait entendre un remue-ménage, plus véhément encore que la première fois. Enfin paraît à la fenêtre, poussé sans douceur au-dessus du vide, ficelé dans ses ors et ses violets sacerdotaux, un bel évêque en état de marche qui proteste et se débat mais ne s'en voit pas moins pendre au bout d'une corde qui le laisse descendre jusqu'au dur pavé.

On se précipite, on le déficelle, on le redresse, on le contemple, on s'écrie :

— Le seigneur évêque Ægidius !

Mérovée, soudain guéri, saute sur ses pieds, empoigne le prélat à la gorge.

— C'est donc toi qu'on m'envoie, sale traître, vendu pourri ! Toi, le valet des assassins ! Pauvre triste loque qui ne crois même pas en ton Dieu ! Quelle bonne blague ! Je reconnais bien là l'esprit facétieux de ton complice, l'ignoble Bose !

Il le traîne au milieu de la cour, face à la fenêtre où trône Gontramn Bose, curieux de ce qui va suivre. Gaïlen et Gaukil

Le Sang de Clovis

le tiennent solidement par les bras. Mérovée tire en arrière la tête de l'évêque, présentant ainsi sa gorge au tranchant du scramasaxe qu'il y appuie de son autre main. Il crie vers la fenêtre :

— Gontramn Bose, écoute-moi bien. Tel est mon marché : tu me laisses partir d'ici, ainsi que mes compagnons, sinon je tranche la gorge de ce ministre de Dieu, ministre indigne, certes, mais néanmoins revêtu de la grâce divine que lui insuffla le sacrement. Si tu refuses, alors que le sang de cet être sacré retombe sur ta tête, dans l'au-delà et même dans ce monde, car le seigneur pape ne te pardonnera pas d'avoir choisi sa mort.

Gontramn Bose a écouté avec grande attention. Il prend le temps de considérer la scène, de la savourer, dirait-on, et soudain part d'un formidable rire. Il en pleure. Quand enfin il se calme, il dit, entre deux hoquets :

— Égorge, mon doux ami, égorge ! Tu m'épargnes du labeur. Il y a longtemps que je médite d'occire cette vieille canaille ! Tu me rends service et je t'en remercie. Allons, courage ! Tue ! Tue ! Et ensuite j'aurai le plaisir, puisque tu m'en fournis le prétexte, de faire larder de flèches un à un tous tes amis.

Sous l'empire de la déception, Mérovée se laisserait bien aller à trancher la gorge épiscopale. Une main saisit son poignet, l'écarte : la main de Petit Loup, qui n'aime pas qu'on égorge. Mérovée tourne vers lui ses yeux où fulmine la rage :

— C'est raté !

— Ça valait le coup d'essayer.

Il ajoute :

— On garde l'évêque. Ça peut servir

XXXVI

— Dame reine, c'est un cavalier tout crotté, un petit bonhomme, presque un nain. Son cheval s'est abattu en arrivant, à se demander comment il a pu tenir jusque-là, pauvre bête. Le cavalier ne vaut guère mieux. Il a fallu le tirer de sous le cheval, il ne tient pas debout, il a à peine la force de parler.

— C'est bien triste, mais pourquoi me déranges-tu ? Qu'on le soigne, qu'on le lave, qu'on le nourrisse, c'est charité chrétienne, cela te regarde.

— Oh, oui, j'oubliais : il a réussi à dire qu'il doit absolument te parler, à toi seule, dame reine, et sur-le-champ. J'ai comme l'impression qu'il se retient de s'évanouir jusqu'à ce qu'il t'ait parlé. Il s'écroulera tout de suite après, c'est sûr.

— Oh, oh... Ce pourrait être quelque assassin. La Frédégonde semble en pleine forme, ces temps-ci.

— J'oubliais encore ! Il m'a remis ceci pour toi.

Brunehaut considère avec méfiance le morceau de tissu roulé en boule que lui tend l'esclave.

— Ouvre cela, veux-tu.

Sur l'étoffe déployée apparaissent des taches brunâtres qui, mais oui, s'arrangent en lignes zigzagantes et qui, regardées de tout près, forment des mots, des mots que Brunehaut déchiffre. Elle se dresse, toute pâle, arrache le lambeau aux mains de l'esclave, l'approche de son visage, dit : « Son

Le Sang de Clovis

sang ! », le baise, le hume, y cherche trace de l'odeur du bien-aimé. L'esclave demande :

— Qu'est-ce que je fais, dame reine ?

— Où est-il ?

— Qui donc ?

— Ce cavalier, bien sûr !

— Au poste de garde, allongé par terre.

— Viens !

Elle y court, la petite sur les talons. Elle s'arrête soudain, prend l'esclave aux épaules :

— Et si c'était quelque ruse ? Alors, c'est qu'il serait mort... A-t-on fouillé le messager ? Avait-il un couteau ?

— Juste un petit coutelet pour couper son pain. On le lui a ôté.

— Allons !

Il est en effet bien mal en point, le messager. Un mélange croûteux de sueur et de poussière lui fait un épais masque de boue sèche qui se craquelle autour des paupières luttant pour ne pas retomber sur les yeux brillants de fièvre. À la vue de la reine, le pauvre diable tente de redresser la tête en un pitoyable effort. Brunehaut ordonne :

— Qu'on lui passe de l'eau sur le visage ! Qu'on le fasse boire ! Qu'on le débarrasse de ces loques qui l'étouffent ! Enfin, à quoi pensez-vous donc ?

On s'empresse. Un linge trempé d'eau fraîche a tôt fait de libérer les joues du petit homme de leur gangue d'argile. Un visage apparaît, creusé par la fatigue, mais juvénile, lisse...

— Minnhild ! Ma petite Minnhild ! Comment se fait-il ? Pourquoi toi ? Il est mort, n'est-ce pas ? C'est cela : il est mort !

— Il vit. Il veut vivre. Pour toi. Il faut faire vite. Très vite.

Une servante apporte un flacon contenant certain cordial concocté par le médecin juif attaché à la personne du roi. La reine incline le gobelet, verse avec précaution le liquide entre les lèvres craquelées. Minnhild sent ses forces revenir. Soutenue par Brunehaut, elle gagne la vasque de marbre où l'eau tiède accueille ses membres douloureux. La reine fait sortir les servantes. Elle passe bien doucement l'éponge parfumée sur le corps menu, tandis que Minnhild raconte.

La reine Brunehaut possède une garde personnelle. Ce sont de jeunes nobles wisigoths d'Espagne, comme elle-même, qui l'ont suivie aux froids climats d'Austrasie. Ardents, dévoués jusqu'à la mort, c'est en grande partie à eux qu'elle doit d'avoir échappé jusqu'à ce jour aux complots tramés par les nobles du Conseil de régence aussi bien qu'aux traquenards de Frédégonde. Ce tourbillon de poussière sur la vieille route des invasions, ce sont eux qui galopent, en ordre impeccable, vers la frontière de Neustrie.

Au milieu de la phalange héroïque galope la reine, vêtue en guerrier, ses cheveux soigneusement ramenés sous le casque, sa féminité étouffée par l'épais gilet de peau d'ours et l'attirail belliqueux. À son côté galope Minnhild, qu'aucune courbature, aucune talure fessière n'aurait pu empêcher de se joindre à l'aventure. Brunehaut a fixé l'itinéraire :

— Nous passerons très au nord, par Tongres et Tournai. À partir de là, nous serons en terre de Neustrie. Ce sera donc acte de guerre. Soyons discrets. Si nous sommes interrogés, que seuls ceux qui n'ont pas un accent wisigoth marqué répondent et s'en tiennent à ce qui est convenu. Songez à ce que serait la joie du Chilpéric si nous nous faisions prendre.

La reine Frédégonde n'a pas de garde personnelle. Le roi Chilpéric, son époux, est bien trop méfiant. Amoureux, certes, mais pas au point de s'offrir bêtement au poignard. Il

Le Sang de Clovis

connaît trop sa Frédégonde pour lui permettre d'entretenir à sa dévotion un bataillon fanatique de gaillards envoûtés par ses charmes, prêts à tout pour un regard de ses yeux pers, prêts entre autres à régler une banale querelle conjugale de façon irrémédiable. C'est qu'elle a la riposte prompte et volontiers exagérée, l'adorable diablesse ! Elle le regretterait après, c'est certain, et pleurerait, et arracherait ses beaux cheveux noirs, mais le mal n'en serait pas moins fait.

Donc, quand la reine Frédégonde éprouve le besoin, pour mener à bien une de ces intrigues souterraines auxquelles se complaît sa diplomatie personnelle, de recruter une troupe de gens aguerris et décidés pour une besogne tout à la fois hardie et secrète, elle s'adresse à des fournisseurs qualifiés, par exemple à cet excellent seigneur Gontramn Bose.

C'est pourquoi la voici galopant, vêtue en homme de guerre, au milieu d'un contingent d'estafiers de sac et de corde sur l'antique voie romaine qui va de Soissons à Calais en passant par Thérouanne.

Mérovée broie du noir. Il ne comprend pas. Il le dit, le ressasse :

— Pourquoi me garder ici comme un fauve dans l'arène avant la mise à mort ? Pourquoi ne pas en finir une bonne fois, me tuer tout de suite ?

Gaïlen répond, sans trop y croire lui-même :

— Peut-être parce qu'on ne veut pas te tuer. Juste te donner une leçon. Briser tes nerfs pour te rendre plus docile.

— Ce n'est pas dans le caractère de mon père. Il a tué de sa main ou fait tuer mes frères, nés de notre mère Audovère, et aussi les fils nés d'autres femmes. Après moi, il ne restera que les fils nés de Frédégonde. C'est ce qu'elle a toujours voulu. Et puis, je l'ai défié, je l'ai trahi, j'ai épousé une femme

Le Sang de Clovis

que, je le sais, il désire. Il est persuadé que, s'il me laisse vivre, je le combattrai jusqu'à la mort.

Gaïlen ne sait plus qu'imaginer. Petit Loup prend le relai :

— Et s'il y avait, derrière tout ça, quelqu'un d'autre que le roi Chilpéric ? Quelqu'un qui ne veut pas ta mort, bien au contraire ?

Mérovée secoue la tête :

— Non. Pourquoi ce « quelqu'un », s'il ne veut ma mort, me ferait-il souffrir cette agonie ? Non, non. Il n'y a d'autre « quelqu'un » que mon père, et il veut ma mort, et il s'amuse à me tenir sur le gril, ou peut-être est-il occupé ailleurs et prend-il son temps afin de faire la besogne de sa propre main.

Il regarde devant lui, fixant le vide :

— Les assassins viendront la nuit, par-derrière, c'est la bonne façon pour égorger. L'un me tirera la tête en arrière, l'autre m'ouvrira la gorge d'un seul coup, sans forcer, d'une oreille à l'autre.

Il frissonne, serre convulsivement le bras de Gaïlen :

— C'est effroyable. La mort, j'en accepte l'idée, je suis un soldat. Mais ça, cette horreur, l'acier affûté comme un rasoir... Non ! Je les entendrai venir, je guette toutes les nuits. Je me tuerai avant.

Tout bas, il ajoute, pour lui-même :

— Si j'en ai le courage.

À Thérouanne, Gontramn Bose accueille la reine Frédégonde, en toute discrétion. Il paraît quelque peu inquiet. Elle lui en demande la raison.

— Il m'a semblé voir rôder de drôles de corps. Des paysans aux mains un peu trop blanches, aux cheveux un peu trop longs dont les mèches blondes s'échappaient d'un capuchon un peu trop ample... Des gens du roi ?

Le Sang de Clovis

— J'ai laissé le roi à Soissons. S'il soupçonnait quelque chose, il ne serait pas capable de me donner le change, je le connais trop bien. Il ne sait rien

— Alors, qui sont ces gens ?

— Peut-être des malandrins en quête d'un mauvais coup, de ces soldats privés de ressources par la fin des guerres...

— Je risque ma tête.

— C'est en travaillant contre moi que tu la risquerais. Le roi, c'est moi, Frédégonde. Assez tardé. La nuit est tombée. Je prends livraison du colis.

— Où l'emmèneras-tu ?

— En un lieu que tu n'as pas besoin de connaître.

— Tu sais bien que je le connaîtrai quand même.

— Tu n'aurais pas dû dire cela, seigneur Bose. Ça ne m'apprend rien, mais me montre que tu es un peu trop sûr de toi. N'oublie jamais que tu es dans le creux de ma main. S'il vient un seul soupçon de ceci au roi, la source ne pourra en être que toi ou un de tes gueux, ce qui, pour moi, est la même chose.

— J'ai tenu parole. À toi, maintenant.

— Je n'oublie pas mes promesses. Elles seront tenues scrupuleusement. Mais attention. Nous ne jouons pas à jeu égal. Je te tiens, tu ne me tiens pas. Ma tête n'est pas en jeu, la tienne, si. Et pense à tes petites filles. Allons, on y va.

— Attends. Ils sont toute une petite bande, là-dedans. Pour les autres, les amis, Gaïlen et compagnie, qu'est-ce que je fais ? Tu les prends aussi ?

— Je n'ai pas assez de monde pour m'encombrer de tout ça. Fais-en ce que bon te semblera.

— Compris.

Entre deux nuages, la lune laisse un rayon timide se faufiler jusqu'aux terrestres vicissitudes. La petite troupe de Bru-

Le Sang de Clovis

nehaut se tient prête. La reine lève la main, puis l'abaisse, soufflant cet ordre :

— On y va ! En douceur.

Cordes et grappins volent par-dessus le haut mur, s'y accrochent presque sans bruit, les fers ont été entortillés de chiffons et d'étoupe. Des silhouettes silencieuses, araignées véloces, s'élèvent le long du mur, franchissent la crête, ramènent les cordes à elles, les rejettent de l'autre côté, s'y laissent glisser.

Brunehaut approuve :

— Bien. Les voilà dans la place. Tu m'as bien dit qu'ils sont parqués dans la grande cour, Minnhild ? Tu es sûre de toi ?

— À moins qu'on ne les ait changés de place.

Elle a lâché cela presque avec hargne, Minnhild. Elle boude et tient à ce que ça se sache.

— Tu aurais dû me laisser y aller, dame reine. Je grimpe mieux qu'une mouche, je serais arrivée la première, je les aurais réveillés bien doucement...

— Petite folle ! Je tiens trop à toi. N'y revenons plus.

Soudain Minnhild, des deux mains, agrippe le bras de la reine.

— Dame reine !

— Quoi donc ?

— Là-bas ! Devant le portail ! J'ai vu bouger, j'en suis sûre ! Mais oui, regarde ! Il y a des types. Oh ! Ils ouvrent le portail ! Plutôt, non, on le leur ouvre ! Ils se glissent à l'intérieur ! Dame reine, dame reine, ce sont les tueurs du roi Chilpéric !

— Mon Dieu ! Il va y avoir bataille. Eh bien, soit ! Ce que nous comptions faire en douceur, il va falloir le faire à la dure. Mes garçons ne rechignent pas à l'ouvrage. Ce sont gens de cœur, ils auront affaire à de vils mercenaires. Ils se battent pour moi, c'est tout dire. Mérovée sera sauvé.

Elle se laisse tomber à genoux, joint les mains.

Le Sang de Clovis

— Oh, mon Dieu, Toi qui as béni notre union, fais que cet époux que Tu m'as donné, cet époux que je chéris de toute mon âme, me soit rendu, par le saint nom du Seigneur Christ Jésus, amen.

Elle se signe éperdument, trois fois. Minnhild en fait autant, ça peut aider.

Au portail, la reine Frédégonde réitère ses instructions au seigneur Gontramn Bose :

— Surtout, qu'ils n'aillent pas l'effrayer. Il pourrait se méprendre, croire à des assassins, et alors se défendre, se battre à mort, je le connais, un mauvais coup est vite attrapé, surtout avec ces brutes que tu as engagées.

Gontramn Bose s'estime offensé dans son savoir-faire d'homme de l'art.

— Ces brutes, comme tu dis, dame reine, ne paient pas de mine, j'en conviens, mais ce sont d'habiles gens, quoi que tu en penses. D'ailleurs, j'y ai pourvu. Le vin que j'ai fait porter à ton Mérovée était assaisonné de sirop d'opium, pas trop, juste de quoi le faire dormir comme un bébé afin que mes gars puissent s'en charger sans histoires. Donc...

Frédégonde sursaute, lui fait signe de se taire.

— Qu'est cela ?

Cela ? C'est un cri, aussitôt étouffé qu'émis, un cri inimitable, cri d'épouvante et d'horreur, cri inoubliable pour qui l'a une fois entendu, le cri brusquement interrompu, terminé en gargouillis, d'un être humain qu'on égorge.

Gontramn Bose, sans un mot, tire l'épée, s'élance, franchit le seuil du portail. Les cris maintenant se multiplient, se font défis et injures, l'acier sonne contre l'acier, on court, on se heurte, on tombe.

Frédégonde veut savoir. Elle fait un pas pour pénétrer dans la cour. Gontramn Bose, revenu, l'arrête.

Le Sang de Clovis

— Ne te montre pas, dame reine. Surtout pas. Reste là, dans l'ombre.

— Tu avais pourvu à tout, hein ? Et ça, tu y avais pourvu ?

— Je ne comprends pas. Il semble que des inconnus en armes étaient là. Mes hommes se sont heurtés à eux.

— Des inconnus, vraiment ? Qui sont-ils ? D'où sortent-ils ? Que veulent-ils ? Des gens du roi ? Impossible. À cela j'ai pourvu, moi.

— Je ne sais pas, dame reine.

— C'est bien ce que je te reproche.

Mérovée n'a pas bu le vin, cadeau de son geôlier. Gontramn Bose le rusé aurait pu se douter qu'un reclus menacé de mort craindrait l'empoisonnement. Mérovée n'a pas bu le vin assaisonné à l'opium, et donc n'a pas dormi. Comme les autres nuits, il est resté à l'affût du moindre bruit furtif. Surtout furtif. Et justement, des bruits furtifs, il en entend. Il secoue Gaïlen.

— Écoute !

Gaïlen écoute et, en effet, entend. Il secoue Petit Loup. Petit Loup, à son tour, entend. Le bruit est à peine décelable mais, incontestablement, furtif. Mérovée, quant à lui, n'a aucun doute :

— Les voilà. Les tueurs. Mon père. L'instant est venu. Tire l'épée, Gaïlen.

Gaïlen veut rassurer. Il va pour suggérer quelque lénifiante billevesée lorsque éclate le cri. Tous trois se figent. Les dormeurs s'éveillent. S'ensuit un tintamarre vociférant, ferraillant, un vrai combat. Qui se rapproche. Mérovée sent déjà le fil de la lame glisser sur son cou, pénétrer sa tendre peau. Il tire hors du fourreau l'épée de Gaïlen, la grande spatha au tranchant double, à la pointe aiguë. Il la met de force entre

Le Sang de Clovis

les mains de son ami. La panique, dans ses yeux, est devenue folie. Il ordonne :

— Maintenant, Gaïlen, maintenant ! Tu m'as juré. Je ne sais ce qu'il leur prend, sans doute se battent-ils entre eux à qui aura l'honneur – et la prime ! – de mon assassinat. Ils n'en auront pas le plaisir ! Allons, Gaïlen, tu as juré par le Seigneur Christ. Droit au cœur !

Alors Gaïlen, sanglotant, sachant que s'il hésite il ne pourra plus, les deux mains crispées sur la poignée, plonge la lame d'un coup désespéré, d'un coup tellement violent qu'elle ressort par le dos et se plante dans le mur. La bouche de Mérovée s'ouvre en grand pour un terrible cri muet, un flot de sang noir en jaillit, arrosant Gaïlen.

Il hurle, Gaïlen, il s'enfuit en courant. Mérovée, déjà mort, reste debout, cloué au mur.

Au premier cri, aux premiers fracas de bataille, la reine Brunehaut comprend qu'il n'est plus temps d'hésiter. Ce qu'elle entend, c'est le déchaînement des moissons de la mort. Précédée de Minnhild, elle court au portail resté entr'ouvert, veut le franchir. Un bras sorti de l'ombre lui barre le passage, une voix brutale l'interpelle :

— Où crois-tu aller, toi, là ? Et d'abord, qui es-tu ? Et cet autre, le petit ? Je ne crois pas connaître vos gueules.

Brunehaut se souvient qu'une hache de guerre pend à sa ceinture. Elle y porte vivement la main. Plus vive encore, une autre main, large et forte, lui emprisonne le poignet, un coup de poing fait tomber son casque. Un reflet de lune égaré joue dans l'or liquide qui ruisselle sur ses épaules.

La voix rugueuse s'étonne :

— Tu es fils de roi ?

Une autre voix, mélodieuse, celle-là, une voix dont l'irritation ne parvient pas à altérer l'irrésistible séduction, ricane :

Le Sang de Clovis

— Fils de roi ! Imbécile ! Regarde mieux.

Gontramn Bose écarquille les yeux. La lune, capricieuse, décide de l'aider. Un visage apparaît dans la pâle lumière. Visage de femme. Adorable.

— La... La reine Brunehaut !

Brunehaut rage :

— Imbécile ? Non : triple, quadruple imbécile, qui ne sais pas tenir ta langue, qui ne sais pas regarder ailleurs. Me voilà obligée de te tuer si tu ne me tues avant, seigneur... Gontramn Bose, je crois ?

Frédégonde décide qu'au point où l'on en est, elle manquerait au tableau. Elle fait un pas hors de l'ombre.

— Personne ne tuera personne. Je suis chez moi, ici. S'il y a à tuer, je m'en charge. Lâche ce poignet, pauvre type. Et ramasse ce casque. Laisse-nous. Va voir ce qui se passe là-dedans. Sauve celui qu'il faut sauver.

Il file. Brunehaut considère le guerrier aux formes graciles qui lui fait face, le détenteur de la voix charmeuse. Elle dit, haussant le sourcil :

— Frédégonde, je suppose ?

— Si ça ne te fait rien, la dame reine Frédégonde, épouse du seigneur roi de Neustrie Chilpéric Ier.

Brunehaut, pour toute réponse, se met à courir. Frédégonde en fait autant. Elles ont de longues jambes et des mollets musclés. Minnhild, derrière, peine à les suivre. Brunehaut, du coin de la bouche, lâche :

— Tu es là pour le tuer. Moi, pour t'en empêcher.

— C'est ça que tu crois ? Le tuer ? Lui ? Mais tu n'as rien compris ! Je suis là pour qu'il vive ! Qu'il vive, au nom du Ciel !

— Alors, cours !

367

Le Sang de Clovis

Un jeune géant ruisselant de sang se dresse soudain devant les deux reines, bras étendus, mains ouvertes pour leur barrer le passage. Sa voix de désespoir annonce le pire :

— N'y allez pas ! Non, non, n'allez pas plus loin !

Brunehaut reconnaît Petit Loup.

— Il est... ?

Il ne peut qu'incliner le front. Frédégonde, d'un coup de tête dans la poitrine, le repousse. En trois bonds elle est sur place. Là, les combattants des deux partis, soudain calmés, ayant enfin compris qu'ils concouraient au même dessein et désemparés devant l'anéantissement de ce dessein, ne savent trop que faire.

Brunehaut, doucement, écarte Petit Loup. S'appuyant à l'épaule de Minnhild, elle marche vers son malheur. Ce qui reste du bataillon sacré des amis fait front, groupé devant le mur où pend l'épouvantable chose, comme s'il y avait encore quelqu'un à protéger. Les armes inutiles prolongent des bras sans force. Gaïlen, écroulé à terre, cache son visage dans ses mains.

Frédégonde, chancelante, les mains crispées devant sa bouche qui bée d'horreur incrédule, s'abat soudain, tend les mains vers les pieds encore tièdes dans les souples sandales franques, les saisit, les baise, les presse contre sa joue, à violents sanglots les arrose de ses larmes. Où est-elle, l'altière dompteuse de rois ? Elle se soucie bien de séduire ou de dominer, la petite esclave ambitieuse !

Brunehaut en a pitié. Elle qui jamais ne laisse voir sa douleur, elle qui jamais plus ne se laissera aller à aimer, gardant en elle comme un secret la terrible vision qui ne la quittera plus, elle plaint et envie tout à la fois cette échevelée qui s'abandonne sans pudeur à son désespoir, s'y plonge, s'y engloutit, en crèvera peut-être, bête sauvage qui n'a rien à prouver à quiconque et surtout pas à elle-même, et qui, si elle n'en crève, se redressera, purgée de l'horreur, pour aussitôt mordre dans la vie à belles dents.

Frédégonde se relève. Son regard durci dans son visage ravagé dit qu'elle accepte, qu'elle fait front. Elle va droit à Brunehaut.

— Tu l'aimais. Comme je te comprends !

— Et il m'aimait.

— Et il t'aimait.

Elle hoche la tête.

— Il m'aurait aimée. Il en était bien près.

— J'étais sa femme.

— Il m'aurait aimée en plus. Ou sans toi, pourquoi pas ? Un homme n'est qu'un homme.

— Et tu sais comment t'en servir.

— Ne sois pas vulgaire, reine. Je ne me sers pas de qu' j'aime.

— Sais-tu seulement ce qu'est aimer ? As-tu déjà aimé ˉ

— Oui. Cette fois. Cette seule fois. Et plus jamais.

— Voilà qui nous unit.

— Mais n'efface pas la haine.

— Je te tuerai. Et je tuerai ton Chilpéric.

Brunehaut a dit cela sans haine comme sans emphase. Frédégonde a un mince sourire.

— Bien entendu. Et j'en ai autant pour toi.

— Les victimes se vengent Toi, tu es une tueuse. Tu n'as pas un mari, une sœur, à venger.

— J'ai celui-là.

Elle a un mouvement de la tête vers le pauvre corps que l'on s'efforce de déclouer. Brunehaut objecte :

— Je ne l'ai pas tué. C'est même par ta faute qu'il est mort

— J'ai besoin de vengeance. J'ai décidé que je le vengerais sur ta tête et sur celle des enfants sortis de toi. C'est comme ça Allons, va. Profite de la trêve.

Le Sang de Clovis

Petit Loup, soutenant Minnhild que secouent les sanglots, s'incline devant Brunehaut.

— Dame reine, il faut partir. Nous avons fait du tapage. Nous sommes en plein pays de Neustrie, ne l'oublie pas.

— Je suis prête.

Gaïlen s'approche :

— Dame reine, mes amis et moi restons pour donner une sépulture chrétienne au seigneur Mérovée. Nous avons sous la main un évêque. Il ne peut pas refuser. Nous rejoindrons.

— Tu prends un risque, Gaïlen.

— Je le prends de grand cœur.

— Fais vite !

Tandis que la reine Brunehaut, Minnhild, Petit Loup et les Wisigoths de la garde regagnent la frontière d'Austrasie par la route du nord, celle de Tournai et de Tongres, tandis que la reine Frédégonde, escortée par les mercenaires de Gontramn Bose, regagne Soissons en empruntant des chemins détournés, une troisième troupe, avançant en sens contraire, arrive à Thérouanne, sans se cacher, elle, car elle porte haut l'étendard du roi Chilpéric.

Ce sont les antrustions de la garde, le bataillon sacré. En tête chevauche le comte Lantéric. À son côté, sur une mule, trottine son informateur, le sous-diacre Rikulf, qui, vexé d'être tenu à l'écart de certaine opération dont il humait les préparatifs dans l'air du temps, a su déduire de quelques ordres entendus au vol qu'il y aurait gibier au nid en certaine résidence royale sise à Thérouanne et compte bien qu'il se trouvera là-dedans quelque profit à glaner et aussi quelques vengeances à assouvir.

Le Sang de Clovis

Rikulf ni Lantéric ne seront déçus. Ils tombent sur Gaïlen et les autres, affairés à creuser une tombe pour le corps de Mérovée et à préparer une cérémonie mortuaire succincte mais digne pour ce prince qui leur fut si cher. L'évêque, le premier, aperçoit les arrivants franchissant le portail. Il ne peut agiter les bras, ficelés qu'ils sont le long de son corps, mais il sautille sur ses pieds entravés à la rencontre des gens du roi, hurlant à pleins poumons :

— À moi, amis ! Je suis Ægidius, l'évêque de Reims ! À moi ! Ce sont des espions d'Austrasie ! Tuez-les tous ! Tous ! Tous !

Rikulf est tout à fait d'accord. Lantéric n'a rien contre. Tirés comme lapins au gîte, Gaïlen, Grind, Gaukil, Hilbert et les autres gentils compagnons n'ont même pas le temps de lâcher la bêche ou la pelle et de saisir leurs armes. Hérissés d'empennages de flèches, ils jonchent bientôt les dalles polies. Rikulf, qui ne s'attendait pas à telle aubaine, fait trancher le col du prince. Il portera lui-même au roi la tête de son fils détesté. Il escompte en tirer bonne récompense, peut-être un évêché, peut-être une abbaye...

Lantéric félicite Rikulf pour sa future promotion, tout en riant sous cape à l'idée de la façon dont la reine Frédégonde accueillera le porteur du colis à la somptueuse chevelure, même si celle-ci n'est qu'une perruque.

Et puis, les soldats, en bons charognards, s'étant partagé les dépouilles des assassinés, on reprend la route de Soissons, l'escarcelle garnie et le cœur en fête.

Épilogue

C'est Emma l'effrontée qui les aperçoit la première. Elle était en train de cueillir des mûres au buisson, s'en noircissant la figure à pleines poignées. Elle pince Zaza la teigne, qui se met à brailler. Emma lui donne du coude dans les côtes :

— Tais-toi, andouille ! Regarde plutôt[1] !

Zaza joint ses regards à ceux d'Emma. Ce qu'elles voient toutes deux leur fait lâcher paniers et corbillons pour courir en criant :

— Petit Loup ! Petit Loup est de retour !

C'est Petit Loup, en effet, l'immense Petit Loup qui rentre en ses foyers. Et qui ramène Griffon, le bon Griffon, ce qu'on n'aurait jamais osé espérer. Il ramène encore autre chose : sur une aristocratique haquenée aux flancs prometteurs, une minuscule princesse wisigothe. L'espèce manquait à la bigarrure familiale.

Aux regards qu'échangent ces deux-là, on peut déduire que leurs relations de rude quoique affectueuse camaraderie ont évolué vers quelque chose de plus romantique.

---

1. Ceci nous prouve que, non seulement l'andouille était déjà inventée aux temps mérovingiens – cela, on le savait –, mais surtout que la physionomie assez peu intellectuelle de ce chef-d'œuvre de charcuterie avait, dès cette époque, suggéré cette injurieuse assimilation.

Le Sang de Clovis

Ils auront beaucoup de choses à raconter, des tristes et des belles, le soir autour du feu, des choses qui feront soupirer les deux glorieux ancêtres et les lanceront à leur tour dans des récits cent et cent fois ressassés... Et puis ils repartiront, car ainsi va la vie. Qui est né pour l'aventure ne saurait cultiver les choux – tant pis pour les choux ! –, et Minnhild gardant les oies ? Impensable

L'inexpiable haine entre les deux très belles, Brunehaut l'implacable, Frédégonde la rouée, ne fera que croître et s'exaspérer. Pendant près d'un demi-siècle l'Europe sera mise à feu et à sang par cette vendetta aux mille rebondissements, les royaumes ravagés, les empires ébranlés.

Annexes

Du roman historique

Ceci est un roman, c'est-à-dire une œuvre d'imagination. C'est aussi un roman de la variété « historique », c'est-à-dire dont l'action se situe dans une époque révolue – et même, c'est le cas ici, fort lointaine –, mettant en scène des événements et des personnages qui eurent une influence sur la marche de l'Histoire.

L'auteur glisse son intrigue dans les interstices entre les événements connus, sans les altérer se bornant à préciser des points de détail que l'historien a négligés, par manque d'intérêt ou d'information. Par exemple, étant donné l'affaire des ferrets de diamants imprudemment offerts par Anne d'Autriche à son soupirant Buckingham, certains chroniqueurs mentionnent la manœuvre ourdie par Richelieu pour confondre la reine et concluent que ladite manœuvre échoua, sans entrer dans les détails. Alexandre Dumas – après Courtilz de Sandraz – imagine ces détails, et c'est la chevauchée héroïque de d'Artagnan et des Mousquetaires.

Autre exemple, où je prends la liberté de me mettre en cause . Grégoire de Tours nous apprend comment Childéric, futur père de Clovis, déposé et exilé à la suite de ses débordements amoureux, convint avec son fidèle Wiomad qu'il serait prévenu de la possibilité de son retour par un messager secret qui lui présente-

Le Sang de Clovis

rait un demi-sou d'or dont il conservait l'autre moitié. Grégoire n'entre pas dans les détails. J'ai donc le droit, moi, romancier, de donner vie à ce messager, de conter son équipée, pourvu que je ne contredise en aucun point les données historiquement avérées. Ce que je fis dans *Le Hun blond*.

En ce qui concerne le présent récit, Augustin Thierry mentionne, sans plus, l'épisode, qu'il a trouvé dans Grégoire de Tours, de l'évasion du petit roi Childebert par-dessus la muraille, dans un panier. À moi de narrer l'aventure par le menu, en comblant les lacunes, notamment celle touchant la personnalité du hardi sauveur !

L'Histoire fournit les piliers du récit, repères incontournables qui sont les événements mêmes, leurs dates, les caractères physiques et moraux des protagonistes ayant statut « historique »... Au romancier de remplir l'espace entre les piliers. Mais sans trahir les faits établis et en restant dans une acceptable vraisemblance.

La trame du présent roman se trouve dans certains chapitres de l'*Historia Francorum*, de Grégoire de Tours, repris dans les célèbres *Récits des temps mérovingiens* d'Augustin Thierry. J'y avais découvert le bouleversant épisode du prince Mérovée tombant éperdument amoureux de sa tante Brunehaut et, pour l'épouser, trahissant son père (assassin de la sœur et du premier mari de Brunehaut), bravant l'inceste, si terriblement puni à l'époque, subissant enfin l'épouvantable conclusion de la longue traque. Il me fut révélé là que la formidable lutte entre Brunehaut et Frédégonde, qui ensanglanta les Gaules pour des décennies et se termina de façon atroce, avait débuté par un roman d'amour. D'amour partagé, la très chaste Brunehaut ayant répondu à la passion du jeune homme par une passion bientôt égale.

Une histoire de pur amour sous les Mérovingiens, dans ce cloaque grouillant de brutes sanglantes... Je n'ai pas résisté !

Le Sang de Clovis

Sur Grégoire de Tours

Grégoire De Tours. (538-594) Georgius Florentus Gregorius. Historien, chroniqueur, auteur de l'*Historia Francorum* (*Histoire des Francs*). Évêque de Tours. Apparenté aux plus illustres familles de la Gaule, évêque en 573, il eut toujours à cœur de défendre les privilèges de l'Église contre les empiètements de la royauté. Entre autres, il soutint farouchement le droit d'asile attaché à la basilique Saint-Martin de Tours, grand lieu de pèlerinage.

Haute autorité morale, politiquement très actif, il servit souvent d'arbitre entre les frères ennemis, surtout entre Chilpéric, roi de Neustrie (dont dépendait son diocèse), et Childebert II (l'enfant roi de ce récit), roi d'Austrasie, puissamment secondé par sa mère, Brunehaut. C'est sous son égide que se fit la réunion de la Burgondie et de l'Austrasie au bénéfice de Childebert II.

Son *Histoire des Francs,* bien que souvent tendancieuse et naïvement apologétique, reste cependant la source la plus sûre et la plus complète concernant les premiers Mérovingiens.

Les royaumes francs

À la mort de Clovis (511), la Gaule fut partagée, suivant l'usage germanique, entre ses quatre fils : Thierry, Clodomir, Childebert et Clotaire. La mort prématurée (le plus souvent provoquée) de trois des frères ainsi que de leurs héritiers laissa la totalité de l'héritage aux mains du seul Clotaire, qui y adjoignit la Burgondie que Clovis n'avait pas eu le temps de conquérir.

À la mort de Clotaire (561), nouveau partage. Sigebert eut l'Austrasie et l'Auvergne, Chilpéric la Neustrie, Caribert l'Aquitaine et Gontramn la Burgondie (voir carte page 7). Caribert étant mort sans héritier (567), l'Aquitaine fut partagée. La

Le Sang de Clovis

Neustrie, entre autres, s'agrandit jusqu'aux frontières de l'Armorique, qui restait indépendante, ou plutôt inconquise.

Austrasie. Le « royaume de l'Est », par opposition à la Neustrie. Elle s'étend, à l'époque de notre récit (575-76), sur tout le bassin du Rhin et sur celui de la Meuse, se prolonge sur la Thuringe, l'Alémanie, la Bavière, la Frise et les forêts de la vieille Germanie. Ses limites orientales se perdent dans les solitudes encore barbares où errent des nomades slaves, teutons ou huns.

Le noyau en est l'ancien territoire des Francs Ripuaires, qui y dominent, alors que la Neustrie est majoritairement peuplée de Saliens. Restée moins romanisée, plus proche des origines, plus « sauvage », l'Austrasie échut à Sigebert (561) puis, après une brève usurpation de Chilpéric, au petit Childebert II, fils de Brunehaut et de Sigebert. C'est d'Austrasie que sortira la famille des maires du palais qui, réduisant les derniers Mérovingiens à n'être plus que des « rois fainéants », deviendra la souche d'où jailliront Charlemagne et la dynastie carolingienne.

Ville principale : Metz. Autres villes : Reims, Cologne, Mayence.

Neustrie. Le « royaume de l'Ouest ». Échue à Chilpéric en 561. D'abord cantonnée à l'ancien domaine des Francs Saliens, entre la Somme et les bouches du Rhin, elle s'agrandit, à la mort de Caribert (567), de l'actuelle Normandie et d'une partie de l'Île-de-France. Ses frontières furent toujours mouvantes, au gré des héritages et des spoliations. Plus « civilisée » que la farouche Austrasie, elle l'était cependant beaucoup moins que l'aimable Aquitaine où avaient régné les Wisigoths raffinés. Sous Chilpéric et Frédégonde, l'animosité entre Neustrie et Austrasie, attisée encore par leur haine de Brunehaut, l'ambitieuse reine mère, régente d'Austrasie pendant la minorité de Childebert II, fut cause de conflits terribles et interminables.

La ville principale de la Neustrie était Soissons. Autres villes : Rouen, Amiens, Tournai.

Le Sang de Clovis

Burgondie. Lors de la grande ruée de 406, le peuple germanique des Burgondi s'installa le long des vallées du Rhône et de la Saône, puis annexa la Suisse et une partie du Massif central. Ils donnèrent leur nom au pays, furent plutôt modérés dans leurs spoliations et se romanisèrent assez vite. En 451, leur roi (un Chilpéric, père de Clotilde qui épousa Clovis) fut assassiné par son frère Gondebaud. De trahison en assassinat, le royaume passa de main en main jusqu'à Clotaire qui, ayant tué tous les gêneurs, put se faire gloire d'avoir fait mieux encore que le grand Clovis. Mais, à sa mort, nouveau partage. La Burgondie passa à Gontramn. À la mort de Gontramn, Childebert II (l'enfant roi de ce roman) réunira la Burgondie à l'Austrasie.

Aquitaine. (Littéralement : pays des eaux.) C'était, depuis la conquête de Jules César, une division administrative de la Gaule romaine. Elle s'étendait de la Loire, au nord, aux Pyrénées, au sud, et de l'Océan, à l'ouest, aux hauteurs volcaniques séparant la vallée de la Loire de la vallée du Rhône, à l'est. Elle fut occupée par les Wisigoths (419), puis conquise sur eux par Clovis (507. Voir *La Hache et la Croix* et *Le Dieu de Clotilde*). Dans cette région plantureuse et convoitée, les rois wisigoths avaient fait fleurir un bourgeon de civilisation romano-barbare qu'écrasèrent les Francs de Clovis et de ses successeurs. Les fluctuations des héritages la livrèrent, en 561, fort diminuée à l'est mais augmentée des pays au nord de la Loire jusqu'à la frontière de Neustrie, à Caribert, qui mourut en 567, date à laquelle l'Aquitaine fut dépecée et partagée entre les survivants.

Abrégé de généalogie

Les degrés de parenté mérovingiens peuvent paraître assez rebutants à démêler. Pour aider le lecteur à y voir clair, voici un bref aperçu des liens unissant les principaux personnages.

Le Sang de Clovis

Le roi Chilpéric eut d'Audovère trois fils : Mérovée, Théodebert et Chlodeswig (en abrégé, Clovis).

Le présent récit est l'histoire de Mérovée.

Théodebert périt, tué sur l'instigation de Frédégonde, sa belle-mère.

Chlodeswig, faussement accusé par Frédégonde de complot contre son père, mourut sous la torture.

Chilpéric eut de Frédégonde plusieurs filles et deux fils, Chlodobert et Dagobert. Tous deux moururent en 580, lors d'une épidémie de petite vérole. C'est à la suite de ce double deuil, qui laissait Chlodeswig, le dernier fils issu d'Audovère, seul héritier du royaume, que Frédégonde monta la conjuration où celui-ci laissa la vie. Elle eut par la suite un autre fils, Clotaire, dont la paternité fut contestée. C'est lui qui, lorsqu'elle aura fait assassiner Chilpéric, régnera sous le nom de Clotaire II et vengera sa mère.

Brunehaut eut de Sigebert un fils, Childebert, et deux filles, Ingonde et Chlodeswinde. Il ne semble pas que son union avec Mérovée ait donné de fruits.

Du même auteur
Aux Éditions Albin Michel

LA GRANDE ENCYCLOPÉDIE BÊTE ET MÉCHANTE
LA NOUVELLE ENCYCLOPÉDIE BÊTE ET MÉCHANTE
NOS ANCÊTRES LES GAULOIS
LE TEMPS DES ÉGORGEURS
LETTRE OUVERTE AUX CULS-BÉNITS
LES RITALS
LES RUSSKOFFS
BÊTE ET MÉCHANT
LES YEUX PLUS GRANDS QUE LE VENTRE
MARIA
L'ŒIL DU LAPIN
LES ÉCRITURES
LOUISE LA PÉTROLEUSE *(théâtre)*
ET LE SINGE DEVINT CON *(L'Aurore de l'humanité I)*
LE CON SE SURPASSE *(L'Aurore de l'humanité II)*
LES FOSSES CAROLINES
LA COURONNE D'IRÈNE
LE SAVIEZ-VOUS ?
LES AVENTURES DE NAPOLÉON
COUPS DE SANG
CŒUR D'ARTICHAUT
LA DÉESSE MÈRE
LE HUN BLOND
LA HACHE ET LA CROIX
LE DIEU DE CLOTILDE
MIGNONNE, ALLONS VOIR SI LA ROSE...

Chez d'autres éditeurs

Éditions Hara-Kiri (repris par Archipel)
4, RUE CHORON

Jean-Jacques Pauvert
STOP-CRÈVE
DROITE-GAUCHE, PIÈGE À CONS

Julliard
(Collection « Humour secret »)
CAVANNA

L'École des loisirs
(Adapté en vers français par Cavanna)
MAX ET MORITZ, *de Wilhelm Busch*
CRASSE-TIGNASSE *(Der Struwwelpeter)*

Hors Collection (Presses de la Cité)
MAMAN, AU SECOURS !
LES GRANDS IMPOSTEURS
DIEU, MOZART, LE PEN...
TONTON, MESSALINE, JUDAS...

L'Archipel
LA BELLE FILLE SUR LE TAS D'ORDURES
DE COLUCHE À MITTERRAND

Hoebeke
(Avec Robert Doisneau)
LES DOIGTS PLEINS D'ENCRE
LES ENFANTS DE GERMINAL

Presses de la Cité
(avec Barbe)
JE T'AIME

Cet ouvrage a été réalisé par la
SOCIÉTÉ NOUVELLE FIRMIN-DIDOT
Mesnil-sur-l'Estrée
en mai 2003

Ouvrage composé par
Nord Compo (Villeneuve d'Ascq)

Édition exclusivement réservée aux adhérents du club
Le Grand Livre du Mois
15, rue des Sablons
75116 Paris
réalisée avec l'aimable autorisation des éditions Albin Michel

Imprimé en France
Dépôt légal : octobre 2001
N° d'impression : 64166
ISBN : 2-7028-4854-0